DE LA MÊME AUTEURE

L'Itinérante, roman, Éditions de la Paix, 2000.

Les gens du Sud
n'aiment pas la pluie

Éditions de la Pleine Lune
223, 34e Avenue
Lachine (Québec)
H8T 1Z4

www.pleinelune.qc.ca

Design de la couverture
Julie Larocque

Mise en pages
André Leclerc

Diffusion pour le Québec et le Canada

Diffusion Dimedia
539, boulevard Lebeau
Montréal H4N 1S2

Téléphone : 514-336-3941
Courriel : general@dimedia.qc.ca

Diffusion pour la France

Distribution du Nouveau-Monde
30, rue Gay-Lussac
75006 Paris

Téléphone : (01) 43-54-49-02
Courriel : direction@librairieduquebec.fr

Patricia Portella Bricka

Les gens du Sud
n'aiment pas la pluie

roman

Pleine lune

La Pleine Lune remercie le Conseil des Arts du Canada ainsi que la Société de développement des entreprises culturelles (SODEC) du soutien financier accordé à son programme de publications.

ISBN PAPIER 978-2-89024-417-7
ISBN PDF 978-2-89024-418-4
ISBN ePUB 978-2-89024-419-1

PROLOGUE

Mon dernier souvenir de toi, Abuela ? La terre qu'on enlève. Un trou. Qui se remplit... de ton corps déposé délicatement entre quatre planches. Un bouquet de roses blanches jeté sur ton cercueil qui descend. Tu les aimais tant ! Des pelletées de terre pour cacher pudiquement l'inacceptable comme l'inévitable ; et puis, plus rien. Ça se passait par une triste journée de printemps 1992 au cimetière Saint-Pierre à Marseille. Tu as été ensevelie sous cette terre que tu avais foulée le plus longtemps. Est-ce pour autant ici que tu aurais souhaité être enterrée ? On ne le saura pas, car tu as eu la sagesse de n'y avoir jamais pensé. Tu es morte tel que tu as vécu. Sans choisir le coin de pays où arrêter ta course.

Un silence révérencieux, teinté de quelques sanglots étouffés, accompagnait ton dernier trajet, de l'église à la fosse. Quand les premières gouttes ont commencé à tomber, tout le monde s'est rapidement dispersé. Les gens du Sud n'aiment pas la pluie.

Les plus intimes se sont retrouvés à midi devant une bonne omelette, une tortilla espagnole comme tu savais si bien les faire. Quelques anecdotes sur la défunte que tu étais devenue, et nous nous sommes séparés, chacun retournant à ses obligations. Du moins, c'est ce qu'on se plaît à dire quand on ne sait plus quoi dire : « Allez, il faut que j'y aille. Mes obligations m'attendent ». L'utilisation de cette formule d'usage m'a toujours agacée. Un mot fourre-tout derrière

9

lequel on se réfugie pour pouvoir s'éclipser. Quelles obligations ? Personne n'ose poser la question quand le mot est lancé, comme un code tacite indiquant qu'il est l'heure de tirer sa révérence.

Lorsque j'ai vu descendre ton cercueil, je n'avais qu'une seule idée qui passait en boucle dans ma tête. Une obsession présente encore aujourd'hui. «Mon Dieu, comme elle va avoir froid là-dedans!» Si froid et pendant si longtemps. Je pensais bêtement que quelqu'un aurait dû te mettre une couverture...

C'était il y a vingt ans!

Une vie est passée. La mienne.

Il est temps aujourd'hui de raconter ton histoire, Abuela. Pas ta biographie – tu n'aurais pas aimé ce mot trop pédant –, mais simplement le récit de ta vie que tu me racontais quand je n'étais qu'une enfant: pleine de mystères et de lacunes; pleine de tristesses, d'injustices et de misères; pleine de fatalités, d'espoirs, de résignations, de résiliences et de joies; pleine de cris, de coups et de morts. Pleine d'amours. Un récit qui, encore maintenant, m'apporte sérénité et réconfort les soirs de tourmente.

Tu es morte à quatre-vingt-quinze ans. Il m'a fallu vingt ans pour pouvoir me mettre à mon clavier et parler de toi. Vingt ans! L'âge adulte, l'âge de la maturité et de l'indépendance. Affranchie de ma culpabilité, celle d'avoir fui devant ton ultime combat. C'est presque inquiétant cette envie de donner un sens aux chiffres.

Ce jour-là, c'était un jour de printemps, la vie avait fini enfin par te foutre la paix. La garce avait bien profité de toi. Elle t'avait sucé la moelle jusqu'à la dernière goutte et, quelques mois avant de te livrer à la Grande Faucheuse, elle t'avait encore joué un sale tour. Un tour de cochon comme à son habitude. Ton fils aîné t'avait été enlevé, emporté par un anévrisme cérébral, et tu n'en as jamais rien su. Du moins l'avons-nous espéré. Deux mille kilomètres et ta surdité bienfaitrice vous éloignaient l'un de l'autre. Lorsque le téléphone sonnait, on te disait, une fois par mois comme à l'accoutumée, que Raphaël allait bien et qu'il t'embrassait très fort. Toujours les mêmes mots, des mots innocents, banals et rassurants. Des mots puissants. Quand le téléphone a cessé de sonner, on a continué à faire semblant et, tous les mois, on te disait que Raphaël allait bien et qu'il t'embrassait très fort. Tu hochais la tête : « Embrasse ton frère pour moi », répondais-tu inlassablement à ta fille... ma mère.

Toujours les mêmes mots, des mots innocents... Mais ton regard exprimait une inquiétude qui, avec les mois, semblait devenir une certitude. Tes yeux ne savaient pas mentir. En prononçant cette phrase, constamment la même, ta voix ne tremblait pas à la différence de tes vieilles mains serrées l'une contre l'autre. Et, à chaque fois, tu laissais perler une larme que tu te dépêchais de sécher avec le vieux mouchoir en tissu, brodé de tes initiales, que tu rangeais soigneusement dans ta manche. Personne ne remarquait cette larme. Depuis longtemps déjà, tes yeux ridés ne cessaient de pleurer, de ces larmes sans chagrin qui s'échappent du corps des vieillards sans que personne n'y prenne garde. Les vraies larmes, celles de la douleur, sont précieuses chez les vieux. Elles proviennent d'un puits desséché et brillent d'un éclat plus tranchant que les autres. J'étais la seule à voir cet éclat. Enfin, c'est ce que je me plais à imaginer. Incapable de supporter cette détresse que tu dissimulais aux autres autant qu'à toi-même, je détournais mon regard.

Le matin où mon père m'a appelée pour m'annoncer que ta fin était proche et qu'il fallait que je vienne tout de suite, j'ai raccroché le combiné tranquillement, sans trembler, sans pleurer, en un mot... sans y croire. La fillette, celle qui te croyait immortelle, venait de refaire surface.

J'ai vaqué à mes occupations comme si de rien n'était et, finalement, en soirée, je me suis décidée à venir t'embrasser. Le doute avait fait son chemin. Si mon père avait raison après tout ? J'étais déjà mère de deux enfants à ce moment-là. Et je t'aimais toujours de la même affection que la petite fille de cinq ans qui se blottissait contre toi, le soir venu, celle que tu serrais tendrement dans tes bras, devinant sa frayeur devant la nuit qui allait l'engloutir – j'ai cru longtemps qu'on mourait à chaque fois qu'on s'endormait. Ma grand-mère à moi, mon Abuela – qui signifie tout bonnement grand-mère en castillan –, ne pouvait pas mourir. À cinq ans, j'avais décidé de devenir médecin au cas où un malheureux incident viendrait contrarier mes projets. Médecin... dans la recherche... et je le trouverais le vaccin de l'immortalité. Je voulais aussi inventer le remède qui rendrait amnésique, car vivre l'éternité avec des souvenirs si pénibles, je savais déjà que c'était inhumain, que c'était ce qui devait ressembler le plus à l'enfer.

Oui, mais voilà... mes plans ont été contrecarrés. Je suis arrivée trop tard ! Tout le monde était déjà là. L'appartement grouillait de toute ta parenté. Tu étais morte entourée des tiens, de ceux qui t'aimaient. Par tous, mon absence avait été remarquée. Je n'eus droit à aucune remontrance. Puis, comme si ce n'était pas assez, je n'ai pas franchi le seuil de ta chambre où la veillée venait de commencer. Dans un réflexe de défense, j'ai refusé de laisser ton image funèbre envahir ma mémoire. Je suis arrivée trop tard pour te prendre la main et te mentir. Te dire que tu allais enfin revoir les tiens, que tu allais goûter au paradis auquel tu avais droit, que j'irais te rejoindre plus tard, que... Je suis arrivée trop tard pour être à tes côtés, alors que c'est sans doute la seule chose que tu attendais de moi.

Pardon, Abuela.

Durant vingt ans, j'ai écrit. Des romans, des poèmes, des nouvelles. Sans m'interroger sur le but de mon écriture.

J'écrivais, persuadée simplement qu'il m'était impossible de faire autrement. Et puis est venu le moment où j'ai cru que ces mots, que je mettais sur papier, n'étaient que des appâts que je lançais à l'aveuglette, à la recherche d'une essence que je ne pouvais ni nommer ni encore moins définir. Au bout du compte, j'ai compris que je m'étais leurrée, que je n'écrivais pas pour atteindre un but. J'écrivais pour maîtriser les mots, comme un bâtisseur construit des cabanes pour maîtriser le marteau avec lequel il bâtira plus tard sa cathédrale. Ce livre qui te ramène à la vie aujourd'hui distille en moi ta joie de vivre, à travers mes mots qui crient tes maux, ceux que tu écartais si soigneusement pour continuer à avancer sur un chemin que l'Histoire t'avait tracé. Une route que d'autres avaient choisie à ta place, et sur laquelle tu t'étais engagée, sans révolte, sans résistance. Ta seule préoccupation se résumait à marcher, tomber et te relever, en prenant soin de ne rien écraser dans ta chute. Tu n'avais qu'un désir : parvenir au bout du voyage, entourée des tiens. Et ils étaient là, Abuela ! On était tous là...

*****

Ma grand-mère ! Une femme qui avait à mes yeux un passé sans fond. Elle avait presque soixante-dix ans quand je suis venue au monde, et une femme de cet âge n'est plus qu'un moulin à souvenirs. C'est d'ailleurs étonnant la mémoire que pouvait avoir Abuela ! Comment cette naufragée de la vie, si vieille, pouvait-elle se souvenir de sa jeunesse et surtout de son enfance ? J'en étais sans cesse étonnée.

De sa jeunesse, je ne connais que des bribes, avec lesquelles j'ai reconstitué ses vingt-trois premières années jusqu'à son mariage. Je me sens un peu la paléontologue de ses souvenirs. Ses réminiscences, devenues miennes, sont-elles vraies, incomplètes, romancées ? Tout à la fois sans doute ; une dose homéopathique de son histoire, des traces fugaces réduites aux pages qui vont suivre.

La plupart du temps, c'était confortablement installée sur ses genoux et armée d'une pince à épiler, à l'affût du poil disgracieux sur son visage, que j'écoutais ses histoires. Combien de temps ai-je ainsi passé à l'épiler? Sans doute beaucoup moins que dans mes souvenirs, mais ces instants-là étaient privilégiés. Ils me permettaient de m'abreuver au puits de sa mémoire qui, à l'époque, me semblait intarissable. Cependant, au fur et à mesure que je grandissais, je m'apercevais qu'il s'asséchait. Que certaines histoires avaient fini par disparaître de sa mémoire. Je m'efforçais de les maintenir en vie en me les racontant souvent. N'étant pas différente du reste de l'espèce humaine, certains de mes souvenirs ont fini eux aussi par s'effriter en ne laissant que quelques résidus de vie. Seule l'imagination m'aide à leur redonner forme, et c'est tant mieux! J'ai toujours détesté les romans historiques. La fiction a quelque chose de plus léger, de plus libre... de plus authentique!

1

10 juin 1897 : Cordoba (Andalousie)

À l'aube du vingtième siècle, l'Espagne, piégée dans le confort de sa grandeur passée, avait laissé les années noires s'installer chez elle, éteindre les lumières du royaume et régner en maître. Cordoba, le fleuron de la civilisation maure du temps de son hégémonie en Andalousie, n'avait pas échappé à la vague de misère qui s'étendait sur le pays – une vague de fond qui allait bientôt déferler sur les côtes ibériques en raz-de-marée meurtrier. Aux abords de la ville, les plantations d'oliveraies et d'orangeraies des grands propriétaires terriens, héritiers d'une époque révolue, ne suffisaient pas à dissimuler les ouvriers agricoles opprimés et éreintés par des conditions de travail quasi inhumaines. Sous la terre humectée de la sueur de ces paysans qui n'avaient d'autre avenir qu'un lendemain incertain, des mineurs creusaient des galeries. Jour après jour, ils extrayaient un charbon dont ils ne verraient pas la couleur, une fois dehors, quand ils grelotteraient de froid, l'hiver venu. À l'intérieur des murs, la ville abritait sans pour autant la protéger une population ouvrière affamée : des hommes, des femmes et des enfants à la recherche d'un travail ou sinon d'un bout de pain jeté par une main généreuse. Une noblesse en déclin et une bourgeoisie encore timide se cimentaient autour de cette misère en des fondations qui ne soutenaient déjà plus rien. La faim, le froid, la fièvre, la honte, la maladie et les injustices chroniques s'étaient cristallisés en une seule et même colère. Elle sourdait en chacun et effritait les soubassements de Cordoba, à l'image de ce que vivait déjà le pays tout entier.

C'est dans cette région exsangue de l'Espagne, au croisement d'une grandeur passée et d'un avenir absent, que Carmen vint au monde, sur le domaine familial de son père, un riche propriétaire terrien. C'était un jour de juin de l'année 1897, un jour semblable aux autres.

La journée s'annonçait torride. Un vent chaud, cousin du sirocco d'Afrique, s'engouffrait sans façon par la fenêtre entrouverte et caressait le visage de l'accouchée. L'enfantement fut presque magique, sans aucune douleur jusqu'à l'expulsion. À peine cinq minutes de souffrances et la nouveau-née avait crié, comme si elle avait voulu rassurer sa mère avant de s'assoupir. Une accoucheuse sans âge et deux autres femmes mettaient de l'ordre dans la luxueuse chambre des maîtres.

Carmen immigrait dans la vie sous une bonne étoile! La fortune ne lui souriait pas, elle lui éclatait de rire en plein visage.

Aussitôt née, aussitôt débarbouillée, langée, parfumée et prêtée à la mère l'instant d'un baiser quelque peu indifférent. Il faut dire qu'elle était la treizième de la fratrie. Elle n'était donc pas un événement exceptionnel qui méritait une attention particulière. Elle était – soyons francs – inéluctable, attendue sans être vraiment souhaitée. Le lot des femmes mariées qui alternaient grossesses et règles. Sa mère se disait qu'avec de la chance et beaucoup d'imagination pour tenir le mari éloigné, elle aurait plusieurs menstruations avant le prochain héritier. Heureusement, une ménopause précoce lui épargnerait d'autres grossesses, faisant de Carmen la dernière de la lignée, à son grand soulagement!

L'enfant était une De La Haba Lopez. Issue des familles nobles d'Espagne vivant leurs dernières années de gloire et de prestige dans un pays qui allait se vider de son sang par les poignets qu'il s'était lui-même entaillés. La guerre civile, nom fade et pudique donné aux guerres fratricides, était à la veille d'éclater dans une Espagne que personne n'entendrait gémir, pleurer ni crier. En vrais «singes de la sagesse», les pays voisins, ceux qui portaient bien haut le fleuron de la démocratie, se couvriraient la bouche, les yeux et les oreilles.

Mais le 10 juin 1897, Carmen De La Haba Recio – la tradition espagnole veut que l'enfant prenne la première moitié des noms paternel (De La Haba) et maternel (Recio) – était bien loin de ces meurtrissures de l'Histoire. Elle naissait parmi de riches oliveraies, entourée des attentions de parents aimants. Voilà tout! Les seuls bruits désagréables qui parvenaient à ses oreilles n'étaient autres que les babillages de sa sœur Conchita, son aînée de dix-huit mois.

2

JOURNAL INTIME

Le 8 février 1974
Cher Jo,

Rappelle-toi cette date : le 8 février 1974. C'est le jour de ta naissance, et je t'ai baptisé « Jo ». « Journal intime », c'est bien trop long à écrire et ça fait moins intime, puisqu'on se sent obligé de l'écrire, le mot « intime ». Dis-toi que c'est grâce à ma grand-mère que tu existes toi aussi, car j'ai décidé de mettre par écrit toutes les anecdotes qu'elle me raconte. Quand je serai grande, j'écrirai un roman sur sa vie. Un vrai livre, avec une couverture en dur, qu'on achètera dans une librairie. J'ai déjà une idée du titre : L'Abuela. Je veux que tout le monde sache combien Abuela, elle est spéciale. Ce n'est pas une grand-mère ordinaire. C'est la meilleure...
    Bon allez, je commence !

*****

Assise confortablement sur ses genoux, je lui arrache avec une pince à épiler les poils blancs et noirs de son menton et aussi ceux qui lui font une moustache de jeune homme. Je m'applique bien, en coinçant ma langue entre les dents, ça m'aide à me concentrer. Faut l'arracher du premier coup, histoire de ne pas trop faire souffrir.
    Abuela ressemble à toutes les vieilles que je connais. Elle a laissé partir sa beauté avec les années (j'ai trouvé cette phrase dans un livre et je trouve que c'est plus poli que de dire directement qu'elle est moche). Maintenant, elle est comme un fruit déshydraté. Ridée, des

poils là où on ne les attend pas, un menton en gavroche et un nez bourbon. À dire vite comme ça, on pourrait avoir l'impression que je décris une sorcière. Mais non, il lui manque la verrue. Et puis, elle a une permanente. Jamais vu une sorcière avec des cheveux gris, courts et frisés. Et de toute façon, si c'est une sorcière, elle est ma sorcière bien-aimée. Parce que ma grand-mère, je l'adore!

Elle a un visage long et creux, émacié qu'on dit, qui ne va vraiment pas avec le reste de son corps à bien y penser, mais il se marie à la perfection avec ses bras et sa poitrine qui sont d'une taille normale. Ma grand-mère se multiplie à partir du nombril. Elle a de grosses fesses et des cuisses bien charnues sur lesquelles je m'assois souvent et que je trouve superconfortables. Je n'aurais vraiment pas aimé qu'elle soit svelte. Une grand-mère, ça doit être hypermœlleux, au cas où on voudrait s'asseoir ou se coucher dessus. Sinon, elle ne servirait qu'à moitié. Alors, même si elle ressemble à une bouteille de Tia Maria, elle est aussi douillette qu'une bonne vieille couette sous laquelle on aime se réchauffer les nuits un peu froides. Abuela, elle est un peu mon vieil édredon à moi.

Elle n'est pas obligée d'être belle partout. Ses yeux sont bien suffisants. La première fois que je l'ai remarqué (qu'elle avait de beaux yeux), c'est quand je regardais des photos de l'ancien temps. J'étais tombée sur une ancienne photo d'identité collée sur un passeport espagnol, tout vert. Elle était déjà vieille là-dessus, dans les quarante ans bien sonnés. Dans sa jeunesse, les photos ne devaient pas encore exister. Ses yeux ressortaient de la grisaille de la photo et pourtant ils étaient gris eux aussi. Au début, je croyais qu'ils avaient cette couleur parce que la photo était en noir et blanc, rapport à l'époque, mais qu'en réalité, elle devait les avoir bleus ou verts. J'ai voulu vérifier dare-dare la bonne couleur sur la vraie Abuela. Je n'y avais pas prêté attention avant, car elle porte des grosses lunettes qui lui cachent la moitié du visage, avec un verre opaque à cause de sa cataracte.

«Abuela, enlève tes lunettes por favor[1].

---

1. S'il te plaît.

— Por qué[2] ?

— *Je veux voir tes yeux.* »

Elle les a aussitôt enlevées. Ma grand-mère, elle est comme ça. Pas compliquée. Il faut seulement qu'elle comprenne. C'est ce jour-là que j'ai vu que ses yeux étaient gris, même dans la vraie vie. Quand on dit qu'une chose est grise, on n'imagine rien de beau. On ne pense même pas à une couleur. Gris, c'est le ciel quand il pleut, c'est la saleté des murs de mon HLM, c'est la poussière qui se dépose sur les vieux objets qui n'intéressent plus personne. Le gris de ses yeux à elle n'est pas triste. Au contraire : il est pétillant. J'ai finalement écrit dans mon cahier ligné, où j'écris les grandes vérités de la vie, que «gris», c'est une belle couleur. Et tant mieux! Les couleurs, ça ne vieillit pas, sauf celle de la tapisserie de notre salle à manger. Mais c'est parce qu'elle, je ne l'aime pas. «Raconte-moi l'histoire de tante Lola, Abuela.»

Elle me l'a racontée des millions de fois déjà. M'en fiche, je peux l'écouter encore à l'infini, elle me donne à tous les coups la chair de poule. Elle a la chance de la connaître d'oreille et elle change toujours un truc, comme un musicien qui joue la même chanson sans savoir lire les notes. Je préfère les histoires de ma grand-mère à celles du «Club des cinq» que je relis souvent. C'est le danger des livres, ils se répètent.

«La tía Lola, pobrecita[3]...»

Abuela ne parle pas vraiment notre langue. Je veux dire le français, le vrai, celui qu'on apprend à l'école. En réalité, elle mélange toutes les langues qu'elle a personnellement connues dans sa vie : l'espagnol, le français, le pied-noir et le marseillais.

Bon, majoritairement, ce qu'elle baragouine ressemble à de l'espagnol, mais que les Espagnols eux-mêmes ne comprennent pas. Elle parle une sorte d'hispano-français ou de hijo de puta[4] *de franco-espagnol, au choix. Moi, je dis plutôt qu'elle parle l'hispano-français,*

---

2. Pourquoi?

3. La tante Lola, la pauvre...

4. Fils de pute.

*c'est plus court. Vu que chez nous, dès qu'on utilise le mot «Franco», on est obligés de mettre «*hijo de puta*» devant, et ça devient trop long à force. On n'est pas nombreux dans la famille à la comprendre lorsqu'elle veut dire quelque chose. Parce qu'elle veut dire! Et on se dépêche de traduire, car les autres, les profanes, la regardent souvent comme une attardée mentale quand elle veut parler. On n'aime pas quand ils détournent les yeux d'elle dans l'intention avouée de ne plus lui causer. C'est pourquoi on se dépêche de traduire, sauf que des fois, on n'est pas assez rapides, et les autres, ils ne sont plus intéressés.*

Chez moi, les quartiers Nord de Marseille, on trouve plein de personnes comme Abuela. Des gens qui ne parlent pas français. Des vieux, des moins vieux et aussi des jeunes. Il faut voir à la sortie de l'école! C'est une vraie cacophonie, mais tout le monde finit par se comprendre. On parle en français, en arabe, en italien, en espagnol, en grec, en vietnamien et en d'autres langues qui devraient disparaître, parce que, franchement, ça ne sert à rien d'avoir autant de langues dans le monde.

En tout cas, on n'a pas besoin de connaître tous les mots d'une langue pour se comprendre, c'est certain. La sortie des classes m'a vachement aidée à comprendre pourquoi on dit d'une langue qu'elle est vivante. C'est parce que, en plus de parler, elle rit, elle pleure, elle crie, elle injurie, elle embrasse, elle met des claques. Tout en même temps des fois!

«La tía Lola, pobrecita... »
Et l'histoire recommence.

3

1905 : Cordoba

Lorsque le drame se produisit, Carmen avait huit ans et sa grande sœur Lola, quinze. Quelques mois plus tôt, Lola avait fait une chute de cheval qui n'était pas sans rappeler celle que son frère Pedro fit un an auparavant. Lola n'avait pas vu le fossé et son cheval s'était affaissé sur les pattes antérieures, projetant violemment la cavalière contre une roche.

Ce matin-là, la campagne andalouse brillait de mille promesses. La fraîcheur de la nuit s'attardait encore un peu, l'aurore éclairait le paysage d'une douce lumière rappelant les œuvres impressionnistes de Laureano Barrau Bunol, qui laissait sur ses toiles les traces d'une fragile féminité et la curieuse sensation d'un tableau inachevé. Lola adorait parcourir la campagne à ces heures-ci, se promener dans les champs d'oliviers qui s'étalaient à perte de vue, galoper dans les vastes plaines, s'allonger sous un figuier et se repaître de ses fruits sans même les éplucher, affamée de plaisirs.

Lola était une artiste. Il en avait été décidé ainsi, car elle tombait souvent dans un état de rêverie proche de l'absence au détour d'une conversation. Des réponses incomplètes, un regard lointain, un sourire fugace, un éclat particulier dans la prunelle dilatée de ses yeux saphir. De mauvaises langues avaient fait circuler le bruit que la jeune fille souffrait d'une maladie bizarre. C'était là davantage de l'ignorance que de la méchanceté. Ils ne connaissaient probablement pas le monde des artistes. Telle était la conclusion qu'en tirait la famille quand ce genre de médisance leur parvenait aux oreilles.

Elle s'était levée en même temps que les premières lueurs du jour et s'était rendue à l'écurie où l'attendait son cheval, un pur-sang andalou à la robe grise claire, presque blanche. Un cadeau qu'elle avait reçu pour ses quatorze ans. Le palefrenier, inquiet de ne pas la voir revenir, était parti à sa recherche et l'avait retrouvée gisant à terre, à trois kilomètres du domaine.

Elle resta inanimée plusieurs heures avant de se réveiller dans son lit, entourée des siens. Même son père était là ! « Je dois être mal en point pour qu'il se mêle ainsi aux femmes de la maison. » Ce fut là sa première réflexion. Dans un brouillard, elle entrevoyait des visages inquiets penchés sur elle. Des ébauches de sourires tristes et hésitants... puis ce fut un déluge de mots qui fit fuir son père à l'autre bout de la pièce.

« Comment te sens-tu, ma chérie ?

— Essaie de bouger les doigts.

— Tu te souviens de quel jour on est ? De ton nom ?

— Essaie de bouger les bras... c'est bien, et les jambes... »

Les sourires se faisaient plus vrais, plus bruyants. Sa mère versait des larmes de joie. Vivante, avec trois vertèbres brisées, mais vivante ! Elle pouvait bouger tous ses membres en dépit de son cou presque paralysé et d'une douleur fulgurante qui lui traversait le dos.

Finalement, elle avait eu plus de chance que Pedro, le septième enfant à décéder en moins de vingt ans. Le drame fatidique ne s'était pas répété, Dieu merci ! Le mauvais sort s'était, ce jour-là, détourné de leur demeure. *Gracias Dios mio, gracias !* On fit sortir ses petites sœurs, Carmen et Conchita, qui n'arrêtaient pas de piailler.

« Et Plata ? » s'inquiéta soudain Lola. Le mutisme qui s'ensuivit répondit en partie à son interrogation. Sa mère rompit, la première, le silence oppressant : « Ma chérie ! Plata s'est brisé une patte et le vétérinaire est en train de s'en occuper. Ne te fais pas de souci... »

Pas de souci ? C'était un euphémisme. Non, Lola ne se faisait pas de souci, elle était atterrée ! Sa mère venait de lui dire avec sa délicatesse habituelle que son cheval était perdu. Une patte brisée signifiait qu'elle ne pourrait plus le monter, qu'ils ne galoperaient plus ensemble dans la campagne. Il était né pour ça ! Infirmité et cheval : deux mots incompatibles à ses yeux. Son menton se mit à trembloter comme chaque fois qu'une émotion trop vive s'emparait d'elle.

« Abattez-le !

— On en reparlera quand tu seras sur pied, Lola. Repose-toi maintenant ! »

Tous les regards se portèrent vers le fond de la pièce. Son père avait bien essayé de prendre sa voix la plus douce mais cela avait sonné comme un ordre. Sans doute l'habitude de diriger ses hommes.

Deux semaines plus tard, on abattit Plata. Depuis que l'homme et le cheval cohabitent, une entente tacite reconnaît à l'homme l'obligation et même le devoir d'achever un cheval infirme. Toutefois, Plata aurait pu vivre si sa jeune maîtresse l'avait désiré. Elle ne l'avait pas voulu. L'animal fut abattu presque avec soulagement. Tout rentrait ainsi dans l'ordre.

Le même jour, un corset en fer se referma sur Lola telle une chrysalide. Des cerceaux métalliques emprisonnèrent ses cervicales, d'autres enlacèrent sa fine taille et elle put se déplacer à nouveau. Mais ce ne fut pas sans tourments. La promiscuité du métal et de la chair la fit terriblement souffrir, des mois durant. Les frottements du fer sur la peau finissaient par former d'affreuses plaies sur son corps diaphane. Sa mère et Flores, sa gouvernante, essayaient autant qu'elles le pouvaient d'alléger ses souffrances. Elles essuyaient sans répit son corps sanguinolent et s'appliquaient à la soulager en veillant à ce qu'il y ait toujours des bouts de charpie entre le corset et sa peau si fragile. Cette longue épreuve aurait pu et aurait dû la rendre irascible. Tout le monde aurait compris et pardonné. Au lieu de cela, elle se montrait encore plus douce, reconnaissante envers ceux qui s'occupaient d'elle, plus proche de ses petites sœurs avec qui elle passait plus de temps. N'eût été le supplice de sa sœur, Carmen aurait été presque heureuse de cet accident qui lui permettait de passer de longues heures auprès de Lola qu'elle admirait. Avec les mois, son état s'améliora. Son corps finit par accepter l'étrange greffe qui l'emprisonnait.

*****

Puis vint le jour qui plongea à nouveau la maison dans le deuil. Lola, que son corset faisait moins souffrir depuis plusieurs semaines, ressentit le besoin impérieux de se rendre sur les lieux de l'accident. Sans raison aucune, sans pouvoir se l'expliquer. Elle réussit à convaincre son frère Antonio de la déposer en carriole et de revenir la chercher plus tard. Elle désirait être seule. Et, personne ne pouvant lui résister, Antonio avait fini par céder.

Quand il revint, il l'aperçut adossée à l'arbre, le seul visible à un kilomètre à la ronde, un vieil olivier contorsionné qu'il ne se souvenait pas avoir vu si noir et encore moins si fumant. Il fit signe à sa sœur qui resta immobile. Il se doutait bien que quelque chose n'allait pas. Il se mit à l'appeler. Elle ne bougea pas plus. Il s'approcha lentement, comme pour apprivoiser ce qu'il découvrait. Puis arriva le moment tant redouté – cette infime fraction de seconde où l'évidence jaillit si brusquement de la brume qu'elle nous ébranle. La vision était cauchemardesque. L'odeur de chair brûlée le saisit à la gorge. Il sentit ses jambes fléchir et il tomba agenouillé.

Elle était là, faisant corps avec l'écorce de l'arbre, la tête inclinée, fusionnée à l'arbre qui semblait vouloir l'ingurgiter, telle une plante carnivore. Les yeux ouverts avaient conservé leur air absent. À moitié dévêtue, le visage cyanosé, ses souliers à quelques mètres d'elle sauvagement déchiquetés. Son cou, si fin et fragile, était enserré par un cerceau. La chaleur du corset en métal avait laissé de profonds stigmates noirs sur le corps. D'horribles brûlures fumaient encore sur le pied droit et sur une grande partie de la poitrine.

« La foudre ! Maudite foudre ! »

Antonio pensa aussitôt vengeance. Les poings serrés, l'écume aux lèvres, il se remit debout à la recherche du fautif. Il s'empara du couteau dont il ne se départait sous aucun prétexte et se mit à hurler : « Lâche ! Espèce de lâche ! Viens, je t'attends. Tu as peur devant un homme armé. Salaud ! Je vais... » Sa phrase resta inachevée. La folie venait de passer son chemin. Il s'inclina devant la fatalité et laissa le désespoir s'installer en lui.

« Lola ! Lola ! Pauvre maman... »

Carmen et Conchita jouaient à l'extérieur de la maison quand elles le virent arriver, tenant à la main deux souliers en lambeaux. Le visage livide, la respiration haletante, les mains tremblantes, les yeux hagards. Il passa devant les fillettes sans les voir et pénétra dans la chambre de sa mère, occupée à brosser les cheveux de sa sœur Maria.

La calamité s'abattait une fois de plus sur la famille. Les larmes versées pour Pedro n'avaient pas encore séché qu'elles se mélangeaient déjà à celles qui coulaient pour Lola. En silence, elles s'entremêlaient pudiquement, soudées dans un dernier sursaut de fraternité. Et tous les jours qu'il lui resterait à vivre, avant de se coucher, au réveil, à la cuisine, au marché, en parlant avec la voisine, en brodant... la mère unirait en elle ses enfants disparus, superposerait leurs visages, les confondrait, les caresserait, leur parlerait, les aimerait. Ainsi font toutes ces mères amputées dans leur chair pour vaincre un oubli plus destructeur que les souvenirs.

Surprise par l'orage, Lola était allée se réfugier sous le vieil arbre tordu. La proie était parfaite. La foudre, attirée par la cime et le métal du corset, s'était abattue sur la victime.

Aucune chance de s'en sortir. Telle fut la version officielle du médecin. La suite de l'histoire, tout le monde la connaissait.

L'odeur de chair brûlée viendrait longtemps hanter Carmen, jusque dans ses rêves, même lorsque le visage de sa sœur finirait par s'estomper, même lorsque son chagrin finirait par disparaître, supplanté par d'autres peines.

Quelques années plus tard, Antonio et Maria s'en iraient à leur tour rejoindre les souvenirs de leur pauvre mère, emportés tous deux par une grippe foudroyante, à vingt-quatre heures d'intervalle.

Sur les treize enfants De La Haba Recio, onze furent décimés avant leur vingtième année. Seules les benjamines dépasseraient cette fatale échéance des vingt ans. Une longévité qui, par bonheur, allait écarter la rumeur qui commençait à se répandre autour de la maison : une malédiction pesait sur la malheureuse famille. Mais après la mort de Maria et d'Antonio, Carmen et Conchita, qui avaient entendu cette rumeur, se mirent à attendre leur tour, comme d'une chose convenue. Que faire d'autre face au mauvais sort qui pesait sur leur famille ? Il ne leur restait que les prières. Pas pour lutter – à vrai dire elles n'y avaient pas songé –, mais pour ne pas avoir peur le jour venu, conformément à ce que l'Église leur avait inculqué : accepter son sort devant la vie et devant la mort. Sans le savoir encore, elles s'inclineraient très longtemps devant la vie avant que la mort ne finisse par les trouver.

Carmen n'avait donc connu que cinq de ses frères et sœurs : Maria, Antonio, Pedro, Lola et Conchita. Les sept autres étaient morts avant qu'elle ne vienne au monde. Foudre, accidents, maladies... Mère Nature s'était déchaînée sans retenue sur la maison De La Haba Lopez.

Et les récits de se succéder. Pedro, Carlos, José, Maria, Lola... et d'autres, dont les noms et les histoires avaient fini par s'embrouiller dans sa mémoire. Une enfance passée entre une parentèle déshéritée régulièrement de ses membres et les fantômes de ces derniers qui hantaient les survivants sans ne rien perdre de leur vigueur au fil des ans.

C'était le début du vingtième siècle dans une Espagne où le taux de mortalité infantile était l'un des plus importants en Europe. Les enfants De La Haba Recio, quoique aristocrates, n'avaient pas été épargnés.

Carmen, quant à elle, avait échappé aux statistiques comme si une bonne fée s'était penchée sur son berceau. Mais elle allait être vouée à une autre forme de malédiction : les affres de l'émigration.

4

DES FRANÇAIS PUR-SANG

Le 10 février 1974
Bonjour Jo,

*L'Abuela dansait autour des tables avec sa belle robe de princesse.
Elle devait avoir dans les sept ou huit ans... ou neuf ans. Elle ne
s'en souvient pas très bien et elle riait, riait, riait...elle souriait à ces
hommes, tous ces travailleurs assis aux tables en train de manger.
D'habitude, je ferme les yeux quand elle me raconte des histoires.
Cette fois-ci, je les ai gardés grands ouverts. Elle était si belle à voir
quand elle me rapportait cette journée-là. J'avais le sentiment qu'elle
était partie rejoindre ses souvenirs et qu'elle me parlait depuis là-bas.
J'avais peur qu'elle ne se mette à danser, comme dans les comédies
musicales. Comme si ses jambes avaient encore huit ans et qu'elle
avait troqué sa vieille blouse défraîchie contre une belle robe brodée
de dentelle blanche avec des volants partout.*

*J'étais inquiète. Elle aurait pu glisser et tomber. Et des vieilles
personnes qui tombent, ça ne fait rire personne! J'ai entendu dire que
leurs os sont aussi fragiles que de la porcelaine. Bientôt, on enfermera
les vieux à l'abri derrière une vitre; c'est ce que fait madame La Rosa,
notre voisine de dessous, avec ses deux assiettes de porcelaine qu'elle
range derrière une vitrine pour que personne ne les casse.*

*Je craignais aussi de me faire engueuler par ma mère. Elle m'aurait
reproché de l'avoir laissée faire. J'ai l'impression que j'avais surtout
peur de devoir dire la vérité, dire pourquoi elle était tombée. Après, je
savais que quelqu'un quelque part se serait moqué d'elle et je n'aurais
pas aimé le savoir. Ça me donne envie de pleurer juste à y penser.*

Pourtant, personne ne se moque de ceux qui se repassent leurs vieux films super-huit. Pour Abuela, c'est pareil. À son époque, l'électricité et la caméra étaient un luxe sans doute. En tout cas, elle n'avait ni l'une ni l'autre. Il faut bien qu'elle se repasse ses films, elle aussi. Et pas la peine de tout installer, l'écran, le projecteur, la bobine qui se casse constamment... ses souvenirs à elle, ils ne se cassent pas au moins. Ils sont vrais et bien en chair.

«*J'aimais* mucho aider mi madre *à servir les repas aux* obreros *dans notre cour.*»

Je n'écris pas exactement de la même manière qu'elle s'exprime. J'ai peur que ce ne soit pas lisible par les non-initiés. Alors j'adapte.

Quand elle m'a dit qu'elle aimait aider sa mère à servir les repas aux ouvriers, j'ai failli m'étouffer. La bobine du film que j'étais en train de me faire s'est brisée d'un coup. Ça m'aurait même réveillée si j'avais été en train de dormir. Je ne comprenais pas. Sa mère, mon arrière-grand-mère, servait les ouvriers de son mari ?

« Ce n'était pas à elle à faire cette corvée ! Elle avait des domestiques pour faire cette besogne, non ?»

J'étais un peu en colère contre mon aïeule, et avec raison en plus.

«Sí... sí. Pero[5] c'était un honneur de servir les hommes qui travaillaient pour son esposo[6].

— Ah ? Elle faisait le service tous les midis, ta mère ?»

Si oui, je ne voyais pas l'intérêt d'être noble. Cette réflexion-là, je l'ai gardée pour moi. Une intuition.

«No. Des fois.

— Et combien d'ouvriers y avait-il ?

— Cómo ?»

Je me demande souvent si elle me fait répéter à cause de sa surdité ou parce qu'elle ne comprend pas bien le français. Je la suspecte aussi d'essayer de gagner du temps pour réfléchir. Dans le doute, je répète souvent, en criant et en espagnol :

---

5. Mais
6. Époux

30

«LOS OBREROS. CUANTOS OBREROS TU PADRE TENÍA[7].»

Et là, invariablement, elle me répond : «Ne crie pas, hija mía[8], je ne suis pas sourde.»

Mais c'est que j'en voulais, moi, des ouvriers! Des centaines, des milliers, que dis-je! des millions. J'avais un besoin urgent d'une grande quantité, un nombre qu'on n'apprend pas dans les tables de multiplication et qu'on découvre un jour par surprise. J'en avais besoin pour rabattre le caquet à ce crétin de Frédéric. Il faut croire que la rouste que je lui ai mise, il y a quatre ans, ne lui a pas suffi. J'aurais dû frapper plus fort, surtout qu'il était plus petit à ce moment-là. Je voulais vraiment lui fermer le clapet pour qu'il arrête de me pomper l'air avec ses ancêtres. Des Français «pure souche», qu'il disait, car ils avaient participé aux deux dernières guerres. Tout ce cirque parce que je lui avais gagné son calot préféré, une belle grosse bille jaune, rouge et bleu. Du tac au tac, je lui ai répondu ; «Ben... moi aussi mes ancêtres sont des Français pur-sang.»

Et j'ai rajouté, sûre de mon coup : «Mes grands-parents et mes parents aussi ont connu les deux dernières guerres. Qu'est-ce que t'imagines ? Que t'es le seul Français ?»

J'étais toute fière. Il y avait de quoi, puisque j'ai appris ce jour-là que ma famille aussi était française... fallait juste qu'elle ait fait les deux dernières guerres. Et elle les a faites! La guerre d'Espagne et la guerre d'Algérie. Et voilà comment on devient Français. Pas compliqué après tout.

J'avais l'air si convaincue (je l'étais vraiment) que Frédéric s'est tu à jamais... enfin jusqu'au lendemain matin où il est venu me voir au fond de la cour. J'essayais de convaincre trois grands garçons de onze ans de me laisser jouer aux billes avec eux. Pour les appâter, je leur montrais mon nouveau calot, celui de Frédéric.

---

7. Les ouvriers. Combien d'ouvriers avait ton père?

8. Ma fille

Je fréquente l'école des garçons, même s'il y a une école des filles juste à côté. Quand j'y suis entrée en première année, on était seulement cinq filles dans l'école. Il fallait nous voir au milieu de la cour, la première journée. Les instituteurs ne savaient pas trop quoi faire de nous. Pas l'habitude de s'occuper de filles. Après cette première journée étrange où on ressemblait à des mamans debout en train de parler, ils ont délibéré pour savoir si on avait le droit de jouer avec des poupées à la récréation, vu que les garçons, eux, on leur avait autorisé les billes. Finalement, ils ont décidé que non. Les poupées, c'étaient un peu comme les pistolets en plastique qu'on interdisait aussi aux garçons. Et par souci d'égalité, ils nous ont permis d'apporter des craies pour jouer à la marelle.

Quand je suis rentrée chez moi le soir, j'ai immédiatement demandé à ma mère :

« C'est parce que j'aime pas jouer à la poupée qu'on m'a mise à l'école des garçons ? »

C'est vrai quoi ! Les poupées, je m'en sers pour imiter Thierry La Fronde. Aujourd'hui encore, je les attrape par les cheveux, je les fais tourner autour de ma tête et vlan je te les balance au loin. Alors, on m'avait mise à l'école des garçons pour me punir. Je me trouvais logique.

« Mais non, que tu es bête ! Le gouvernement a décidé que les écoles devaient être mixtes. Cette année, il essaie avec l'école des garçons, et si cela fonctionne bien, j'imagine qu'il fera pareil avec l'école des filles.

— Ça veut dire quoi mixte ?

— Ça veut dire : mélanger les garçons et les filles.

— Ah ? On est comme des hamsters dans un laboratoire, c'est ça ? On est une expérience quoi. »

J'étais fière de ma réponse !

« Qu'est-ce que tu dis là, ma fille ? Des hamsters ? Qui te met ces idées de badjok[9] *dans la tête ? »*

Et la conversation s'est arrêtée aussi bêtement qu'elle avait commencé.

---

9. Fou (dans le lexique pied-noir)

Les quatre autres filles, avec leurs pleurnicheries et leurs chichis, ont fini par me tomber sur les nerfs. Alors, pour échapper aux journées de déprime, j'ai appris à jouer aux billes. Avec les garçons, tout était plus facile... enfin quand on était jeunes. Aujourd'hui, ils passent toute la récréation à espionner les filles à travers les barreaux qui nous séparent de l'autre école, celle des filles. Et ils rient en véritables idiots qu'ils sont! Ils m'énervent eux aussi. Depuis un certain temps, je joue plutôt avec les autres filles, et on passe nos récréations à parler... des garçons. Finalement je crois que je suis bien mieux dans la classe, à apprendre.

Bon, pour finir avec Frédéric... quand il s'est aperçu que je montrais son calot aux autres garçons, il s'est mis à me hurler dessus :
«Pfou! n'importe quoi. T'es pas Française pure souche! C'est mon père qui me l'a dit. Tes parents, d'abord ils étaient trop jeunes pour faire la Seconde Guerre mondiale. Celle avec les Boches. Et de toute façon, t'as même pas un nom français, il sonne espagnol ou italien, qu'il m'a dit mon père. Ça fait que... rends-moi mon calot ou sinon...
— Sinon quoi? Hein?»
Je n'ai pas attendu sa réponse. J'ai couru me réfugier à côté du surveillant au cas où sa réponse m'aurait fait mal. Je serrais très fort le calot dans ma main en vrai butin de guerre. Tant que ce calot m'appartiendra, je resterai «Française pur-sang»! Qu'on se le tienne pour dit.

«LOS OBREROS. CUANTOS OBREROS TU PADRE TENÍA.
— Ne crie pas, hija mía, *je suis pas sourde.* No lo sé... muchos[10].»
Je ne suis pas arrivée à lui arracher un nombre. Tant pis pour Frédéric. Il faudra que je trouve autre chose pour l'impressionner.

---

10. Je ne sais pas... beaucoup.

5

1907 : Cordoba

Dès qu'elle pouvait s'échapper de la maison, Carmen partait traîner dans les écuries afin d'assister au pansage des chevaux. Quelquefois on la laissait les brosser après que Paquito, le vieux palefrenier, leur avait passé l'étrille et enlevé le plus gros de la poussière et de la boue. Elle refusait systématiquement de coiffer les longs cheveux de Conchita, sous prétexte qu'elle hurlait aussi fort qu'une truie toutes les fois où le peigne accrochait un nœud. En revanche, passer des heures à brosser le poil des quadrupèdes était son plus grand plaisir. Sa sœur le lui reprochait souvent d'ailleurs, l'accusant de préférer les animaux à l'espèce humaine, et Carmen haussait les épaules sans daigner lui répondre. Elle ne savait pas si la remarque était une injure ou non. Après tout, sa sœur avait sans doute raison. Elle trouvait en compagnie des bêtes une sérénité qu'elle n'éprouvait pas en présence des humains, sauf lorsqu'elle se tenait aux côtés de sa mère dans le patio, partageant avec elle un instant de rare quiétude. Personne n'était surpris de l'apercevoir dans la cour flatter longuement un chien ou un chat tout en laissant vagabonder son esprit au-delà de la sierra, qu'elle n'avait jamais franchie et qui limitait la fuite du regard. Bien sûr, elle était déjà sortie du domaine familial pour se rendre avec ses parents dans la grande ville de Cordoba. Elle en revenait à chaque fois enivrée des senteurs d'épices inconnues et du brouhaha des marchés qui la soustrayait au calme habituel de la campagne. Elle avait bien remarqué les mendiants qu'on écartait brutalement d'un geste agacé – le même geste qu'on fait pour se débarrasser d'une mouche –; les gamins en guenilles, la morve au nez et la main tendue dans le vide; les mères qui les accompagnaient, les yeux vitreux. La première fois, elle avait détourné le regard vers sa mère: « Ce n'est rien, ne regarde pas. Ils ne sont pas méchants. Tant que tu restes près de nous, tu ne risques rien », et elle s'était blottie contre celle qui venait de lui dire des mots qui se voulaient rassurants, mais qui l'effrayaient davantage.

Ce matin-là, elle se trouvait donc dans un box en train de flatter une superbe jument à la robe couleur noir corbeau et à la taille imposante qui l'obligeait à se mettre sur la pointe des pieds pour lui frotter le dos, quand un cri venu de la maison la fit sursauter. Un cri qui lui rappelait celui qu'elle avait entendu des années plus tôt, à la mort de son frère Pedro.

*****

Ce jour-là, elle rôdait déjà dans l'écurie et, lorsqu'elle avait vu son père y entrer, elle avait couru se cacher dans un box vide. Elle n'avait pas la permission à cette époque d'aller voir les chevaux. C'est juste avant la détonation qu'elle entendit le cri. Un cri de désespoir et de rage. Le cheval s'était écroulé sur le coup. Son père ratait rarement sa cible. Il venait d'abattre la bête qui avait eu le malheur de tuer Pedro, son fils aîné, celui qui devait reprendre l'exploitation familiale. Il avait tellement nourri d'espoirs à son sujet; il l'avait envoyé dans les meilleures écoles, lui avait donné une éducation des plus nobles qui lui avait été refusée autrefois, à lui, le benjamin de la famille. Il avait tout prévu, sauf le refus d'un stupide animal de se faire chevaucher ce matin-là.

*****

35

Et aujourd'hui encore, le même cri rauque de son père. Elle se mit à courir vers la maison, redoutant un autre drame. Maudite malédiction qui ne lâchait pas ! Le nombre de ses frères et sœurs avait diminué comme une peau de chagrin. Il ne lui restait plus qu'une sœur. Ce serait bientôt son tour à elle. Dès les premières enjambées, elle manqua de souffle ; ses jambes pesaient une tonne. Impossible d'avancer. L'idée saugrenue qu'elle s'enlisait dans des sables mouvants lui traversa l'esprit. Elle aurait aimé y croire et s'évanouir profondément dans les entrailles de la terre. Mais rien ne se passait, elle restait immobile, paralysée par la peur de savoir. « Non... pitié, Seigneur... non...»

Ces secondes d'immobilité lui parurent une éternité. Elle entendait le sang lui fouetter les tempes et marteler son cœur, comme pour l'empêcher de s'arrêter. Elle finit par retrouver l'usage de ses jambes et parvint à atteindre la porte d'entrée, une sueur glacée perlant sur son front. En pénétrant dans la cuisine, le tableau qui s'offrit à elle la rassura sur-le-champ. Son père et sa mère étaient debout près d'un homme en noir, grand, sec, sérieux. Sa sœur et Flores se tenaient à l'écart dans un coin de la pièce. Conchita pleurait à chaudes larmes, mais elle pleurait sans cesse pour un oui ou pour un non et personne n'y prêtait plus attention.

Carmen ne voyait là aucune raison d'être effrayée. Les personnes qu'elle aimait le plus au monde se tenaient autour d'elle. Le cri rauque, qui résonnait encore dans sa tête, ne pouvait rien annoncer de vraiment tragique, sans doute un éraillement de la voix. Elle souriait, inconsciente du fait qu'elle détonnait dans cette pièce où l'atmosphère était lourde et empesée, jusqu'à ce qu'elle heurte le regard courroucé de son père qui lui fit ravaler son sourire. Elle ne comprenait rien à ce qui se passait. Tout le monde était en vie, alors... ? Son père continuait à la fixer sans vraiment la voir. Elle était sur le point d'agiter ses bras pour qu'il l'aperçoive enfin. Son instinct de survie le lui déconseilla et elle préféra trouver refuge auprès de Flores, elle aussi. Sa sœur avait peut-être eu raison de se mettre à pleurer pour une fois.

Six personnes réunies dans la même pièce, sans se parler ni oser se regarder, rendaient le silence étouffant; l'air se raréfiait à chaque seconde. Finalement, et à bout de souffle, son père, Rafael De La Haba Lopez, balbutia: «Laissez-nous maintenant, Don Rodrigue. Nous devons quitter notre maison pour que mon frère Eduardo et mon beau-frère en prennent possession. J'ai bien compris ce que vous m'avez dit. Rassurez-vous. Je ne sais pas lire mais je ne suis pas idiot. Naïf mais pas idiot. Mon frère... MON PROPRE FRÈRE! COMMENT A-T-IL PU...?»

Il s'arrêta subitement de parler. Il avait haussé le ton et avait tapé la table du poing. Conchita se mit à sangloter de plus belle. Il n'aimait pas le spectacle qu'il voyait autour de lui: sa femme consolait leur fille, Carmen avait perdu son sourire, les domestiques ne se cachaient plus pour espionner derrière la porte restée grande ouverte, et ce Don Rodrigue qui le regardait sans un mot, et droit comme un piquet! Il ferma les yeux un instant puis les rouvrit; son regard avait retrouvé sa douceur habituelle. Il sourit à ses filles et leur caressa le visage. Pour bien leur signifier que sa colère ne leur était pas destinée. Peut-être n'était-elle destinée à personne dans la pièce, pas même à l'homme en noir.

Don Rodrigue resterait dans le souvenir de Carmen l'éternel homme en noir qui, surgi de nulle part l'année de ses dix ans, renversa sa vie. Avant lui, les épreuves familiales venaient du Bon Dieu, de la fatalité, du hasard, de la malchance... autant de mots pour désigner un destin auquel personne ne peut échapper. Ses frères et ses sœurs avaient été victimes de maladies ou d'accidents, mais aucun n'avait succombé de la main de l'Homme. En 1907, sa vie bascula dans un monde où sa place sur l'échiquier devenait celle du pion. Une pièce qu'on ne protège pas et qu'on sacrifie sans remords. Elle était loin de s'imaginer que ce jour marquait la fin de l'enfance, une fin poignante. À dix ans on ne sort pas de l'enfance, on en est expulsé.

Mais pour l'instant, seul le sourire de son père importait. Les personnes qu'elle aimait se tenaient toutes près d'elle. Il ne pouvait rien arriver de fâcheux. Cependant, une phrase commençait à la tarabuster : *Nous devons quitter notre maison.* Une phrase qui prit de l'ampleur les jours suivants, sans qu'elle puisse vraiment comprendre pourquoi elle *devait quitter sa maison.*

Oh ! on avait bien tenté de le lui expliquer : ses oncles Edouardo et Manolo avaient invité son père à signer des documents et, illettré, il les avait signés les yeux fermés, faisant une confiance naïve à son frère aîné et à son beau-frère. La signature ? Une simple croix à la mine, une croix que sa famille devrait porter dorénavant. Une modeste croix au bas d'une feuille, et voilà ses oncles propriétaires des biens de son père. Elle avait bien compris l'équation : une croix, une expulsion. Et après ? Au début, elle avait essayé de toutes ses forces de comprendre pour mieux pardonner. Ressentir moins de colère pour être une bonne catholique. Elle fermait très fort les yeux, comme seuls les enfants savent le faire, s'agenouillait près de son lit, égrenait le chapelet et se couchait sereine, convaincue d'avoir fait ce qu'une bonne fille doit faire. Mais au réveil, tout était à recommencer. Elle finit par se demander ce que Dieu attendait pour les soulager un peu. La mort de Pedro lui revenait en mémoire et celle de Lola aussi et tous les autres drames. Elle en conclut que Dieu ne devait pas beaucoup les aimer : sinon pourquoi les avait-il abandonnés ? Trop de questions sans réponses. Tout devenait trop compliqué. Elle arrêta de chercher des réponses qui lui paraissaient inaccessibles et dont l'absence la torturait.

Elle passa les quatre jours suivants à observer sans oser poser une seule question. La maison se vidait tranquillement de ses occupants. Tout semblait fonctionner au ralenti. Néanmoins, les caisses avaient fini par s'accumuler près de la porte d'entrée. Conchita s'était risquée à demander : « Où est tout le monde ? Où est Flores ?

— Partis. Ils ne reviendront plus. »

La réponse sèche et incisive de son père refréna la curiosité des fillettes. Ni elle ni Conchita n'auraient pu soupçonner que Flores, leur nounou de toujours, leur confidente et leur meilleure alliée, les quitterait sans un au revoir, sans effusions, sans pleurs. Elle avait fait ses valises une nuit et était sortie en douceur de leur vie, de la même façon qu'elle y était entrée. Flores n'avait pas d'âge, pas d'enfants, pas de mari. Flores n'avait rien que ce foyer dont on avait chassé tout le monde, propriétaires et domestiques dans le même panier, dans une parfaite équité dépourvue de compassion. De la même façon s'en étaient allés la cuisinière, le jardinier et le reste du personnel. En catimini, eux aussi. Et la maison était, tout à coup, devenue trop grande. Les rares paroles qui s'y échangeaient trouvaient leur propre écho et se brisaient contre des murs de plus en plus blafards et vides.

Carmen avait fait de ces quatre jours un pèlerinage dédié à sa maison. Cela s'était déroulé presque à son insu. Comme un automate, elle avait arpenté toutes les pièces à la recherche de souvenirs qu'elle ancrait dans sa mémoire. Elle avait terminé sa tournée assise sur les marches du patio. Elle y avait passé l'après-midi entière à contempler ce jardin où sa mère se réfugiait souvent. Elle l'y avait vue tricoter des châles de toutes les couleurs et de toutes les tailles. Quand elle en avait assez, elle se mettait à crocheter des napperons. Carmen s'asseyait à ses côtés, sur sa petite chaise en paille peinte en rouge qu'Antonio, son grand frère, lui avait fabriquée, et ses mains trop menues essayaient alors de suivre la cadence de celles de sa mère. Ces instants passés près d'elle étaient privilégiés. Sa mère n'était pas une femme très bavarde, mais elle était douée pour laisser la poésie opérer ! Les fleurs, les chants des canaris et leur tête-à-tête se prêtaient à la gaîté et aux confidences : frêles rires cristallins, caresses aussi légères et affectueuses qu'une brise d'été, sourires qui irradiaient les lieux de toute leur tendresse. Antonia, sa mère, se plaisait à lui parler des saisons, des récoltes, des naissances, des corridas et du flamenco. C'étaient les rares fois où elle lui semblait vraiment heureuse. Aucun linceul ne voilait ses yeux ni sa voix.

En bon patio andalou qui se respecte, celui des De La Haba Lopez était surchargé. Une myriade de pots de fleurs en argile décorait les murs recouverts de chaux blanche. Géraniums et roses rouges égayaient la cour intérieure qui retentissait, jusqu'à la nuit tombée, du chant mélodieux s'échappant des volières dispersées aux quatre coins du patio. C'est à l'intérieur de ce jardin enchanteur que Carmen se mit à nourrir une réelle passion pour les canaris. Plus tard, elle veillerait à toujours installer en sa demeure une volière pour moins entendre la misère.

Entre les pots de fleurs, on pouvait admirer des assiettes de faïence de couleurs et de tailles différentes, un kitsch de décoration commun à la plupart des maisons cordouanes. La chaleur estivale force les Andalous à trouver refuge dans leur maison, et les patios constituent une source de fraîcheur et d'ombre, des puits de lumière où les passions légendaires viennent s'abreuver. Ces cours intérieures sont les plus belles pièces des maisons. La plupart du temps, on y trouve au centre une ravissante fontaine dégageant une sorte de bruine rafraîchissante, une fois les grosses chaleurs bien installées.

Le sol était recouvert d'une céramique orange et bleue sur laquelle Carmen venait s'étendre les jours de canicule. En bonne Andalouse, elle ne se départait jamais de son éventail, avec lequel elle s'amusait à pratiquer le langage amoureux que sa mère lui avait appris. Au fil des ans, elle apprendrait à le manipuler avec une adresse telle qu'il finirait par devenir le prolongement naturel de ses doigts. Elle l'ouvrait, le fermait et le tournait avec prestesse et fluidité, avec une féminité où se lisait encore les traces ancestrales de la séduction ibérique. Son premier éventail était en nacre : les brins de la gorge et les bouts de la feuille se rejoignaient dans une blancheur symbolisant l'enfance, tandis que la feuille était confectionnée dans une fine dentelle de soie noire délicatement ajourée. Ses initiales CDLHR (Carmen De La Haba Recio) étaient gravées en noir sur le panache ; cela signifiait, croyait-elle, que cet éventail serait toujours sa propriété. Et il le serait... jusqu'en 1939, l'année où elle l'oublierait à Alicante dans une confusion totale, fuyant sous les bombardements ennemis. Elle perdrait, ce jour-là, la dernière relique de son enfance heureuse.

6

1907 : Cordoba

Couchée sur le dos, Carmen avait remonté la maigre couverture sur son visage, ne laissant découverts que ses yeux, qu'elle gardait grands ouverts au cas où le décor terrifiant s'égaierait subitement par magie. Elle dormait dans une remise au milieu d'outils et d'autres objets dont elle ignorait l'utilité. La literie se résumait à une vieille paillasse remplie de feuilles de maïs, déposée sur un modeste sommier à ressorts, et à une mince couverture usée jusqu'à ressembler à une vulgaire toile de jute, de celle qui sert à ranger les patates. En guise d'oreiller, elle utilisait un sac en tissu dans lequel sa mère avait rangé ses affaires. Elle serrait très fort contre elle son éventail et essayait de retenir ses larmes. Son père lui avait dit d'être forte, de continuer à porter leur nom avec fierté. Elle avait acquiescé. Bien sûr qu'elle ne se laisserait pas aller à pleurer ni à réclamer ses parents ou sa grande sœur ! Elle avait déjà dix ans après tout. Elle était une femme, plus une enfant. Il était temps qu'elle gagne son pain.

Ce matin, elle était encore persuadée que tout irait bien. Mais là, seule dans cette pièce si noire, si froide, si loin des siens...

Bien malgré elle, elle laissa couler des larmes qui se changèrent aussitôt en sanglots. Elle fourra un poing dans sa bouche pour ne pas être entendue et s'enfonça encore plus profondément dans la paillasse.

Elle était effrayée. La pleine lune baignait la pièce d'une lumière diffuse et inquiétante et les murs peints à la chaux renforçaient son malaise en étalant autour d'elle une blancheur d'une pâleur maladive. Elle devinait, au milieu des ombres dansantes, un véritable bric-à-brac qui prenait forme humaine : des serpillères, des seaux, des râteaux, de vieux cadres, des lampes à huile et des dizaines de caisses de bois dont le contenu allait rester longtemps un mystère à ses yeux. Elle fut incapable pendant des semaines de s'en approcher – elles ne recelaient en définitive que de vulgaires morceaux de tissu dont elle se parerait certains soirs en cachette pour jouer à la princesse.

Cette pièce sinistre lui donnait déjà des frissons quand son regard, affolé comme un papillon de nuit devant une lueur, fut happé par d'immenses toiles d'araignées suspendues au plafond, juste au-dessus de sa tête, qui se balançaient doucement dans une danse macabre en attendant leurs prochaines victimes. Elle ferma les yeux, se tourna sur le ventre, le visage enfoui dans son matelas, et glissa la tête sous la couverture. Vite ! Se réfugier dans la vie d'avant, avant cet homme en noir, ce corbeau de malheur, cet huissier devant qui son père avait courbé l'échine. Elle croyait que si les images du passé étaient assez puissantes pour chasser le présent, elle rouvrirait les yeux dans sa chambre d'enfant, chez elle, au côté de Conchita.

La veille encore, elle dormait dans son lit douillet – le seul qu'elle ait jamais connu –, le cœur serré parce qu'elle savait que c'était la dernière nuit. Depuis la sinistre visite de Don Rodrigue, son père n'avait cessé de la mettre en garde et de lui répéter qu'ils avaient tout perdu et allaient devoir quitter la maison ! Mais à dix ans, on ne sait pas ce que tout perdre signifie, et puis demain était si loin, tout pouvait encore arriver. Son père trouverait un moyen pour garder le domaine ! C'était certain. Elle avait passé cette dernière nuit inquiète mais confiante. Le lendemain au réveil, sa mère prépara le petit déjeuner de ses filles et remit à chacune d'elles un sac en tissu. Carmen ressentit dans sa poitrine une douleur qu'elle ne connaissait pas. Un vide qui l'aspirait. Elle se plia en deux dans un gémissement sourd, ouvrit la bouche à la recherche d'un filet d'air. Un court instant de panique, puis tout rentra dans l'ordre. Sa mère s'était détournée. Pas le temps de s'occuper de ces enfantillages, ce n'était vraiment pas le bon moment !

« Dépêchez-vous, les filles. La carriole attend. On se reverra dimanche. » L'immense et imposante porte d'entrée, qui se referma derrière elles, les confronta soudain à la réalité. Elles venaient de franchir le Rubicon, la frontière entre le monde heureux de leur enfance et leur nouvelle condition de « pauvres ».

Ce matin-là, les deux fillettes ne virent pas leur mère pleurer derrière la fenêtre ni leur père retirer lentement de sa bouche le canon du fusil, incapable de presser sur la gâchette. Ce matin-là, elles savaient exactement ce qu'on attendait d'elles. À l'exemple de leurs parents, elles seraient placées dans des maisons nobles de Cordoba, des familles qu'elles devraient servir du mieux qu'elles pouvaient. C'était la seule solution pour ne pas se retrouver complètement démunis, avoir un toit sur la tête et un ventre qui ne crie pas famine. D'un accord tacite, le mot « servante » ne fut jamais prononcé entre eux.

Elles avaient entendu cette rengaine quatre jours durant. Bien sûr, elles n'y avaient pas cru ! Au début, elles avaient même pouffé de rire. La violence de la claque qu'elles reçurent leur fit comprendre qu'elles n'avaient aucune raison de douter.

Un cocher les attendait devant la maison. D'un signe de tête, il leur fit signe de monter. Impressionnées par cet étranger à l'air renfrogné, elles se hâtèrent de s'asseoir dans la vieille carriole bancale. D'un air maussade et sans prononcer une seule parole, le cocher leur indiqua où déposer leur sac en tissu, qui renfermait une robe de rechange et quelques maigres effets personnels. Le reste avait disparu de leur commode, vendu avec les meubles, la vaisselle et les bijoux de leur mère. Une fois la carriole en branle, elles n'avaient qu'une seule idée : surtout ne pas se retourner. Elles avaient promis. Mais c'était avant de connaître la douleur de la séparation, qui effaça avec promptitude la trace de cette promesse trop lourde pour leurs frêles épaules. Et elles se retournèrent timidement.

Antonia, à l'abri des regards derrière la fenêtre de ce qui avait été leur salon, vit s'éloigner la charrette emportant ses deux filles, leurs têtes tournées vers le domaine dans l'espoir de voir une main leur faire signe... de revenir. Elle devinait leurs yeux au bord des larmes et cette lueur d'incompréhension dans leur regard, dont elles garderaient longtemps la cicatrice. Puis la carriole devint un point noir qui disparut derrière un eucalyptus. Lentement, elle laissa retomber le coin du rideau.

Les fillettes, sagement assises derrière le cocher, aussi muet qu'une carpe, se prirent la main sans se regarder ni parler, pour ne pas pleurer. Elles l'avaient promis à leur père.

La première à débarquer de la carriole fut Conchita, qui avait été placée dans une ferme à quelques kilomètres de la grande ville. En quittant sa jeune sœur, elle voulut lui montrer l'exemple : « Carmencita, sois courageuse. Tu vas voir, tout va bien se passer. On va se revoir dimanche avec papa et maman. Ils l'ont promis. Je t'aime... » Et sans se retourner, se tenant droite comme on le lui avait appris, elle commença à suivre la cuisinière qui était venue l'accueillir au pas de la porte.

Le cocher se remit en route, et les deux sœurs, dans un réflexe presque animal, tendirent la main l'une vers l'autre. La cuisinière, une brave femme, permit à Conchita de rester sur le seuil jusqu'à ce que la carriole disparaisse.

Carmencita... sa sœur l'appelait rarement ainsi. Ce diminutif – les Andalous adorent donner des diminutifs en signe d'affection, souvent plus longs que le prénom d'origine –

7

1907 – 1912 : Cordoba

La première famille chez qui elle fut placée était les Torres, des amis de ses parents à ce qu'on lui avait dit. Elle voulut bien le croire. Après sa première nuit dans la remise, on l'envoya dès le matin au lavoir du quartier situé trois coins de rue plus loin. Elle prit l'habitude de s'y rendre une fois par semaine pour laver le linge de la maison. Trop petite pour atteindre la planche à laver et se pencher au-dessus du lavoir, elle était forcée de se hisser sur un banc d'appoint. Les premières semaines, Isabella, au service des Torres depuis quarante longues années, l'accompagna afin de lui enseigner les rudiments du métier de lavandière. Elle avait tout à apprendre : battre le linge, le tremper, le tordre, le savonner, l'essorer et le plier. Elle s'appliquait en bonne élève, écoutait les conseils qu'on lui prodiguait et ravalait ses larmes quand elle n'arrivait pas à faire du premier coup ce qu'on attendait d'elle. Elle tenait à ce qu'on soit fière de son travail, sans raison. Elle ne cherchait ni remerciements ni gratifications, qu'elle n'aurait de toute façon pas reçus. Courir dans les oliveraies, brosser les chevaux, jouer dans l'écurie avec sa sœur, passer des heures à rêvasser dans le patio... tout avait disparu, remplacé en l'espace d'une nuit par des travaux ménagers et une sordide remise en guise de chambre à coucher. Là était sa place désormais, dans ce nouveau décor. Une place qui lui revenait de plein droit, à condition que le travail soit bien accompli. Et elle mit un point d'honneur à ne jamais bâcler les travaux qui lui étaient assignés.

Les lavandières se connaissaient si bien qu'une fois réunies au lavoir, elles pouvaient poursuivre des conversations interrompues la fois d'avant. Elles avaient des habitudes bien établies et conservaient la même place d'une semaine à l'autre. Que l'une d'entre elles essaie de changer de place et il s'ensuivait une échauffourée de rires et de bousculades, dans le meilleur des cas, ou d'injures et de tirages de cheveux, si nécessaire. Ces immanquables rendez-vous finissaient par tisser entre elles des liens pareils à ceux d'une confrérie. Amitiés et inimitiés se créaient au fil des ans et, malgré la dureté du travail, elles trouvaient un réel plaisir à se retrouver en ces lieux où se brassaient les potins de la ville, qui repartaient en général plus sales qu'à leur arrivée. Personne n'aurait pu soupçonner en voyant ces femmes, si déférentes chez leur patron, qu'elles pouvaient se livrer à des confidences aussi obscènes et salées dès qu'elles se retrouvaient entre elles. Ces bavardages les aidaient à tenir le coup et à endurer les caprices de leurs patrons jusqu'à la semaine suivante, où ils seraient immanquablement décortiqués et regardés sous toutes les coutures par une dizaine d'Andalouses qui iraient ensuite répandre des rumeurs, aussi vraies que fausses, avec une conviction désarmante. Des scrupules, elles n'en avaient aucun. Pourquoi en auraient-elles eu d'ailleurs ? Non seulement ces bavardages étaient bons pour leurs nerfs, mais il existait une acceptation tacite qui reconnaissait aux lavandières le droit de salir des réputations et de les blanchir à l'occasion.

Au début, Carmen fut étourdie par tous ces bavardages ; elle ignorait que l'être humain pouvait parler autant. Une fois revenue de sa première surprise, non seulement elle s'habitua au babillage de ces femmes mais elle se prit même d'affection pour trois d'entre elles.

Il y avait Pepita. Elle lui rappelait un peu Flores, sa gouvernante qui lui manquait tant. Même voix de stentor, même regard fuyant, mêmes manières brusques. Pepita dissimulait sa sensibilité derrière cette voix bourrue dont la nature l'avait si généreusement pourvue. Elle paraissait aboyer à chaque mot, fronçait les sourcils et battait les draps plus vigoureusement que les autres. Qu'on se le tienne pour dit! Pepita ne s'en laissait pas conter. Si elle s'emparait du linge de Carmen en prétextant être gênée par « ce tas de guenille » traînant sur son espace de travail et qu'elle se mettait frénétiquement à les laver en maugréant, toutes savaient qu'elle venait d'épargner un dur labeur à l'enfant. Quand elle se mouchait bien fort dans sa blouse, toutes savaient que c'était pour cacher des larmes qu'elle ne pouvait retenir en entendant l'une d'entre elles raconter comment, la semaine d'avant, elle avait été contrainte de rester alitée deux jours durant, après avoir reçue de son mari une volée plus violente que d'habitude.

Et puis, il y avait Ana Maria. La douce et fragile Ana Maria, délicate comme une brise printanière quand, de ses doigts aériens, elle effleurait la joue de Carmen, un geste qui lui rappelait tellement sa mère! Elle sentait bon la lavande et le jasmin. Elle souriait d'un sourire triste à vous fendre l'âme. Elle était si jeune quand elle avait eu son premier-né! Elle ne jurait plus que par ce fils. Un matin, elle avait trouvé, installée dans son berceau, une chatte aimante qui avait étouffé l'enfant. Depuis cette tragédie, Ana Maria n'avait plus prononcé une seule parole.

Et enfin Leonor. Elle était, contrairement aux autres, blanchisseuse professionnelle et travaillait pour plusieurs patrons. Âgée d'une cinquantaine d'années, elle en paraissait vingt de plus; les lavandières de métier ne devenaient pas centenaires. Rares étaient celles qui dépassaient les soixante ans. Les mains sans cesse plongées dans les eaux gelées, elles souffraient de terribles rhumatismes aux doigts. Plusieurs d'entre elles finissaient par contracter le fléau du siècle transmis par le linge souillé : la tuberculose. Leonor avait fini par l'attraper, elle aussi. Il n'était pas rare de la voir cracher du sang quand une quinte de toux la surprenait en plein effort.

Carmen la vit doucement dépérir. Elle finirait par s'éteindre, cinq ans plus tard, penchée sur la même planche à laver en train d'essayer d'enlever une tache de sang, son sang, qui avait souillé un magnifique corset en dentelle blanche. Elle était un peu la mère de chacune des filles du lavoir, leur prêtant du savon quand elles n'en avaient pas apporté suffisamment, leur prodiguant des conseils sur les meilleures façons d'enlever telles ou telles taches, leur réchauffant parfois les doigts en les frictionnant dans ses vieilles mains couvertes de callosités. Tout naturellement, elle prit la fillette sous son aile quand elle la vit, si menue et fragile, libérant du même coup Isabella de l'obligation de l'accompagner au lavoir.

Toute son enfance, Carmen souffrirait du contact glacé de l'eau. Elle tentait de réchauffer ses pauvres doigts en les enfouissant dans sa bouche mais le remède était pire que le mal, car aussitôt la douleur calmée, il lui fallait se remettre à l'ouvrage de peur d'être perçue comme une paresseuse et, de toute façon, il n'était pas question qu'elle revienne du lavoir avec du linge sale. Les seuls moments où elle acceptait volontiers la corvée du lavage, c'était quand elle descendait *al rio* (au fleuve) laver les draps et les nappes de la maison. Les femmes du quartier se rejoignaient une fois par mois près des rives du Guadalquivir, qui traverse la région de Cordoba. Elles avaient trouvé un lieu paisible où le fleuve, sorti de son lit, avait creusé à l'intérieur des terres, sur une centaine de mètres, une anse étroite. À cet endroit, les eaux s'écoulaient paisiblement à l'abri des courants tumultueux. Les lavandières arrivaient très tôt le matin et installaient sur des feux de bois de grandes chaudières en fer-blanc dans lesquelles elles mettaient à bouillir draps et nappes. Le matériel nécessaire à cette grande lessive était transporté laborieusement sur des brouettes : chaudières, baquets, planches à laver, brosses en chiendent... De loin, le décor ressemblait à un camp de gitans. Cette occasion était un peu jour de fête pour elles. Loin des regards de leurs patrons et de leurs époux, elles pouvaient profiter du grand air sans devoir rendre de comptes à personne. L'été était plus propice encore pour faire de cette journée une escapade rêvée. La chaleur éprouvante leur fournissait une bonne excuse pour profiter du fleuve. Les plus jeunes poussaient l'audace jusqu'à ôter leur robe grossière qui dissimulait si bien leurs formes et elles se précipitaient dans l'eau, vêtues de leur simple combinaison, sous l'œil bienveillant des plus vieilles. Il arrivait que certaines d'entre elles se laissent gagner par la hardiesse de leurs cadettes et les suivent dans cette baignade pas très « catholique ». Les autres se contentaient de se déchausser et de tremper leurs pieds en riant, tandis que les bigotes ruminaient dans leur barbe.

Carmen commençait invariablement le lessivage en touillant, avec un manche en bois, le linge trempé dans la chaudière en ébullition dans laquelle on avait jeté des cristaux de soude. Ces jours-là, Isabella l'accompagnait afin de s'assurer que tout serait fini avant le crépuscule. Elle savait que la journée serait longue et pénible. Le linge très sale devait être frotté énergiquement avec la brosse de chiendent sur les planches à laver installées près du rivage et alignées les unes à côté des autres afin que les femmes puissent poursuivre leurs interminables conversations. Les draps et les nappes étaient rincés dans les eaux du fleuve avant d'être essorés. Quand venait le moment de l'essorage, les femmes s'entraidaient deux par deux : tenant chacune une extrémité du drap, elles le tordaient, dans le sens contraire l'une de l'autre, aussi fort qu'elles pouvaient pour en faire pisser tout le jus. L'effort était éreintant, et Carmen avait quelquefois l'impression que ses bras devenaient des spirales et qu'elle allait finir complètement essorée ! Elles terminaient ensuite l'ouvrage en étalant les draps et les nappes sur des buissons avoisinants ou directement sur l'herbe, en plein soleil, pour les sécher avant la tombée de la nuit.

Les femmes profitaient alors de cette pause pour aller

se baigner. Carmen, effrayée par autant d'eau, préférait rêvasser, allongée confortablement sur le tapis de verdure. Elle se laissait porter par les eaux du Guadalquivir, mais son imagination ne la portait plus vers de nouvelles contrées. L'inconnu à présent l'apeurait. Elle préférait glisser sur le fleuve pour traverser le temps et se propulser vers un avenir rempli des promesses du passé.

Les années s'écoulèrent ainsi, rythmées par les saisons et les différentes maisons chez qui elle était placée. Deux ans après la funeste visite de Don Rodrigue, la famille fut enfin réunie sous un même toit. Un cousin, côté maternel, leur permit de vivre dans une vielle dépendance désaffectée qui jouxtait sa maison : une grande pièce éclairée par une minuscule fenêtre, un palace comparé aux resserres qui lui avaient servi de chambre auparavant. Le cousin se plaisait à répéter à qui voulait bien l'entendre qu'il faisait la charité à de la parenté dans le dénuement, en omettant de préciser qu'il s'était débarrassé de son personnel, bénéficiant dès lors de toute l'aide domestique dont il avait besoin. Antonia et Rafael étaient devenus ses employés à temps plein, employés qu'il oubliait souvent de rémunérer. Carmen n'entendrait jamais ses parents se plaindre... par fierté et surtout par reconnaissance. Elle ignorait encore que cet exemple d'humilité, dont elle ferait son credo, allait lui permettre de faire face aux longues années à venir.

Jusqu'à ses quinze ans, elle fut assignée – tout comme sa sœur Conchita – à des travaux domestiques dans plusieurs maisons cossues de Cordoba : lessive, repassage, nettoyage des planchers, époussetage, vaisselle, aide aux cuisines...

Les lois du travail, en ce début du XXe siècle, commençaient seulement à pointer frileusement le bout du nez et étaient encore bien loin de s'aventurer sur les chemins cailouteux et périlleux de l'Espagne. Ainsi, l'Andalousie continuait de voir ses enfants travailler plus de dix heures par jour.

8

UNE POULE SANS TÊTE

Le 17 février 1974
Bon matin Jo,

Ma grand-mère a une sacrée poigne. Elle a attrapé ça dans son enfance, à force de frotter et d'essorer le linge. Tu te rends compte qu'à son âge, elle m'ouvre les pots de confiture quand moi je n'y arrive pas, et sans froncer les sourcils en plus! Hier, par contre, elle a trouvé plus fort qu'elle: le poulet qu'elle était en train de trucider. Il s'est échappé de ses mains et a réussi à filer, même si c'était trop tard pour lui puisqu'elle lui avait déjà tranché le cou à moitié.

Elle répète les mêmes gestes depuis la nuit des temps. Elle fait bouillir de l'eau et, une fois qu'elle a réglé son compte à la volaille malchanceuse, elle la balance dans la casserole bouillante. Plus facile pour la plumer, à ce qu'elle m'a expliqué. Et pour tuer, je te dis qu'elle l'a, la tactique. Elle s'assoit, coince l'oiseau entre ses deux grosses cuisses, la tête en bas au-dessus d'une bassine, et vlan! sans qu'il s'y attende, elle lui fend le cou avec un couperet, en prenant soin de ne pas le décapiter complètement. Une entaille, juste assez grande pour faire pisser le sang goutte à goutte jusqu'à son décès définitif. Au début, ils se débattent tous. Ils caquettent, battent des ailes dans tous les sens, font caca, et quand tout leur jus a fini par s'écouler dans la bassine, ils n'ont plus le choix que de mourir. Je ne sais pas pourquoi elle ne les saigne pas une fois qu'ils sont morts. Elle n'aurait qu'à leur trancher la tête tout de suite; ils auraient moins peur et ils ne souffriraient pas. Tout le monde sait (sauf Abuela manifestement) que la guillotine est plus rapide et sans douleur.

Mais je n'argumente pas ce point de vue avec ma grand-mère, c'est elle qui a la hache.

Appartenant à la génération Walt Disney, je sais bien, moi, que les poulets ont une âme, mais je n'ai pas trouvé les bons mots pour l'expliquer à Abuela. Et puis, cette révélation pourrait lui faire un sacré choc. Apprendre subitement à son âge qu'on est une meurtrière ! et même une tueuse en série ! Un poulet par semaine pendant soixante-dix ans. Ça en fait des cadavres à moitié décapités sur la conscience. Non, il vaut mieux qu'elle n'en sache rien.

Je disais donc qu'hier, le poulet a réussi à glisser des serres de l'Abuela et s'est mis à courir partout dans l'appartement, sa tête à moitié coupée qui se balançait de droite à gauche, exactement comme celle du chien en plastique qui se trouve sur la plage arrière de la voiture de mon oncle Pierrot. À la différence que le poulet lui, il n'était pas en plastique, et le sang giclait partout. Il y en avait sur les murs et aussi sur mes cahiers qui s'étalaient par terre, vu que c'est encore là où je travaille le mieux. Ma grand-mère est sortie de la cuisine la hache à la main, mais elle ne s'est pas mise à courir derrière, comme dans les dessins animés. Elle s'est mise à appeler l'animal, en vraie fermière : «Petit, petit, petit... pequeño, ven aquí. No tengas miedo. Ven aquí. »

Drôle d'idée de lui demander de venir et de ne pas avoir peur. Tu parles s'il a écouté ! Il a continué à courir jusqu'à ce que mort s'ensuive. Faut dire qu'il n'avait pas toute sa tête non plus. Soudain, il a arrêté de courir, il a fait trois pas en titubant (on aurait dit qu'il était bourré) et il s'est écroulé par terre.

Je suis descendue de la table où je m'étais réfugiée et, quand j'ai vu mes cahiers souillés de sang, la première pensée qui m'est passée par la tête, c'est : «Je vais le tuer ce p... de poulet.» Je m'en suis tout de suite voulu : c'est vrai quoi ! D'abord je suis contre la peine de mort, ensuite il était déjà mort, et puis j'avais dit un gros mot. Trop de débilités pour une seule phrase ! Quand j'ai vu l'Abuela saisir par son aile le poulet assassiné et le jeter dans la bassine bouillante en le traitant de noms de tous les oiseaux, je me suis mise un peu en colère contre elle. Pas beaucoup, parce *que je sais que quand ma mère lui crie dessus, elle pleure souvent en silence.*

« Abuela, pourquoi on ne va pas acheter les poulets sur le marché ? Tout le monde le fait. Là-bas, ils sont déjà morts, tu sais.

— Porque es mejor asi[11] y *on a toujours fait ça en* Espana y Alger.

— *Oui, mais on n'est plus en Espagne ou en Algérie. Là, on est en France, Abuela. En Fran... ce.*

—Ya lo sé. Ya lo sé[12]. »

Oh non, non, non. Ça y est. Je lui avais fait de la peine. Elle s'essuyait les yeux avec le mouchoir qu'elle rangeait toujours dans la manche de sa blouse.

« C'est pas grave, Abuela. On s'en fiche des autres. De toute manière, je préfère quand c'est toi qui le tue, le poulet. Il est meilleur. »

J'ai vraiment dit n'importe quoi, c'était un réflexe. Pour rattraper ma maladresse. Et j'ai réussi ! Elle a retrouvé son sourire, et moi, la grand-mère qui m'aime.

L'Abuela, elle n'est pas compliquée. Et il ne faut pas que les choses soient compliquées pour elle.

Une fois, je lui ai demandé comment elle choisissait le poulet qui allait passer à la casserole. Et tu sais ce qu'elle m'a répondu ?

« Je choisis celui qui a una cabeza *qui ne me revient pas.*

— *Comment un poulet peut avoir une tête qui ne te revient pas ? Ils sont tous pareils, non ? »*

L'Abuela, qui n'a pas l'habitude de rentrer dans de très longues explications, m'a amenée à la ferme avec elle la semaine suivante pour que je choisisse le poulet qui allait passer à la casserole. Moi et mes questions stupides !

Une fois par semaine, ma mère et Abuela se rendent à pied dans une ferme, à côté de chez nous, pour acheter des poules et des œufs. Ma mère dit constamment qu'il faut en profiter avant qu'elle disparaisse.

---

11. Parce que c'est mieux comme ça.

12. Je le sais bien.

C'est vrai que cette ferme se trouve toute seule au beau milieu des HLM et qu'elle n'a pas l'air à sa place. Il paraît que ça dérange des gens quand le coq se met à chanter le matin. C'est trop tôt qu'ils disent. Ce jour-là, je me suis retrouvée devant le grillage du poulailler avec l'Abuela. J'étais sûre de trouver le bon poulet, bien décidée à prendre le premier que je verrais. Je m'en foutais, ils avaient tous une tête qui ne me revenait pas. Mais plus je les regardais, moins j'avais envie de faire un choix. J'aurais dû en choisir un vite fait, les yeux fermés. Abuela ne m'a pas aidée du tout, elle m'a plantée là en me disant : «Prends ton temps, niña[13]. Je vais aller buscar les huevos[14]. Cuando tu auras choisi, tu le diras à la señora Fernanda.»

Bon, allez! Il fallait simplement que je prenne celui qui m'était le plus antipathique après tout. Ça n'a pas été long. Un des poulets, le chef sûrement, n'arrêtait pas de faire sa loi en piquant ses copains qui prenaient leurs pattes à leur cou dans une poussière de plumes. Lui, il avait une tête qui ne me revenait pas. Je n'aime pas les chefs. Et puis, il y avait ce petit poulet presque nu, complètement déplumé et qui se planquait derrière un cageot. Celui-là, c'était un vrai bouc émissaire, tout le poulailler s'en prenait à lui. Il me rappelait Patrick à mon école. Un petit gros que tout le monde charrie. À la récréation, il se cache souvent derrière le micocoulier et, vu qu'il est obèse, il déborde tout autour du tronc, même s'il rentre son gros ventre, et les autres finissent par le trouver, même sans le chercher. Il me fait de la peine, lui aussi. Alors au nom de tous les Patrick de toutes les écoles du monde, j'allais rendre justice et passer le chef à la casserole. Toute joyeuse, je suis allée voir madame Fernande et je lui ai désigné le poulet que j'avais choisi.

«Ma pitchoune, c'est pas un poulet. C'est un coq! On mange pas les coqs. Ils servent à... à faire des petits aux poules. C'est le papa, tu vois.»

Elle a beau être gentille, madame Fernande, elle me tape sur

---

13. Petite.
14. Chercher les œufs.

les nerfs quand elle me parle comme à une demeurée ou comme si j'avais huit ans.

«J'ai dix ans, madame Fernande. Je sais à quoi ça sert un coq, mais je croyais qu'il n'y avait que des poulets là-dedans.

— Ah, quelle est mignonne! Et ben non, c'est un poulailler. Y'a de tout. Un coq, des poules, des poulets et des poussins. Et des canards aussi. Les poulets, ils sont plus petits que les poules et plus gros que les poussins. Tu veux que je le choisisse pour toi, nine?»

Il ne me restait qu'à hocher la tête pour lui faire signe que oui et la remercier. Trop compliqué en fin de compte. Pendant que madame Fernande se saisissait d'un poulet, je n'ai pas pu m'empêcher de regarder celui qui continuait à se planquer derrière son cageot et je lui ai fait un clin d'œil.

En repartant, une chance que ma grand-mère ne m'a posé aucune question sur le poulet qu'elle tenait par les pattes bien attachées, et que je regardais du coin de l'œil en essayant de me convaincre que sa tête ne me revenait pas. Décidément, je n'étais pas convaincue. Le lendemain, j'ai dit que j'avais mal au ventre et j'ai mangé une compote au lieu du poulet qui était dans mon assiette. C'est un coup à vous convertir au végétarisme!

9

LA SIGNATURE

Le 24 février 1974
Bonsoir, mon fidèle Jo,

« Combien de temps es-tu restée chez Don Torres, Abuela ?
— Uno *ou* dos años. *Je ne m'en souviens plus... c'est loin.*
Allez, viens m'aider à preparar *los haricots pour midi. »*
Elle n'aime pas trop parler de cette époque, je crois. À moins que
ce ne soit vrai, elle ne s'en souvient plus. Des souvenirs aussi vieux
doivent forcément se décomposer à un moment donné. Peut-être que
dans sa tête, ça ne sent pas très bon des fois.
Comme je suis têtue, je continue : « Pourquoi tu n'as jamais été
à l'école ?
— No lo sé, hija mía. *À l'époque, c'était pas aussi bien qu'au-*
jourd'hui. On était pauvre. *Il fallait* trabajar[15].
— *D'accord, et avant que tu sois pauvre ?*
— No lo sé[16]. »
Bon, je me demande si un jour quelqu'un va pouvoir répondre
à cette question. Abuela ne sait pas écrire, elle est analphabète. Mais
je la vois lire les romans photos dans Nous Deux et le Télépoche, en
français en plus ! Et même des Harlequin. Si ! c'est vrai. Elle a appris
seule, je ne sais pas comment.
Enfin, quand je dis qu'elle ne sait pas écrire, ce n'est pas tout à
fait vrai. Elle sait signer son nom. Elle a été obligée d'apprendre quand

---

15. Travailler.
16. Je ne sais pas.

*mon grand-père a sauté du balcon de la salle à manger. On est au deuxième étage. Alors ça l'a tué. Je te parlerai de ce saut une autre fois. Elle signe «Martin» en lettres attachées et tremblantes, comme quand j'étais en première année à la grande école et que j'apprenais à écrire, sauf que ma grand-mère, elle, même si elle s'applique, elle ne pourra pas écrire mieux. Le facteur vient une fois par trimestre lui faire signer un papier pour qu'elle puisse encaisser sa pension. Et, à chaque fois, elle s'essaye, la pauvre: «*Hija. Puedes[17] *signer à ma place ?* Por favor.*»*

Ces fois-là, quand elle supplie ma mère, le gris de ses yeux devient triste pour de bon. On ne devrait pas obliger les vieilles personnes à faire ce qui les rend malheureuses. À leur âge, elles doivent bien savoir ce qui est bon pour elles, non ? Et si l'Abuela pense que signer devant des étrangers, ce n'est pas bon pour elle, il faut la laisser tranquille. Il n'y a donc personne qui voit qu'elle a honte ? Moi si. Lorsqu'on oblige quelqu'un à faire quelque chose qui le gêne, on devrait le mettre dans un isoloir, comme s'il allait voter. Quand personne ne regarde, on a moins honte.

*«*Mama! *tu me le demandes à chaque fois.* No puedo. *Je ne peux pas signer à ta place. Je te l'ai déjà dit je ne sais pas combien de...»*

L'Abuela n'attend jamais que ma mère finisse sa phrase. Elle va s'asseoir à la table de la cuisine et elle patiente sagement jusqu'à ce qu'on lui donne un stylo. Des fois, je lui mets les bras autour du cou et je lui dis en espagnol pour que le facteur ne comprenne pas «Allez, Abuela. Tu vas y arriver. Tu as juste à faire les mêmes signatures qu'hier. C'était bien, tu sais.

— Sí. Sí.»

Lorsqu'elle sait que le facteur va venir, elle me demande un papier et un stylo pour s'exercer. On garde toujours des copies de ses signatures pour qu'elle puisse les recopier si elle oublie. Quand elle tremble trop, elle s'énerve en silence. Elle tapote trois ou quatre fois le stylo sur la table, hoche légèrement la tête et serre les lèvres plusieurs fois de suite. Il y a des jours où elle pleure doucement. Je n'ai pas

---

17. Fille. Tu peux signer à ma place? S'il te plaît.

souvenir de l'avoir vue pleurer fort, ça doit lui faire mal. Quand elle réussit du premier coup, elle sourit et je suis fière d'elle.

Je sais que c'est seulement un mauvais moment à passer, mais cette minute devant le papier, je la trouve tellement longue ! Une chance qu'elle ne doive pas signer le nom complet de son mari : Martin de la Torre. Ce serait deux fois plus long ! Il paraît que la première fois qu'elle a dû signer, le facteur l'a arrêtée à Martin. Il devait avoir peur d'y passer l'après-midi ou alors il avait du cœur. Après tout, ce n'est pas sa faute s'il est facteur.

J'ai vu un vieux passeport espagnol de 1933 qu'elle m'a montré. Elle voulait me faire voir comme elle était belle, jeune. À la place de la signature, on voyait son empreinte digitale, comme celle des prisonniers. Et puis, j'ai eu comme une petite décharge électrique quand j'ai vu la photo d'identité en noir et blanc. Elle portait une chemise à rayures qui ressemblait aux pyjamas que les juifs avaient dans les camps de concentration. Son visage était si maigre que les zébrures apparaissaient encore plus juives. Du coup, j'ai oublié de regarder si elle était belle.

« T'es juive, Abuela ? que je lui ai demandé, affolée.

—Judía ? yo ? Qué va ! Por qué tu me dis eso[18] *? »*

Elle avait l'air insultée. La même réaction que mon frère quand je le traite d'Arabe puisqu'il est né en Algérie. Au début, je le lui avais dit pour de vrai. Sans me douter qu'il allait s'énerver. Maintenant que je sais que ça le rend dingue, je le lui dis exprès ! Et je me reçois régulièrement des baffes. Chez nous, on n'aime pas beaucoup les Arabes. Rapport à la guerre d'Algérie et parce qu'ils ont envahi l'Espagne, il y a longtemps, avant que les Français n'envahissent l'Algérie, il y a longtemps aussi. Bon les juifs là-dedans, je ne sais pas trop ce qu'ils viennent faire. L'Abuela ne veut pas que je la traite de juive et, pourtant, elle les aime bien. Un peuple qui a beaucoup souffert qu'elle m'a expliqué. Il paraît que je comprendrai tout ça quand je serai plus grande. J'ai hâte, parce que pour l'instant, je ne comprends nada.

---

18. Juive ? Moi ? Voyons donc ! Pourquoi tu me dis ça ?

Mais ma grand-mère, qui avait compris, avait donné la honte de sa vie à mon père, en Algérie à Maison-Carrée. Elle y avait amené ma mère au bal. À l'époque, si on voulait se marier, il fallait trouver un cavalier. C'est là que mon père et ma mère se sont rencontrés. Sinon, ils n'auraient pas su où aller pour se trouver. Mais à cause de l'Abuela, mon frère et moi, on a failli mourir à ce bal. L'Abuela était assise avec les autres mères qui surveillaient aussi leurs filles, comme quand elles étaient petites, dans les parcs pour enfants. Alors que ma mère dansait un rock avec mon père, ma grand-mère lui a fait signe de venir la voir. L'heure était grave pour l'arrêter comme ça, en plein exercice.

«Arrête de bailar *avec* este Moro. Si *tu* padre *te voit,* te mata[19] *!»*

Et ma mère de lui répéter que ce n'était pas un Arabe, et ma grand-mère de lui dire que si. Finalement l'Abuela, qui n'aime pas perdre son temps en paroles, lui a dit: «Demande-lui su carta de Identitad. *»*

Ma mère lui a répondu: «Quoi? Ça va pas, non? Je vais pas lui demander de me montrer sa carte d'identité!»

En plus poli, pour prévenir la gifle. Mais avec ma grand-mère, quand elle a une idée dans la tête, elle ne l'a pas ailleurs (pour être polie, moi aussi).

Et voilà pourquoi mon père, pour devenir mon père, a dû montrer sa carte d'identité française d'origine espagnole. L'origine n'était pas écrite sur la carte, seulement dans le nom et un chouïa sur sa figure basanée.

En fin de compte, ils ont pu se marier. Et si mon papa avait été Arabe, il nous aurait tués, moi et mon frère, avant notre naissance. Enfin mon frère et moi, pour être polie. C'est pour ça que les Arabes, on ne les aime pas trop à la maison. Une fois, je l'ai dit à ma copine Corinne, et elle m'a répondu mystérieusement: «Mon père dit qu'on est tous l'Arabe de quelqu'un». Et elle s'est arrêtée, bien décidée à ne pas m'en dire plus. Mais j'ai tout de suite compris. Si Frédéric Arnaud ne m'aime pas trop, c'est sûrement que je suis son Arabe personnelle!

---

19. Arrête de danser avec cet Arabe. Si ton père te voit, il te tue.

10

1912: Cordoba

Isabella, une femme enjouée qui chantonnait du matin au soir, quel que soit le matin et quel que soit le soir, avait un jour confié sa recette du bonheur à Carmen. « Donne autant d'importance aux petites joies qu'aux grandes peines, lui avait-elle confié en lui offrant son plus beau sourire édenté. »

Et c'est ainsi que Carmen, encore enfant, partit à la recherche des fleurs qui poussent dans les déserts les plus arides, de l'eau enfouie dans les cactus les plus épineux, de la photo qui survit aux monstrueuses flammes, de la note parfaite jaillie de la pire des cacophonies. Son œil et son oreille s'affinèrent avec les années et lui permirent d'accéder à une sorte de bonheur acceptable.

Elle connut plusieurs patrons. Des bons, des moins bons, des indulgents, des fumiers, des indifférents. Elle suivit un chemin de privations avec son lot de misères et de découragements, parsemés d'instants de plaisirs et de consolations.

À l'aube de ses quinze ans, elle devint, malgré les privations, une belle jeune fille éclatante de santé. Seules ses robes misérables et reprisées, qu'elle portait comme des stigmates de la misère, trahissaient sa condition. Élevée par sa mère, qui ne se départit jamais des attitudes de sa classe, elle avait conservé une distinction naturelle, presque suspecte pour son entourage. Cela n'avait rien à voir avec l'air hautain qu'affichent souvent les Andalouses pour cacher une pudeur et une timidité qui les rend, au premier abord, froides et distantes. Non, cette attitude empreinte de noblesse, qui lui seyait si bien, ne cachait rien, elle faisait partie de sa nature et la préservait de la médiocrité de son quotidien, de la même façon que la carapace préserve des dangers extérieurs la chair tendre de la tortue. Elle suivait l'exemple des autres ouvrières sans affectation dans ses manières, sans réclamer ni indulgences ni privilèges. Ses gestes étaient dénués de toute résignation, dégoût, impatience, violence ou tristesse. Elle accomplissait les corvées qu'on lui assignait parce qu'elle n'avait pas le choix. Elle les exécutait du mieux qu'elle pouvait, avec application, par respect du travail bien accompli.

En revanche, il en allait autrement pour sa mère. Pendant un temps, elle essaya bien de respirer l'air de son nouveau milieu mais, aussi affolée qu'un poisson jeté sur le pont d'un chalutier, elle s'asphyxiait chaque jour un peu plus. Elle s'était alors instinctivement protégée en récusant la réalité et en se réfugiant dans un passé qu'elle croyait moins toxique que le présent. Comme si de rien n'était, elle continua à broder les mêmes châles et napperons, à pleurer ses enfants disparus, à faire l'éternel bénédicité... Les conversations, si elles semblaient vides de sens, étaient riches de non-dits. Quand Antonia et ses filles racontaient leur journée, elles s'interdisaient d'en parler à la première personne. Au lieu de dire : «J'ai mal aux reins d'avoir frotté autant de linge», elles disaient «On a eu beaucoup de lessive et les gens se sont plaints». Une ambiguïté qui pouvait laisser supposer qu'elles parlaient encore de leur ancienne domesticité. Devant la mère, aucune lamentation n'était tolérée. Ainsi, ses filles échapperaient-elles à leur misérable condition tant et aussi longtemps que cette dernière continuerait à être niée ! C'était sa manière à elle de les préserver et de les aimer. La folie n'était pas loin. Néanmoins, ce pieux mensonge permettait à la mère de rester sur la mince ligne qui départage la démence de la raison et à Carmen et Conchita, de ne pas se complaire dans une douleur qu'elles auraient pu arborer facilement à la place de leur ancien blason.

Rafael, le père, de plus en plus solitaire et miné par la culpabilité, se tuait à la tâche et ne rentrait chez lui que pour manger et dormir. Ayant quasiment perdu l'usage de la parole, il se contentait de sourire et d'approuver d'un léger hochement de tête les propos qui s'échangeaient autour de lui. Il finirait par décéder quelques années plus tard, le cœur usé de chagrin, laissant sa famille encore plus démunie, mais aguerrie déjà aux vicissitudes de la vie.

Peu de temps après son décès, Antonia se remarierait avec son beau-frère, le mari de sa sœur, veuf également et père de plusieurs enfants dont l'un, Francisco, épouserait Conchita, quelques années plus tard.

Dans sa quinzième année, la chance sembla soudain sourire à Carmen. Un sourire timide, presque imperceptible, mais quand même, un vrai sourire. Alors qu'elle frottait énergiquement une tache brune qui refusait de s'en aller, Leonor lui souffla à l'oreille, pour être sûre de ne pas être entendue des autres lavandières : « Carmencita, je t'ai déjà parlé du bon docteur Lopez pour qui je travaille depuis dix ans ?

— Oui bien sûr. Souvent. Pourquoi ?

— Son employée de maison, madame Martinez, part vivre chez sa fille qui vient d'accoucher de jumeaux. Elle n'est plus toute jeune. Elle approche les soixante-dix ans. Et il cherche quelqu'un pour la remplacer. Je lui ai déjà dit que je connaissais une personne sérieuse qui ferait très bien l'affaire. Si tu veux, tu peux le rencontrer demain.

— Le docteur Lopez ? »

Elle ressentit au creux de son ventre une chaleur d'une agréable douceur. Elle avait souvent entendu Leonor parler du docteur et de sa famille, une jeune femme charmante et ses trois jeunes garçons. Il appartenait à la petite bourgeoisie cordouane. Ses parents étaient chapeliers et tenaient

Le lendemain soir, lorsque Leonor vint la chercher, elle était prête depuis déjà deux bonnes heures. Pour essayer de calmer sa nervosité, elle avait brossé ses longs cheveux couleur ébène des dizaines de fois. Puis, toujours aussi fébrile, elle s'était résolue à les attacher et les relever sur sa fine nuque fragile. Elle paraîtrait ainsi plus âgée, plus femme. Elle avait même poussé l'audace jusqu'à y piquer deux belles fleurs, des pensées violettes qu'on trouvait un peu partout dans la ville.

Elle fut introduite dans le bureau du docteur Lopez par madame Martinez, la gouvernante encore en poste. Elle était intimidée de se trouver seule en ces lieux, abandonnée par Leonor qui, prise d'une mauvaise toux, s'était excusée au dernier moment. Le docteur, lui, n'était pas encore revenu d'un accouchement qui s'éternisait depuis le matin. Vêtue de la seule robe mettable qu'elle possédait, elle ne voulait pas prendre le risque de la froisser en s'asseyant et elle s'astreignit à rester debout, bien droite devant le bureau, les mains pendantes et croisées devant elle, telle une élève attendant sagement que le maître fasse son apparition dans la classe. Elle se serait sentie perdue comme l'albatros de Baudelaire, si elle avait connu l'œuvre, mais, pour rester plus justement dans son cadre de référence, elle se sentait plutôt comme une poule parmi les aigles : incapable de s'élever à leur hauteur. Elle avait connu des maisons luxueuses, aux pièces innombrables, remplies d'argenteries et de draperies fastueuses, où sa présence ne détonnait pas tant qu'elle était munie d'une serpillière ou d'un plumeau. Mais, cette pièce-là, ce bureau dans lequel elle se tenait n'avait rien à voir avec ce qu'elle connaissait. Elle renfermait une part de mystère qui la mettait mal à l'aise ; rien à voir avec la sensation qu'elle éprouvait à la messe du dimanche. Ici, rien de mystique. Mais de l'étrange et du méconnu. Des pans entiers du bureau étaient recouverts non pas d'une belle tapisserie, mais d'étagères remplies de livres ! Elle n'avait jamais eu l'occasion jusqu'à ce jour d'en voir autant réunis dans un même endroit.

Des dizaines de livres où grouillaient des phrases indéchiffrables. Une mixture de mots capables de soigner, sauver, atténuer ou abréger des souffrances. C'est du moins ce qu'elle en déduisit puisqu'elle était dans l'antre d'un guérisseur. Elle trouva le courage de s'emparer du seul livre qui ne prenait pas place dans la bibliothèque, un bouquin à la reliure pleine déposé sur un tabouret près de la porte, négligemment jeté dans la hâte d'un départ précipité. Elle se mit à le feuilleter ; son pouls s'accéléra. L'impression de poser un geste interdit. Elle regardait ces enchaînements de mots hermétiques devant lesquels elle se sentait si impuissante et, sans regret, elle se mit à contempler les images surgissant d'entre les pages, comme de vieux amis rassurants, des croquis de fioles, des personnages illustres, à voir leur chapeau haut de forme, des instruments médicaux de toute sorte. Et puis, des dessins au crayon plus précis et plus inquiétants : des morceaux de bras aux tendons saillants, des bouts de squelettes éparpillés aux quatre coins de la feuille, des pustules infectes... et sans prévenir, au verso d'une page, un dessin choquant : un homme et une femme nus côte à côte ! Son cœur battit encore plus vite à la vue de cette nudité. Incapable de prendre une décision – devait-elle continuer ou non à feuilleter le livre ? –, elle contemplait toujours le dessin, quand elle aperçut le docteur Lopez sur le seuil de la porte en train de l'observer. Elle ne l'avait pas entendu entrer. La surprise fut telle qu'elle poussa un cri aigu et lâcha le livre qui vint s'écraser à ses pieds, pulvérisant aux quatre coins de la pièce le silence qui y régnait !

11

MOI, PÉDICURE

Le 2 mars 1974
Salut, mon brave Jo,

Son pied droit bien installé sur un coussin, l'Abuela attend patiemment que je m'en occupe.

    Je ne sais pas pourquoi je dis patiemment parce que ma grand-mère est la patience incarnée. Comme si la vie était juste un mauvais moment à passer. Avant de commencer, j'ai mis un trente-trois tours de Maurice Chevalier sur mon tourne-disque. Pour lui mettre de la musique sur ses souvenirs, pareils aux films muets en noir et blanc. C'est vraiment la preuve que je l'aime beaucoup, parce qu'écouter du Maurice Chevalier, ça me tue !

    J'ai placé mes instruments sur une feuille blanche, bien rangés les uns à côté des autres dans le même ordre que d'habitude, par ordre croissant. Je les ai nettoyés avant, bien sûr. Désinfectés à l'alcool à quatre-vingt-dix degrés. C'est comme ça que font les chirurgiens. Je le sais, je les ai bien observés à la télé. Avant l'opération, ils installent leurs bistouris stérilisés sur un plateau en fer-blanc. La première fois que j'ai voulu rafraîchir les orteils de l'Abuela, j'avais pris un plateau de cuisine, mais avant que je ne parvienne à atteindre sa chambre, mon père m'avait arrêtée net et avait échangé mon plateau contre une feuille de papier. « C'est plus propre », m'avait-il fait remarquer. Il n'avait pas tort. Il avait même raison. J'avais momentanément oublié que le plateau servait aussi à mon goûter, à l'occasion. Tu imagines si un morceau d'ongle ou de peau s'était coincé entre mes dents, en mangeant mon casse-croûte ? On appelle ça des effets secondaires.

Je veux devenir chirurgien quand je serai grande. C'est pour ça que je m'exerce sur ma grand-mère. En plus, ça tombe bien puisqu'elle est d'accord, pourvu que je ne l'anesthésie pas.

Aucun danger de ce côté-là, je fais ça à vif, moi, la pédicure! L'Abuela, elle a de tout petits pieds, presque mignons si on oublie de regarder les ongles de ses deux gros orteils. On dirait deux grosses verrues sur un visage. Laids, gênants et défigurants. Des ongles ni conformes ni incarnés ni même des ongles en fait! Mais plutôt deux cailloux. J'ai tout essayé pour les faire disparaître et les faire ressembler à des ongles dignes de ce nom. Ciseaux, coupe-ongles et jusqu'à un sécateur qu'on utilise chez nous pour couper les tiges des fleurs. Rien à faire! Ils sont si durs qu'on pourrait casser un œuf dessus. Alors j'y ai renoncé. Je me contente de les limer avec une grosse râpe en métal que j'ai trouvée dans la caisse à outils de mon père. Au début, j'étais tellement désespérée que j'avais pris le rabot. Quand l'Abuela m'a vue avec, elle n'a pas été d'accord, mais alors pas du tout. En général, je lime un bon quart d'heure. Après, je n'en ai plus la force. Des fois, je me demande si je ne perds pas mon temps à faire ainsi de l'acharnement thérapeutique. Ma grand-mère me dit de continuer pour éviter qu'ils ne grossissent. Elle a sans doute raison. Faudrait pas qu'ils deviennent des roches. Ce sont ses cailloux à elle après tout. Et elle s'y connaît en pieds. Une fois, elle m'a raconté l'histoire de cet homme qui se mettait des pois chiches secs dans ses souliers pour guérir ses douleurs lombaires. Ça lui faisait tellement mal aux pieds qu'il en oubliait son mal de dos.

« Est-ce que tes pieds te font mal, Abuela?

— No. Por qué[20] *?*

— Pour rien. Pour savoir. »

C'est bête, mais j'ai eu l'espoir, pendant un moment, que ses cailloux lui fassent mal. Histoire de lui faire oublier ses souvenirs douloureux.

L'Abuela me fait signe de me taire. Elle veut écouter la chanson « Dans la vie faut pas s'en faire », avec ce refrain qui me tape sur les nerfs :

---

20. Pourquoi?

Dans la vie faut pas s'en faire
Moi je ne m'en fais pas
Ces petites misères
Seront passagères
Tout ça s'arrangera
Je n'ai pas un caractère
À me faire du tracas
Croyez-moi sur terre
Faut jamais s'en faire
Moi je ne m'en fais pas...

Je ne sais pas pourquoi ces paroles-là m'énervent. Pourtant si elles font du bien à l'Abuela, je devrais plutôt les aimer, non ? Je suppose que les mots, c'est comme les enfants et les pets. Je m'explique. L'Abuela dit, dès qu'elle en a l'occasion : « Chacun trouve que ses pets sentent bon et que ses enfants sont beaux. » Les paroles de Maurice sont douces aux oreilles de ma grand-mère, elles sont un peu les siennes. Pour moi, elles puent.

Bon, maintenant que j'ai terminé le limage des cailloux, il faut que je m'attaque à ses deux petits orteils aux extrémités des pieds, le droit et le gauche, deux boules de chair qui essaient de se fondre au doigt voisin. C'est franchement dégueulasse. Mais un bon chirurgien ne doit pas être dégoûté. Je serre très fort mes lèvres pour l'odeur. Je sais que ça ne sert pas à grand-chose, mais je ne peux quand même pas boucher mon nez devant elle. Question de respect. Ses petits orteils ont tendance à se coller au doigt voisin, et c'est avec une espèce de spatule que je les décolle. Ensuite, j'enlève la peau molle, blanchâtre et gluante. Je désinfecte, je mets du talc de bébé et un bout de coton entre les deux orteils. Faut surtout pas qu'ils se touchent, même si je sais que, dans une heure, ma grand-mère les aura enlevés, les cotons, parce que ça l'énerve. Je la comprends, on ne peut pas vivre avec un coton entre les orteils toute sa vie. Question de dignité.

En rangeant mon matériel de chirurgien, je lui demande sans trop savoir pourquoi : « À quel âge tu as connu pépé, Abuela ? »

C'est drôle. Mon grand-père, le mari de l'Abuela, s'appelait José, mais tout le monde l'appelait «Pepe» (à prononcer «pépé»). Un diminutif espagnol pour José. Moi, je l'appelle «pépé» puisque c'est mon grand-père! Jamais compris cette manie de changer les vrais prénoms pour des faux. Pepe pour José, Conchita pour Concepcion, Carmencita pour Carmen... et pépé pour moi, ce sont mes initiales (PP).

«À *seize* años, hija mía. *Seize* años, *bien jeune...*

— *... (Je fronçais les sourcils). À seize ans? Mais tu ne t'es pas mariée à vingt-trois ans?*

— Sí... sí. On est restés siete años *fiancés et j'ai rien vu de* l'hombre *que c'était*[21].»

Je savais ce qu'elle voulait dire par là. Ma grand-mère a été très malheureuse avec mon grand-père, même qu'elle a pleuré quand il s'est suicidé d'un saut dans le vide, depuis notre balcon. C'est qu'on s'y habitue au malheur, et quand il disparaît, ça laisse un vide forcément et on a peur de tomber dedans.

Je ne me souviens pas vraiment de lui. J'étais trop jeune quand il n'était pas mort.

---

21. Oui... Oui. On est restés fiancés pendant sept ans et je n'ai rien vu de l'homme qu'il était.

12

1912 : Cordoba

En s'excusant, elle ramassa le livre qui gisait à ses pieds, preuve de son inconduite, et le remit promptement à sa place. Le docteur Lopez se tenait devant elle, souriant. Rondouillard, un air bonhomme, lunettes rondes au bout du nez et calvitie naissante. La jeune quarantaine. Il s'excusa lui aussi pour son retard et lui désigna un siège. Trois questions plus tard, elle était embauchée et débutait dès le lendemain. Elle resterait à son service huit années pendant lesquelles elle apprendrait à connaître cet homme qui mettait ses sens, et en particulier son sixième, au service de son jugement : « L'homme n'est qu'un animal, l'avait-elle entendu dire à un confrère. Il refoule ses instincts, car il a honte de ce qu'il est, comme un fils d'immigrés qui refuse de parler sa langue d'origine afin que personne ne devine d'où il vient, mais il ne peut s'empêcher de comprendre cette langue. On a beau se dire que nous ne sommes pas des animaux et ce, dans l'espoir de nous rapprocher de Dieu, rien n'y fait. On commettrait tellement moins d'erreurs si on n'essayait pas de tout expliquer, si on acceptait de se laisser guider par notre intuition... »

Le reste de la conversation resta dans le bureau dont il venait de refermer la porte. Carmen, d'abord outrée par ses théories peu catholiques, s'imprégnerait tranquillement, au fil des ans et à son insu, de cette théorie des pulsions.

13

L'OISEAU MÉCANIQUE

Le 2 mars 1974 (suite)
Excuse-moi, Jo,

Je continue ce que j'étais en train d'écrire. C'est l'heure de l'émission préférée de ma mère, « La Une est à vous ». J'ai dû sortir du salon et m'installer sous la table de la cuisine pour être tranquille. « Sí... sí. On est restés siete años *fiancés et j'ai rien vu de* l'hombre *que c'était. J'aurais dû comprendre quand ce* pájarito *avait pioché le* papel qué *me disait* mi futuro[22]. » *L'oiseau et son papier prémonitoire ! C'est son histoire préférée. Elle ne se lasse jamais de la raconter. Sans doute parce qu'elle n'est pas encore terminée.*

C'était il y a bien longtemps, quand elle était une jeune fille et qu'elle travaillait pour le gentil docteur. Elle était au marché où on trouvait de tout. Y compris des Gitans. Comme ceux qui sont venus habiter ici, près de chez moi. Sauf que leurs ancêtres à eux, c'étaient de vrais Gitans. Avec des chevaux, des caravanes en bois et des danseuses. Ici, ils roulent en Mercedes. « Oui, mais en Mercedes volées », se dépêcherait de dire ma mère. Les Gitans, on les aime pas trop non plus chez nous. Je ne sais pas pourquoi, puisque nous, on n'a pas de Mercedes. Tous sales et voleurs... excepté la Gitane qui vit dans la

---

22. Oui... oui. On est restés fiancés sept ans et je n'ai rien vu de l'homme que c'était. J'aurais dû comprendre quand ce petit oiseau a pioché le papier qui me disait mon avenir.

73

même cité que nous et les Arabes. Elle vend des vêtements à domicile.
C'est une Gitane, mais c'est quelqu'un de bien, tient à préciser ma
mère quand elle parle d'elle. Et il faut voir ce qu'elle est propre! Pour
ma mère, la propreté c'est sacré. Il existe deux sortes d'individus à
ses yeux : les propres et les sales. Et il vaut mieux faire partie de la
première catégorie si on veut qu'elle nous aime.

Ma grand-mère, elle ne peut pas trop les encaisser non plus.
Par contre, elle croit volontiers leurs diseuses de bonne aventure et
elle adore les regarder danser le flamenco. Elle a ses défauts comme
tout le monde, l'Abuela. En tout cas, ce jour-là, elle se promenait
avec ses imperfections, quand elle a vu une vieille Gitane avec une
drôle de cage à la main et tout plein de monde autour d'elle. Dans
la cage, elle pouvait voir un oiseau en fer, un oiseau mécanique.
Il piochait dans une minuscule corbeille des papiers qui prédisaient
l'avenir. Et les gens donnaient des sous à la vieille pour recevoir
un papier. La plupart s'en allaient en riant. Les autres ne disaient
rien. L'Abuela, elle aurait bien aimé aussi avoir son papier, mais
elle ne savait pas lire en ce temps-là. Quand tout le monde a fini
par partir, la veille Gitane, qui n'avait pas les yeux dans sa poche
parce que c'étaient les siens et qu'elle ne les avait pas volés, elle s'est
approchée de ma grand-mère et lui a donné un minuscule bout de
papier plié en quatre. L'Abuela, elle n'en voulait plus, grand dieux
non! mais la vieille l'a quand même mis de force dans son tablier.
C'était le dernier qui restait dans le panier. Elle voulait rentrer chez
elle, même gratuitement.

« Tiens. Je ne sais pas lire! a dit ma grand-mère en lui rendant
son bien. »

À cette phrase, il paraît que la Gitane a eu pitié d'elle. Elle lui a
lu ce qui était écrit dessus et ça disait en gros (sa mémoire aujourd'hui
ne peut lire que les gros titres des souvenirs ; elle ne voit plus ce qui
est écrit en petit, c'est trop loin) :

Amour : pas beaucoup de succès de ce côté-là.

Santé : vous allez vivre très vieille.

Argent : vous vivrez une vie de misère et vous recevrez
un gros héritage.

Travail : il sera pénible.

Enfants : vous en aurez cinq. Souffrances et joies.

N.B. : vous voyagerez beaucoup et traverserez de grandes épreuves.

Et tu sais quoi ? Tout s'est réalisé ! Tout... sauf l'héritage, bien sûr. Elle est vieille et elle a eu cinq enfants (il y en a un qui est mort à l'âge de neuf mois). Elle a vécu en Espagne, en Algérie et en France. Elle a traversé deux guerres civiles, celle d'Espagne et celle d'Algérie. Elle a travaillé comme une négresse toute sa vie.

Au début, elle n'y croyait pas. Quand la Gitane a fini de lire, elle a tout de suite dit que c'était des tonterías[23] *et puis, elle a vite fini par y croire à ces tonterías. C'est pour ça qu'elle attend encore l'héritage. En attendant qu'il arrive, elle joue au Loto et au Tiercé, au cas où ce serait ça, son héritage. Peuchère, elle espère encore.*

---

23. Bêtises.

14

1913 : Cordoba

Les étals étaient particulièrement bien garnis ce matin-là : viandes crues généreusement exposées, volailles exhibées sur des crochets par dizaines, fruits et légumes harmonieusement alignés, épices méditerranéennes et orientales mélangées avec respect. Mille senteurs s'entremêlaient ainsi allègrement sans inhibition, excitant les papilles des passants jusqu'à leur procurer une sensation indéfinissable de plénitude. Une splendide journée printanière qui répandait ses rayons de soleil, comme autant de timides caresses sur la peau sensuelle des habitants de la belle Cordoue.

Carmen s'intégrait avec harmonie aux chaudes couleurs. Elle flânait entre les rangées de tomates et d'artichauts, le sourire aux lèvres et les yeux rieurs débordant d'une jeunesse provocante. Ses seize ans lui donnaient raison d'être aussi heureuse malgré le sombre avenir que la vieille Gitane lui avait prédit. Un ridicule bout de papier qu'un oiseau mécanique à bout de souffle n'avait pas jugé bon de piocher et qui était resté au fond de la cage. Et par malchance, c'est à elle que la romanichelle avait décidé de le donner.

La journée lui appartenait, rien ne viendrait l'assombrir, pas même les misérables mots griffonnés sur ce papier bon marché qu'elle ne cessait de triturer dans sa poche.

Quand elle l'aperçut près de l'éventaire des fruits, elle fut résolument convaincue que la journée serait des plus formidables. Elle le reconnut malgré son habillement : modeste pantalon beige surmonté d'un blouson de cuir noir et d'une casquette. Il était bien différent de la fois où elle l'avait remarqué dans l'arène.

C'était le samedi précédent, il portait le traditionnel habit des toreros, l'habit de lumière chatoyante, d'un rouge vif. C'était la première corrida à laquelle elle assistait. Pas une vraie corrida avec les picadors et tout le tralala, elle n'en avait pas les moyens. C'était, ce qu'on appelle plus humblement, une novillada où les apprentis toreros se forment à devenir de vrais matadors en se confrontant à des taureaux plus jeunes et moins robustes. Elle était accompagnée de sa mère et de sa sœur. Elles étaient assises dans les gradins depuis trois bonnes heures, même si la corrida ne commençait pas avant cinq heures de l'après-midi et qu'elles étaient en plein soleil ; elles voulaient être sûres d'avoir de bonnes places. Carmen aurait bien aimé avoir une place à l'ombre pour sa mère qui, avançant en âge, souffrait de plus en plus de la chaleur, mais leur modeste budget ne leur permettait pas de s'offrir ces places, les plus onéreuses de l'arène. Elles durent donc supporter sur leurs épaules le poids de la chape de plomb brûlante qui pesait sur les aficionados les moins fortunés. Heureusement, la femme du docteur Lopez lui avait donné pour sa mère un coussinet destiné à rendre plus confortables les gradins en béton. Même les éventails ne suffisaient pas à rafraîchir l'air. Les femmes continuaient cependant à les agiter, persuadées que la chaleur deviendrait insupportable sans ça. Mais plus que tout, elles voulaient éviter l'apparition d'auréoles que la transpiration laisserait à coup sûr sur leurs élégantes robes, car les Andalouses se mettaient spécialement en beauté en ce jour de fête. Carmen, elle, était à mille lieux de s'inquiéter de sa sudation, trop occupée à ouvrir grand ses yeux pour ne rien perdre de ce spectacle exceptionnel qui pimentait sa médiocre existence. Elle n'écoutait plus Conchita lui raconter les derniers potins de la famille, du moins celle avec qui elles étaient restées en contact. Abandonnant sans remords sa sœur à son monologue, elle balayait du regard la foule dans les gradins et tentait d'apercevoir les taureaux qu'elle devinait enfermés dans les box tout en bas de l'arène. Elle n'était pas habituée à cette fébrilité qui précède les jeux, à cette adrénaline qui envahit les spectateurs avant que la course de taureaux ne commence. Elle constatait, sans surprise, que les corridas attiraient autant de femmes que d'hommes, et de tous les milieux. Elle ne comptait plus le nombre de fois où elle avait écouté les lavandières rapporter le courage ou la couardise des toreros et des taureaux qu'elles confondaient dans un même élan de respect et d'invectives.

Elle entendit soudain la foule, jusqu'alors murmurante, élever sa voix à l'unisson et ovationner quelque chose ou quelqu'un qu'elle essayait de discerner sans succès. Devant son air interrogateur, sa mère, arborant le sourire satisfait de celle qui sait, se pencha vers elle et lui désigna la place du président, qui agitait un mouchoir blanc, comme pour solliciter déjà une trêve.

«La novillada ne va pas tarder. C'est le signal.»

Le seul événement qui commence à l'heure en Espagne est, sans conteste, la corrida. Il était donc cinq heures et Carmen n'avait pas vu passer le temps, trop occupée à se goinfrer de l'avant-spectacle, de la même façon qu'un nécessiteux invité à un mariage se jette sur les biscuits à apéritif, persuadé d'ingurgiter le plat principal.

Le fameux paseo débuta sous un air de paso doble. Sa mère, qui prenait tout à coup très à cœur l'éducation tauromachique de ses filles, se mit en devoir de leur expliquer les usages de la corrida à Cordoba, les courses de taureaux n'étant pas encore réglementées à l'échelle du pays. Sa somnolence du début laissa place à une excitation dont on ne pouvait soupçonner l'existence quelques minutes plus tôt, et les mots de se répandre rapidement: «Le paseo, c'est un défilé de toutes les personnes qui participent à la corrida. En premier, vous pouvez voir les trois matadors. Aujourd'hui en l'occurrence, ce sont des apprentis matadors. Ils doivent d'abord faire leurs preuves avant de toréer dans une vraie corrida et d'affronter des taureaux qu'on appelle «braves» et qui peuvent peser plus de 600 kilos. Ensuite...»

15

ALICANTE

7 juillet 1974
Bon après-midi, mon Jo,

Alicante. La ville où est née ma mère. Depuis qu'on est arrivés ici, elle n'arrête pas de répéter, à qui veut bien l'entendre, que c'est son lieu de naissance. En fait, personne ne veut l'entendre, ils écoutent par politesse. Ça fait une semaine qu'on est là, en vacances avec toute la smala. On habite dans un petit appartement qu'on loue à une vieille dame, en plein centre-ville, et qui sentent la naphtaline à plein nez (la vieille dame et son appartement). Il y a deux chambres, comme chez nous à Marseille. C'est super, on ne change pas nos habitudes pour dormir. Moi dans le salon, mes parents dans une chambre, mon frère et ma grand-mère dans l'autre. Cette année, on est venus avec mon oncle Eugène, le frère de ma mère. Il loge avec sa femme (ma tante Sylvette) et ses enfants (mon cousin Bruno et ma cousine Sophie) dans un autre appartement, pas très loin du nôtre.

    Hier, on est allés voir une corrida, on en raffole ! Sauf que cette fois-ci, il y avait, avec nous, la fiancée du neveu de ma tante, et elle a réussi à gâcher mon plaisir. Une blonde, ni Espagnole ni pied-noir, une femme du Nord (elle vit quelque part au-dessus d'Avignon). Elle tenait absolument à venir avec nous, voir « cette barbarie », qu'elle disait. Au début, elle n'arrêtait pas de se plaindre de la chaleur. Pourtant, on était assis à l'ombre. Elle agitait son journal Le Monde, plié en deux, pour se faire de l'air. Mais Le Monde ne lui suffisait pas. Je suis convaincue qu'elle a payé le billet de corrida juste pour râler et aller raconter à ses amis français que la corrida, c'est un

sport de sauvages. Je ne l'ai pas aimée du premier au dernier coup
d'œil. Elle criait sans arrêt : « Mon dieu ! C'est épouvantable ! Ces
banderilleros sont de vraies ordures. Il faut qu'on les arrête... pauvre
taureau. Oh non... »
    Elle poussait des cris de perruche tout le long. Encore plus ma-
niérée que les toreros qu'elle traitait de poupées (j'en ai déduit que
dans sa bouche, c'était une insulte). Et avec des cris de perruche,
disais-je, elle se jetait dans les bras de son fiancé, tout heureux, avec
son air niais, de lui servir de protecteur. Je me demande si ce n'est
pas lui, finalement, qui l'a poussée à venir assister à cette corrida.
Pour jouer au chevalier servant. Et quand est arrivé le temps de
l'estocade, c'était à mourir de rire. Bon, je reconnais que le matador
était plutôt nul ! Il a raté son coup en double exemplaire. D'abord,
lorsque l'épée a surfé sur le dos du taureau et l'a à peine graffigné.
Et ensuite, à la deuxième tentative, ce porc, et là je parle du matador,
il a enfoncé l'épée en plein dans le front de l'animal. Complètement
interdit de faire ce genre de saloperie ! Bien trop facile. Autant lui tirer
une balle entre les deux yeux. La foule l'a hué jusqu'à ce qu'il sorte,
la queue entre les jambes, a tenu à souligner l'Abuela. Et l'autre, la
blonde, elle était en larmes et disait à qui voulait bien l'entendre –
c'est-à-dire à personne, vu qu'elle parlait français et que personne ne
comprenait : « Il faudrait interdire les corridas dans le monde entier.
C'est inhumain. Une vraie boucherie. On est au vingtième siècle.
Merde alors ! Qu'on fasse des pétitions... des lois... »
    Elle délirait complètement, la pauvre. Sans doute la chaleur, à
laquelle elle n'était pas habituée. Bon bref, quand ils se sont aperçus
que les gens les regardaient de travers, ils sont partis après le premier
taureau, elle et son chevalier servant, et on ne les a plus revus. Tant
mieux ! Ma grand-mère n'arrivait pas à se concentrer.

Je la vois rarement aussi absorbée, à part quand elle regarde le catch
les samedis soir à la télé. Elle doit aimer les hommes costumés qui
se battent. Elle prend ça tellement à cœur qu'elle nous dit « chut »
si on fait trop de bruit pendant qu'elle les regarde sur le petit écran.
Elle est convaincue que c'est sérieux et que le plus fort va gagner.

On lui a répété je ne sais combien de fois que les matchs sont truqués et qu'ils ne se font pas réellement mal. Elle s'en fout, elle ne nous croit pas. Elle continue à regarder, en croyant dur comme fer que tout est vrai. Maintenant, on ne lui dit plus rien. Des fois, je m'assois à ses côtés et je finis, moi aussi, par y croire. C'est vrai que c'est plus marrant après tout !

À chaque fois que je l'accompagne à une corrida, je la vois trembler lorsque le taureau frôle le matador et qu'il le rate, vu qu'il se fait berner par la muleta, l'espèce de cape rouge dans laquelle il fonce à tous les coups. Un taureau, c'est idiot, mais pas lâche. Il combat jusqu'à ce que mort s'ensuive. La sienne en général. Une fois, j'ai vu un taureau si courageux qu'il a été épargné par la foule. Il fonçait sans hésiter, tête baissée, sur tout ce qui bougeait, sans réfléchir ! Un vrai spectacle ! Et pour ça, il méritait de vivre. Pour le matador, c'est un peu pareil. S'il est courageux, la foule se met à le vénérer. Des fois, il se fait encorner, et là, tout le monde pousse des « ho » et des « ha » de désolation. Moi (je l'écris tout bas pour que ma grand-mère ne m'entende pas), j'ai vu un jour un matador voltiger dans les airs après le coup de corne d'un taureau qui avait fini par comprendre qu'on le prenait pour un con et qui avait visé juste. Je me suis dit : « bien fait pour lui »… eh oui ! il arrive qu'on préfère le taureau au matador. L'Abuela aussi pense pareil, je le sais, mais elle est persuadée que c'est mal de le penser et elle fait juste ne pas en parler quand ça arrive.

16

1913 : Cordoba

Carmen entendait, sans l'écouter, sa mère lui décrire les facettes du paseo, lui expliquer de quelles manières se gagnent la queue et les oreilles du taureau, lui donner les trucs du métier pour reconnaître au premier coup d'œil le bon taureau du mauvais. Elle n'avait d'yeux que pour lui, un des *peónes* qui composaient la cuadrilla. Plus grand que les autres, une sveltesse rehaussée par le port serré de son habit de torero, des cheveux clairs qui contrastaient avec sa peau hâlée et une prestance qu'elle aurait sans doute qualifiée d'arrogance, n'eût été l'attirance qu'elle éprouvait déjà pour lui et qui obscurcissait son jugement. Les yeux de Carmen étaient devenus ceux de Chimène. À la fin du spectacle, il va sans dire qu'il avait bien sûr toréé mieux que les autres, mieux que le matador lui-même, et la foule entière l'avait ovationné.

Quand le soir venu, Carmen partagea ses impressions avec sa sœur, elle eut la surprise de l'entendre s'exclamer :

« De quel torero tu parles ?

— Mais enfin... de celui habillé en rouge bordeaux, grand et charmant. Celui que tout le monde applaudissait ! Où étais-tu passée pendant la corrida ?

— Moi, j'ai surtout applaudi le matador, comme tout le monde d'ailleurs. Tu sais, celui vêtu en bleu, petit et laid. On ne doit pas avoir assisté à la même novillada. Le soleil t'a tapé sur la tête, ma pauvre Carmen. À moins que... »

Le visage de Conchita s'illumina soudain. Elle venait de comprendre !

« Quoi ? Mais ma parole, tu en pinces pour lui, on dirait ? Il t'a tapé dans l'œil, hein ? Carmencita est amoureuse. Carmencita est amoureuse... »

Carmen, soudain cramoisie, se mordit la langue de s'être confiée sans réfléchir à sa stupide sœur.

« Tais-toi. Tu dis n'importe quoi et parle moins fort, maman va finir par t'entendre. Arrête, je te dis !

— Carmencita est amoureuse... »

Elles avaient retrouvé leurs douze ans, se chamaillaient, essayaient de se faire taire et finirent par attraper une crise de fou rire, vite refrénée par l'apparition soudaine de leur mère, alertée par tout ce tapage.

Jusqu'au samedi suivant, jour de marché, Carmen ne parvint pas à se défaire de l'image de ce torero dont elle ignorait le nom. Il faut dire que l'oublier s'avérait difficile, pour ne pas dire impossible, avec sa sœur qui prenait un malin plaisir à le lui rappeler dès que l'occasion s'en présentait.

Aussi, quand elle l'aperçut près de l'étalage de fruits, elle n'eut aucun doute. Elle le reconnut immédiatement. Il était accompagné d'une ravissante et pétillante demoiselle qui lui prenait le bras, et d'une vieille femme occupée à tâter la fraîcheur des fruits. Elle constata, non sans regrets, combien la jeune fille était attirante, au nombre des regards masculins qui la dévisageaient à la dérobée et des coups d'œil féminins où se lisaient l'envie, la jalousie et néanmoins la reconnaissance de sa beauté. Elle en éprouva un désagréable pincement au cœur, mais sans ressentir d'aversion : ils formaient décidément un très beau couple. La méchanceté n'était pas inscrite dans son code génétique. Sa déception du moment descendit instinctivement jusqu'à ses doigts qui chiffonnaient le bout de papier dans sa poche. Peut-être bien que la Gitane avait raison après tout. Elle allait rebrousser chemin quand la veille femme, ayant terminé l'inspection des melons et des pêches à laquelle elle se livrait depuis quelques minutes, releva la tête et s'adressa à la jeune fille. La ressemblance entre les deux femmes était si frappante que Carmen porta aussitôt son regard sur le jeune homme, pour découvrir une évidence que son trouble ne lui avait pas permis d'apercevoir quelques instants auparavant. Ces trois-là appartenaient indéniablement à la même lignée ! Elle sortit lentement de sa poche le papier froissé, le regarda d'un air narquois et s'apprêtait à le jeter par terre, mais se ravisa. Sans trop savoir pourquoi, elle ne parvenait pas à s'en défaire. Un sourire qu'elle n'avait pas vu venir flottait maintenant sur ses lèvres. Le désappointement qui s'y lisait quelques secondes plus tôt avait disparu.

Le temps se figea, jusqu'à ce qu'une vieille grenouille de bénitier, une amie de sa mère, connue pour ses commérages fallacieux, passe non loin d'elle. Elles se saluèrent brièvement. Carmen imaginait déjà ce qu'elle pourrait dire : « Tu ne sais pas qu'il ne faut pas fixer un jeune homme aussi longtemps et en plus, avec ce sourire niais ? Quelle honte ! Mais quelle honte, cette jeunesse ! Où est ta mère, Carmen ? Je vais lui dire, moi, de quelle manière sa fille se comporte quand elle n'est pas là ! »

Mais la vieille femme continua son chemin sans mot dire, ruminant sans doute son prochain ragot. Carmen fit promptement disparaître son sourire et détourna le regard. Il fallait qu'elle s'arrache à son immobilité si elle voulait éviter de se faire remarquer. Elle passa près du groupe, les yeux rivés à ses vieux souliers. Elle ne put donc voir de quelle façon Edouardo – elle le baptiserait de ce prénom des semaines durant –, la dévisageait. Peut-être que, si elle avait croisé son regard, son avenir en eût été changé. Mais la vie se construit de ces instants où notre présence à l'autre nous échappe et où notre propre histoire se forge dans notre dos.

17

1913 : Cordoba

Plusieurs semaines passèrent. Elle avait presque fini par oublier son torero, qu'elle avait rangé parmi les souvenirs douillets qui agrémentaient parfois ses journées trop longues. Aussi fut-elle décontenancée quand elle ouvrit la porte et qu'elle le vit bien en chair, planté devant elle, son bras gauche sanguinolent tenu en écharpe : « Bonjour, Mademoiselle. Le docteur peut-il me recevoir ? Je me suis blessé dans l'arène cette après-midi. Un coup de corne. »

Il reconnut lui aussi la jeune fille du marché qu'il n'avait pas manqué de remarquer lorsqu'elle l'avait fixé longuement avant de s'enfuir à la hâte. Il sourit devant le surprenant hasard qui change un stupide accident en une charmante rencontre, et elle crut, innocemment, que ce sourire lui était adressé.

« Oui. Bien sûr. Entrez, Monsieur. Je vais avertir le docteur Lopez », lui répondit-elle en lui rendant son sourire.

Elle l'introduisit dans le salon qui servait aussi de salle d'attente, la maison du docteur faisant office à la fois de maison familiale et de cabinet médical. Avant de refermer la porte du salon, elle lança son traditionnel : « Qui dois-je annoncer, Monsieur ?

— José Martin de la Torre. Mademoiselle... ? »

Elle fut étonnée d'entendre « José » plutôt qu'« Edouardo ». Elle trouvait que ce prénom ne convenait pas à son air altier. « Edouardo » était plus racé et avait plus de caractère.

« Carmen. »

Voilà ! Les présentations étaient faites. Elle referma

précipitamment la porte pour cacher son trouble. Elle n'avait jamais imaginé, même dans ses chimères les plus folles, que leur premier rendez-vous se passerait ainsi. Comme toutes les jeunes filles de son âge, elle avait rêvé de romantisme ou d'humour. Certainement pas d'une rencontre aussi formelle sur son lieu de travail ! Mais comme toutes les jeunes filles de seize ans, elle était capable de voir un signe du destin là où ne règne que la vacuité. Un coup de corne venait de lui livrer le jeune homme de ses rêves, comme une offrande. Son amour pour la corrida venait de naître.

Les semaines suivantes, il revint fréquemment au cabinet. D'abord pour son bras, puis pour une insolation, une grippe, une migraine... Jusqu'à ce que le médecin, qui avait bien compris son manège, refuse de le recevoir un matin où il venait le voir pour de prétendues crampes à l'estomac. « Non, Carmen. Je ne recevrai pas monsieur Martin de la Torre aujourd'hui, ni demain ni après-demain. Tu sais très bien que ce n'est pas pour mes beaux yeux qu'il vient, n'est-ce pas ? À moins qu'il ne soit atteint d'hypocondrie profonde, ce qui relèverait alors de la psychiatrie, je déclare ce garçon en parfaite santé ! »

Se sentant devenir plus rouge qu'une pivoine, elle baissa les yeux, mal à l'aise devant les insinuations du docteur qu'elle savait justifiées. Elle espérait que Pepe (le diminutif qu'elle utilisait quand elle pensait à lui) n'était pas fou, car le mot « hypocondrie », dont elle ne connaissait pas le sens, l'alarmait.

« Qu'est-ce que je dois lui dire, docteur Lopez ?

— Rien. C'est moi qui vais aller lui parler. »

Inquiète, elle le regarda s'éloigner vers la salle d'attente. Son patron avait un tempérament protecteur qui le rendait quelquefois cinglant et désobligeant. Les Lopez avaient, dès le début, pris la jeune Carmen sous leur aile et ils s'étaient sentis responsables de leur gouvernante, comme ils l'auraient été d'une jeune parente confiée à leurs soins. Jusqu'à ce jour, elle leur en avait été reconnaissante, mais aujourd'hui elle craignait que cette attitude ne dissuade José de revenir.

Elle attendait nerveusement que le docteur sorte du salon où il s'était enfermé avec Pepe depuis dix bonnes minutes déjà. Quelque chose de nouveau, de différent, pointait à l'horizon de ses seize ans. Elle n'avait encore jamais eu de prétendant officiel. Quelques œillades, des petits rires stupides avec des garçons de son âge, sans plus. Depuis plusieurs semaines, un homme, un vrai, portant blouson de cuir et combattant dans l'arène, s'intéressait à elle, la petite Carmen. Elle se sentait flattée, plus importante que d'habitude. Elle entrait dans la cour des grands. Cela l'inquiétait tout autant que cela l'attirait. L'inconnu l'effrayait encore.

Elle sursauta quand elle entendit la porte s'ouvrir, pressentant que son avenir s'était joué à l'intérieur de ces quatre murs. Le docteur en sortit, l'air aussi satisfait que lorsqu'il diagnostiquait une bonne guérison.

« Tu peux entrer, Carmen. Monsieur Martin de la Torre a une demande à te faire, j'en suis convaincu. »

Deux semaines plus tard, ils étaient fiancés.

Chez la plupart des Espagnols, et en particulier dans ce coin reculé de la péninsule ibérique en ce début du vingtième siècle, on ne badinait pas avec l'amour. Le docteur Lopez avait clairement signifié à José que s'il voulait continuer à voir la jeune fille en restant un homme d'honneur, il fallait qu'il le fasse en bonne et due forme, dans les traditions, et tout de suite. Sinon, il irait, de ce pas, aviser les parents de Carmen de la situation. Deux choix se présentaient dès lors au jeune José : fuir le plus loin possible ou se déclarer auprès de la jeune gouvernante du docteur. Carmen comprendrait, bien des années plus tard, que son réflexe eût été sans doute de fuir si les mots « en restant un homme d'honneur » n'avaient pas été prononcés. Ces mots déclenchaient de drôles de réactions chez certains jeunes hommes dont manifestement José faisait partie. C'était un homme fier.

Il combattait dans l'arène des bêtes sauvages de plusieurs centaines de kilos. Il ne détalerait certainement pas devant ce petit médecin qui l'avait agacé dès leur première rencontre avec ses airs arrogants et condescendants.

18

DE LONGUES FIANÇAILLES

1ᵉʳ août 1974
Holà ! cher Jo,

Je n'ai jamais su pourquoi l'Abuela était restée fiancée aussi long-
temps. Sept ans, c'est long comme une vie quand on aime quelqu'un !
Quand je lui ai demandé ce qui les avait empêchés de se marier plus
tôt, elle a hoché la tête et a dit (je francise sa réponse) : « Il disait qu'il
voulait d'abord avoir un bon métier avant de m'épouser. Et puis, à
l'époque, c'était courant de rester fiancés aussi longtemps. J'attendais
sans trop me presser, surtout que ma mère et le docteur Lopez ne
l'aimaient pas beaucoup. Ma mère, la pauvre, me répétait souvent
que ce n'était pas un homme pour moi. Elle disait qu'il aimait trop
les femmes et qu'on l'avait vu souvent en charmante compagnie. Le
docteur Lopez allait dans le même sens. Il me rabâchait souvent aussi
que ton grand-père nourrissait des idées politiques trop dangereuses
et que c'était pour ça qu'il ne trouvait pas toujours un bon travail.
Les patrons se méfiaient de lui.
« Pourquoi tu ne les as pas écoutés ?
— Parce que je suis stupide. Il parvenait toujours à me convaincre
que ce n'était pas vrai. Il me le jurait. C'était un beau parleur. Et moi,
je finissais par le croire. Toujours. Il me disait qu'on allait bientôt être
heureux ensemble. Que je n'aurais plus besoin de travailler autant.
Un jour, je me suis rendu compte que j'allais avoir vingt-trois ans
et je ne voulais pas coiffer Sainte-Catherine. Je lui ai dit que s'il ne
voulait pas m'épouser, eh bien, je me marierais avec un autre homme.
À l'époque, ma fille, j'étais belle et je plaisais à beaucoup d'hommes. »

*En disant ces mots, elle s'est tapé le popotin, et j'ai souri. Toute la famille se moque de ses grosses fesses rebondies. Elle est cambrée comme les Noires. Elle ne rate aucune occasion de nous répéter que, plus jeune, son cul attirait bien des hommes. Elle est bien fière de ses fesses qu'on appelle affectueusement «*el culo Martin*». Quand on voit une femme avec un gros derrière, il y a toujours quelqu'un de la famille qui chuchote: «Hé, regardez el culo Martin». Et on rit en pensant à l'Abuela. Mais pas méchamment. La preuve, c'est que lorsqu'une personne prend du poids et qu'on veut le lui faire remarquer sans être désagréable, on lui dit: «Attention, tu commences à avoir* el culo Martin.*» Bon, elle se vexe bien un petit peu (je dis «elle», parce c'est seulement les femmes qui grossissent de cette partie-là de l'anatomie chez nous), mais elle répond à chaque fois: «Ah ben! je suis contente. Avec ça, les hommes vont tous me courir après.»*

Moi aussi j'espère avoir de grosses fesses quand je serai une vraie femme, mais pas trop quand même.

«C'est pour ça qu'il a fini par t'épouser? Il avait peur que tu en choisisses un autre?

— Oui. Enfin, je suppose. Et moi j'ai été assez idiote pour le croire et me marier avec lui.»

Je sais que mon grand-père n'a pas été un bon mari. Il buvait souvent et il la battait aussi. Elle m'en a parlé un jour pour m'expliquer pourquoi son fils Raphaël était parti d'Algérie à 19 ans. Il s'était engagé dans l'armée anglaise pendant la Seconde Guerre mondiale.

«Pourquoi Raphaël voulait partir faire la guerre?

— Porque[24] sinon, il aurait tué son père.

— Pourquoi?

— Por qué? Por qué[25]? Tu as toujours ce mot à la bouche, toi?

— Oui. Je veux tout comprendre parce que quand je serai grande, je serai chirurgienne.»

Je ne voyais pas pourquoi je lui parlais de mon avenir professionnel, ça n'avait aucun rapport, et j'espérais que ma grand-mère

---

24. Parce que
25. Pourquoi ? Pourquoi ?

ne me demande pas à son tour «pourquoi». J'aurais pédalé dans
la choucroute.

«Porque *il n'aimait pas son père.*

— Pourq... comment ça ?

— Tu abuelo n'était pas gentil, tu sais. Il... il lui arrivait de
me frapper et quand Raphaël, en revenant du travail, voyait les
marques que j'avais, il fallait que je le retienne pour l'empêcher d'aller
trouver son père. Il disait qu'il allait finir par le tuer. Un jour, il a
eu peur de ne plus pouvoir se contrôler et quand il a eu l'occasion
de partir, il n'a pas hésité. Le pauvre...»

Jamais eu le courage de lui poser trop de questions sur le sujet.
Des fois, j'entends ma mère en parler, mais elle non plus, elle n'entre
pas dans les détails. Je crois que ce n'est pas bien d'en discuter. Une
espèce de pudeur ou de honte. On en cause – c'est dur de faire taire
des Espagnols –, mais pas trop fort, pas trop longtemps et pas trop
souvent. Chez nous, on parle de tout en surface, pas en profondeur.
Peur de la noyade, j'imagine.

«Il me frappait.» Quand je veux en savoir plus, elle lève la
main et dit «non» de la tête. Ces trois mots doivent me suffire. Le
reste n'est pas de mes oignons. C'est propriété privée. Un jour, je l'ai
répété à ma copine Corinne: «Mon grand-père battait ma grand-
mère.» Elle a répondu «Ah oui ?» et a continué à colorier son des-
sin. Ça ne l'intéressait pas du tout. J'étais vexée et je me suis mise à
répéter la phrase devant un miroir, comme une actrice, en y mettant
de l'émotion dans la voix, en articulant bien, en grimaçant, en
essayant très fort de faire couler une larme. Après plusieurs minutes
de répétition, j'avais fini par allonger la phrase de deux secondes
et j'arrivais à faire couler une larme dans le coin droit de mon œil.
J'étais enfin prête. Je suis revenue vers Corinne et je lui ai répété la
phrase en chronométrant dans ma tête et en prenant l'air de la fille
la plus triste au monde.

«Ça va! Tu me l'as déjà dit hier. Il n'y a pas huit ans déjà que
ton grand-père est mort ?»

Je ne voyais pas le rapport avec ce que je venais de lui dire.
Moi, je venais juste de l'apprendre. Avant, pour moi, l'Abuela

n'était pas une femme battue. Pas compliqué à comprendre pourtant !

« Sí. *Pourquoi tu me demandes ça ?*

— *Ben... il y a un bail déjà et elle ne doit plus vraiment s'en souvenir. En tout cas, ça ne l'a pas traumatisée parce que je ne l'ai jamais vue triste ni de mauvaise humeur quand je vais chez toi.*

— *On joue à la marelle ?*

— *D'accord. C'est à mon tour de commencer.* »

Corinne, elle a de drôles de raisonnements qui me font douter de mon intelligence. Ce jour-là, par exemple, je me sentais stupide d'avoir accordé autant d'importance à ces trois mots de ma grand-mère. C'est peut-être pour ça aussi que les autres n'en parlent pas.

19

21 janvier 1920 : Badajoz (Estrémadure)

Les invités les attendaient à la sortie de l'église. Elle reçut de pleines poignées de riz et cacha son visage derrière son bouquet de fleurs en riant. Les jeunes mariés, Carmen et José, étaient radieux. Ils partaient fêter l'événement sur la propriété de Juan de la Torre Morales, l'oncle de José, un des rares membres de la famille à avoir conservé un patrimoine.

Quand Carmen avait entendu le patronyme de José « Martin de la Torre », elle avait été soulagée d'apprendre qu'il était issu d'une ancienne famille noble, aussi ruinée que les « sans particules ». José était un simple maçon qui vivait avec sa mère et ses deux sœurs dans un triste et pauvre logis d'un quartier populeux de Cordoba. À dix ans, elle était convaincue d'être la seule, avec ses parents et sa sœur, à se retrouver perdue dans la cour des miracles, et dissimulait avec précaution ses origines pour éviter d'être lynchée par le peuple qui était, croyait-elle, son ennemi. Quelques années plus tard, quand elle comprit qu'elle n'était pas une exception, que sa famille était loin d'être la seule à avoir dégringolé les marches de la noblesse pour se retrouver parmi les plus démunis d'Espagne, les noms avec particule n'eurent plus aucune signification à ses yeux. Alors, comment expliquer ce soulagement diffus, mais bien réel, qu'elle ressentit lorsque José lui dévoila son nom, si ce n'est par leur histoire commune qui les unissait déjà ? C'était un début. Un début de quoi ? Elle ne le savait pas encore, mais cela la rassurait.

Après une fête bien arrosée de vins de Malaga et de

sangria, Carmen et José se retirèrent pour la nuit dans un des appartements de la propriété généreusement prêté par l'oncle, qui s'était offert de loger les parents et les amis de la jeune mariée, venus d'Andalousie pour l'occasion. Au matin, il était déjà dix heures et elle n'était toujours pas descendue de sa chambre. Quelques convives s'étaient rassemblés dans la salle à manger devant un copieux petit-déjeuner composé des traditionnelles *tostadas* recouvertes de presque n'importe quoi qui peut se tartiner – même si la préférence restait l'huile d'olive avec des tranches de tomates coupées en rondelles. Ça riait, parlait fort, et les plus hardis se mirent à scander le nom de Carmen.

Des escaliers partaient de la salle à manger et se poursuivaient par un couloir au bout duquel se trouvait la chambre des nouveaux mariés. À croire que l'oncle avait fait exprès de les installer si proche de la pièce principale, histoire d'être aux premières loges quand ils descendraient le matin de leur nuit de noces.

La jeune épouse était redevenue Carmen, dépouillée de sa robe de mariée en dentelle blanche que sa mère et sa sœur avaient confectionnée en y consacrant leurs heures de repos durant plusieurs mois. Revêtue de sa robe du dimanche, elle était sagement assise sur le lit. Elle entendait son nom crié par des gens qui, pour la moitié, lui étaient étrangers. Quand elle s'était réveillée, presque aux aurores, José n'était plus dans la chambre. Elle l'avait attendu patiemment, persuadée qu'il allait revenir. Puis, au bout de deux heures, toujours sans nouvelles de lui, elle finit par se vêtir, bien décidée à descendre pour prendre son petit-déjeuner et se rendre à la messe, dès que des signes de vie se feraient entendre dans la maison. Aux premiers cliquetis de la vaisselle, elle s'apprêta donc à sortir de sa chambre, mais elle fut incapable de se décider à tourner la poignée. Elle resta quelques instants immobile devant la porte et, résignée à attendre, retourna s'asseoir sur son lit.

La pudeur qu'elle avait tenté de refréner venait de refaire surface avec la force d'un noyé qui retrouve l'air libre. Elle s'était pourtant interdit de penser à ce qui allait se passer le lendemain du mariage. Le moment si redouté était arrivé : affronter les railleries des autres. Elle n'était plus une toute jeune fille et elle savait très bien ce qui l'attendait la nuit de ses noces, et encore plus comment on la charrierait. Fillette, elle avait si souvent entendu ses compagnes du lavoir raconter leurs propres expériences sexuelles qu'elle n'avait nullement eu besoin de faire fonctionner son imagination, bien maigre d'ailleurs en comparaison des propos lardés de cochonneries bien salées que les lavandières évacuaient au milieu de leurs lessives. Si les premières fois elle avait été choquée par ce langage grivois, elle avait fini par y différencier l'obscène du beau, la vulgarité de la délicatesse, la vantardise de la détresse, la haine de l'amour. Ces femmes lui paraissaient magnifiquement belles ou déplorablement dépravées à travers leurs racontars qui, pour une oreille profane, auraient tous relevé de l'indécence.

Aujourd'hui, elle n'était pas celle qui écoutait. Elle était devenue, à son tour, le centre de la conversation. Elle avait honte. Un sentiment qu'elle jugea néanmoins trop fort, inapproprié. Après tout, elle ne vivait pas dans le péché, hors des liens sacrés du mariage. Prenant son courage à deux mains, elle se leva, ouvrit la porte et descendit les escaliers d'un pas déterminé. Elle fut applaudie par la dizaine de personnes attablées qui lui lancèrent immédiatement des lazzis et des sous-entendus beaucoup moins osés cependant que ceux auxquels elle s'attendait. La présence de sa mère et de sa belle-mère dans la pièce expliquait sans doute cette retenue. Les deux vieilles femmes, Antonia et Eugenia, se tenaient à bonne distance l'une de l'autre, chacune à une extrémité de la table. Une tasse de café portée à leurs lèvres dissimulait l'expression de leur visage, comme si, d'un commun et improbable accord, elles avaient décidé de n'être que des figurantes dans cette scène qu'elles désapprouvaient. Une chaleur inhabituelle envahit ses joues ; tout son sang semblait y avoir afflué en quelques secondes. Prise au dépourvu par la trahison de son corps, elle courut s'enfermer dans la salle de bains où un miroir lui renvoya une image qu'elle n'aimait pas. Elle rougissait ! Elle, qui s'était si souvent moquée de l'éreutophobie de sa sœur, se voyait à son tour dans le même état de panique, stupide et réduite à se cacher.

N'eût été la peur de rougir davantage, elle se serait volontiers administré une paire de claques. « Ma conduite va non seulement accentuer les moqueries qui m'attendent de l'autre côté de la porte, mais elle va agacer ma mère qui ne tolère pas que ses filles se montrent précieuses », ne cessait-elle de se répéter pour se donner du courage. Une fois retrouvé son beau teint laiteux, elle se dépêcha de sortir de son refuge, prit l'attitude la plus naturelle qui soit en se collant aux lèvres un sourire discret, ni trop niais ni trop provocant et, presque indifférente, lança un *buenos días* d'une voix un peu éraillée. Mais la salle à manger s'était vidée de ses occupants. Seules restaient dans la pièce sa mère, sa belle-mère et une vieille cousine. Soulagée de n'avoir à affronter que de vielles femmes prudes, elle se sentit enfin redevenir elle-même et, le cœur presque léger, elle se servit un succulent café au lait qui la réconcilia avec cette étrange journée. Elle n'était assise que depuis cinq minutes quand sa belle-mère, qui avait troqué sa tasse de café contre un bol de haricots à écosser, s'approcha d'elle d'un air renfrogné et lui tendit un bol rempli de légumineuses : « Assez faignanté, ma bru ! Si on veut manger à midi, il faut que le travail se fasse. »

Instinctivement, telle une enfant blessée, Carmen chercha le soutien de sa mère affairée à débarrasser la table, la tête baissée comme si elle craignait de se faire happer par un regard. Elle avait oublié que c'était l'attitude de sa mère ces dernières années. L'obéissance était devenue une seconde nature chez cette femme vieillie prématurément. Depuis longtemps, elle avait fait taire son instinct maternel quand il devenait une menace pour elle ou ses filles.

Son cadeau de noces se résuma à cinq minutes de paix et de silence, passées devant un café au lait. Même pas eu le temps d'y tremper une tranche de pain !

20

LES ANGLAIS ONT DÉBARQUÉ

3 août 1974
Jo, Jo, Jo... une chance que tu es là !

Une heure qu'elle occupe la salle de bains ! Il n'y a pas trois jours qu'elle est chez nous et je me demande déjà comment je vais pouvoir la supporter encore deux semaines. Déjà qu'on est à l'étroit ici. Elle me tape sur les nerfs, cette Carmen. Et dire qu'elle porte le même prénom que l'Abuela. Il s'est complètement gouré mon oncle Raphaël en donnant à sa progéniture le prénom de sa mère. Il doit l'adorer d'ailleurs, ma grand-mère, puisqu'il a aussi appelé sa fille aînée Maria, comme l'Abuela qui s'appelle au grand complet Maria del Carmen. Bon, elle (Maria), ça va encore, je ne la connais pas, mais ma cousine Carmen, je sais, sans me tromper, que c'est une fichue garce. À vrai dire, je ne sais pas ce que ce mot veut vraiment dire, sauf qu'il nous sert à insulter quelqu'un qu'on n'aime pas.

Je disais donc qu'elle me tape sur les nerfs avec ses airs de princesse. La garce ! Elle est beaucoup plus vieille que moi. Seize ans ! et elle me le répète assez quand elle veut que je la boucle. Quand je dis « répéter », il faut comprendre que c'est avec ses mains. Et oui, ma cousine et moi, on est des manuelles, on communique avec les mains. C'est mieux que d'en venir aux mains, ce qui ne va pas tarder non plus. Elle est Anglaise et moi Française. On ne peut pas se comprendre. Elle ne fait aucun effort pour parler le français qu'elle apprend à l'école. Imagine-toi, cher Jo, qu'elle prétend que c'est l'anglais la langue la plus importante au monde ! et qu'elle me parle justement la langue de « Chat-qui-expire » (en tout cas, un mot qui sonne comme ça) pour me l'apprendre. À l'entendre, c'est moi qui ai de la chance, quoi ! Je crois plutôt qu'elle est trop belle pour être intelligente et qu'elle est nulle à l'école. Mais ça, je ne lui dirai jamais... qu'elle est trop belle. Déjà qu'elle se comporte en vraie princesse. Une vraie snobinarde ! Elle passe des heures entières dans la salle de bains à se maquiller, se vernir les ongles et se pomponner. Elle n'aide jamais à débarrasser la table, passer le balai, essuyer la vaisselle ou faire son lit. Toujours une bonne excuse pour ne rien foutre. Le vernis de ses ongles n'est pas sec, elle a mal au dos ou à la tête, elle a ses règles... et blablabla. Et hier, elle a utilisé le même stratagème ! La garce prétextait avoir de la température. Mon oncle m'a demandé un thermomètre. Quand je suis passée devant sa chambre, j'ai regardé du coin de l'œil et j'ai vu la scène, comme si j'y étais. Je suis partie en pouffant de rire et je suis allée me planquer dans les toilettes (le seul endroit où je pouvais être seule) pour qu'aucun Anglais ne m'entende. Tu sais que notre appartement n'est pas très grand. Alors quand les Anglais débarquent chez nous, ils envahissent toutes les pièces. Carmen avait mis le thermomètre dans sa bouche ! Le thermomètre que ma mère, ma grand-mère, mon père, mon frère et moi on se met tous... dans le derrière ! On n'a pas un thermomètre pour la famille et un pour les invités. On a un seul thermomètre. Et il était dans la bouche de ma cousine ! Je n'ai rien dit à personne de peur de me faire engueuler pour avoir donné le thermomètre sans le mode d'emploi ou parce qu'on aurait pensé que je l'avais fait exprès. Je garde bien au chaud cette image dans un coin de ma tête. Je suis sûre qu'elle va me faire encore rire quand j'aurai l'âge de l'Abuela. En tout cas, ce qui est sûr c'est que je ne regarderai plus mon thermomètre de la même façon. Ils sont bizarres, ces Anglais, je te dis. Ils ne font jamais rien comme les autres. Je ne sais vraiment pas ce que mon oncle a pu leur trouver d'exceptionnel pour vouloir rester en Angleterre et y faire sa vie. Bon, c'est vrai que ma tante Daphné, elle est plutôt cool. Elle ne doit pas être une Anglaise pur-sang. Elle est supergentille avec tout le monde. Ma tante non plus ne parle pas français, mais elle au moins, elle sourit en s'excusant.

L'*Abuela* est aux anges quand son fils Raphaël vient en vacances chez nous, avec sa femme et sa marmaille. Lorsqu'elle sait qu'ils vont venir, elle se met toute belle. Elle va se faire faire une permanente chez le coiffeur, et ça cache la vilaine calvitie qu'elle a en arrière de sa tête. Un petit rond de peau bien lisse de la taille d'une pièce de dix francs. D'habitude, pour la camoufler, elle la recouvre de cheveux qu'elle plaque à l'aide d'un petit peigne. Pour son fils, elle veut être encore plus belle. Je n'ai pas bien compris pourquoi elle est devenue chauve à cet endroit. Elle m'a parlé d'un kyste qu'on a dû lui enlever. En général, elle s'en moque un peu, elle ne se voit pas le derrière de la tête. Moi, ça me fait un peu peur. Il ne faut pas oublier que je suis son héritière, et l'hérédité, c'est plus fort que nous. Il lui arrive de si bien se cacher qu'on s'imagine qu'elle est partie et, quand on l'a oubliée, elle sort de sa cachette et vlan ! elle vous saute dessus. Quelquefois, c'est pour nous faire un câlin, et on devient des héritiers chanceux avec de beaux yeux bleus, un sourire de star ou un quotient intellectuel qui divise mieux que les autres. D'autres fois, c'est la cata : elle vous attaque carrément avec une calvitie ou des oreilles comme celles des O'Hara dans Lucky Luke. Ce n'est pas juste. C'est pour ça que je suis contre l'héritage, moi. Et plus tard, quand je serai chirurgienne ou présidente de la République (je ne me suis pas encore décidée), je supprimerai tous les héritages.

Ma grand-mère, déjà qu'en français ce n'est pas fort, alors en anglais, c'est carrément zéro. Avec ses petits-enfants british, elle communique avec le strict minimum pour leur montrer qu'elle les aime : des sourires, des gestes affectueux et un petit billet quand elle reçoit sa pension. Ça me fait de la peine de les voir se sourire sans se parler. Mon oncle Raphaël joue quelquefois à l'interprète, mais pas souvent. Sinon, il ne ferait que parler pour les autres et jamais pour lui. Il parle trois langues : le français, l'anglais et l'espagnol. Du coup, ça l'oblige à travailler. Il faut qu'il traduise en anglais pour sa femme et ses enfants, en français pour nous autres et enfin en espagnol pour ma grand-mère. Le plus drôle, c'est quand il se mélange et qu'il se met, par exemple, à parler à sa mère en anglais et à sa femme en espagnol. Là, c'est à mourir de rire ! Avec ma cousine, je me mets à

21

Mai 1923 : Cordoba

« Adopter le petit de cette jeune femme ?
— Oui. Trois ans qu'on essaie d'avoir un enfant, et que tu n'y arrives pas. J'ai l'air de quoi, moi, devant ma famille et mes amis ? On a une occasion qui ne se répétera sans doute plus. Il faut la saisir, tu comprends ? »

À chaque fois que José lui rappelait son incapacité à enfanter, bien plus que la honte qu'il essayait de susciter en elle, elle sentait se réveiller la tristesse au creux de son ventre vierge de grossesse. Mais, quoiqu'elle fût beaucoup moins instruite que lui – José savait lire et écrire –, elle savait très bien que les hommes aussi pouvaient être stériles. Il ne fallait pas qu'il la prenne pour une imbécile ! Elle garda cette réflexion pour elle. Il lui importait peu de savoir après tout à qui revenait la faute. Au bout de trois ans de mariage, elle ne parvenait pas à tomber enceinte. Cela en devenait une obsession. Sans doute la première de sa vie. Elle n'aimait pas cette névrose qui venait la hanter de plus en plus souvent, aussi désagréable qu'une écharde qui s'enfonce dans la chair au moindre frôlement.

Adopter un enfant ? Elle n'y avait pas songé, et voilà que son mari lui proposait d'adopter le fils que leur jeune voisine avait mis au monde, deux mois plus tôt.

La dernière fois qu'elle avait vu la jeune femme remontait à la veille de son accouchement. Le corridor était très étroit. Elle avait dû se plaquer contre le mur pour laisser passer sa jeune voisine avec son gros ventre. La jeune fille avait murmuré un timide remerciement sans la regarder, gênée par la taille de son ventre, qu'elle semblait porter comme une tumeur depuis le début de sa grossesse.

Célibataire, elle occupait seule le logement voisin de celui de Carmen depuis moins d'un an et travaillait comme coutière chez une vieille tante. C'est tout ce qu'on savait d'elle. Elle ne devait pas avoir plus de vingt ans et allait être fille-mère dans une Espagne conservatrice et ultra-catholique qui pouvait mettre facilement à l'index ces jeunes mères pour qui leur enfant devenait un stigmate vivant.

Au début, Carmen n'avait pas remarqué l'état de la jeune fille, qu'elle connaissait peu. Depuis qu'elle ne travaillait plus chez le docteur Lopez à la demande de son mari – il avait conservé intacte son animosité des premiers jours envers le docteur –, elle était trop épuisée le soir pour faire la conversation avec le voisinage.

Une semaine après son mariage, sans lui donner d'explication, José lui avait expressément demandé de quitter son travail et d'aller en chercher un autre.

«Pourquoi? Je suis bien traitée chez le docteur et je ne manque de rien. J'y travaille depuis huit ans et je suis sûre d'avoir toujours du travail là-bas. Et puis je me suis attachée aux petits aussi. Comme tu n'as pas encore d'emploi stable, il est plus sage que je reste chez les Lopez. Tu sais combien il est difficile de trouver du travail et...» Elle n'avait jamais discouru autant. Elle en perdait presque le souffle. Il faut dire que l'affaire lui tenait à cœur et qu'elle s'affolait, car c'était la première fois qu'elle allait devoir quitter un emploi de son propre chef.

José en avait assez de l'entendre palabrer. Les explications de sa jeune femme n'étaient pour lui que des vitupérations et des plaintes.

«J'ai dit non! C'est clair?» Sa voix s'était soudain durcie. Elle l'avait déjà entendu parler sur ce ton à ses amis, à ses deux sœurs et même à sa mère. Jamais encore il ne s'était adressé à elle de cette façon.

« Pourquoi ? Je ne comprends pas... »

La surprise fut brutale. Inattendue et brutale. La gifle qu'elle reçut la laissa sans voix, et c'était bien ce qu'il voulait. Elle porta la main à son visage pour vérifier qu'elle était bien réelle. La chaleur de sa joue ne lui laissa aucun doute. « Tu m'as giflée ? Mais... Qu'est-ce que... » La deuxième gifle, quoique plus forte, fut moins douloureuse car dépourvue du capital-surprise.

« Tu en veux encore ? » En proférant sa menace, il se rapprocha d'elle et leva à nouveau la main.

Elle fit non de la tête, les lèvres tremblantes et serrées pour ne pas faire entendre les sanglots qu'elle avait du mal à contenir. Un instinct d'animal blessé. Elle pressentait que ses larmes ne l'auraient pas attendri, mais qu'elles l'auraient au contraire exaspéré davantage. Fuyant son regard, elle baissa les yeux et fixa le carrelage de la pièce. Il y a dans le regard fixe de quelqu'un une part inquiétante d'étrangeté, une inertie qui rappelle les prémices de l'absence de vie. Plongée dans cette absence d'elle-même, elle sursauta quand la porte d'entrée claqua. Elle n'avait pas entendu son mari s'éloigner. Son sang martelait tellement ses tempes qu'elle en grimaçait presque de douleur. Elle fut alors assaillie par une nuée d'émotions : incompréhension, honte, inquiétude et peur. Ce tourbillon la déstabilisa.

Ce n'était certes pas la première fois que quelqu'un lui mettait des gifles. Son père lui en avait administré à deux ou trois reprises, sans parler de celles que deux sœurs peuvent s'échanger à l'occasion. Ces fois-là, elle avait ressenti de la peine ou de la colère, jamais de la peur. Les gifles de José étaient différentes. Elles étaient froides et impitoyables. Dénuées d'amour.

Elle chassa honteusement cette dernière pensée et laissa les remords l'assaillir. Elle se ferait pardonner dès qu'il reviendrait. Se faire pardonner de lui avoir tenu tête. Il avait sûrement ses raisons pour lui demander de chercher un autre travail. Il devait être encore sous le choc de leur mariage et ne savait pas comment se comporter en mari avec elle, tout comme elle n'avait pas su se comporter en épouse tout à l'heure. Elle apprendrait, et il redeviendrait le Pepe qu'elle avait connu. Joyeux et insouciant. Tout ça, c'était sa faute à elle. Elle arrangerait tout dès son retour. C'était dimanche, sa journée de repos. Elle en profita pour faire le ménage du petit appartement dans lequel ils avaient aménagé. Elle s'attela ensuite à la cuisine pour préparer le souper, confectionna deux omelettes de pommes de terre bien saisies qu'il aimait tant, revêtit sa robe du dimanche, piqua des fleurs dans ses cheveux relevés sur sa nuque, mit une goutte d'eau de Cologne dans son cou et l'attendit patiemment.

Quand il revint très tard au milieu de la nuit, il trouva les omelettes froides et sa femme assoupie sur la chaise. Il se rua sur elle : « La bouffe est froide et toi tu es habillée comme une pute ! Qu'est-ce que tu as fabriqué durant mon absence ? Hein ? »

Il la gifla à nouveau et la jeta brutalement au sol. Il sentait l'alcool à des kilomètres et il hurla de plus belle : « Je vais t'apprendre, moi, à ne pas me respecter. » Il renversa la table brusquement et piétina avec rage le souper éparpillé sur le plancher.

Toujours par terre, sa jeune femme s'était reculée dans un coin de la cuisine, les genoux repliés contre elle, se protégeant le visage de son bras. Elle avait fermé les yeux et attendait le coup qui ne vint pas. José, affalé sur leur lit, ivre mort, ronflait sans retenue.

Elle resta blottie dans ce coin de cuisine où elle irait souvent se réfugier, incapable de bouger et encore moins de réfléchir. Le ronflement finit par la bercer et calmer le tremblement qui s'était emparé d'elle. Au bout de quelques minutes, elle releva la tête et sentit un liquide chaud couler de son nez et se répandre sur sa belle robe du dimanche. Une auréole rouge s'y forma.

Lentement, elle se releva, alla chercher du coton qu'elle mit dans sa narine pour stopper le saignement et ramassa la vaisselle brisée qui jonchait le sol de la cuisine. Elle faisait le moins de bruit possible pour ne pas le réveiller. Elle se déshabilla, revêtit sa chemise de nuit, frotta la tache au-dessus de l'évier de la cuisine, mit sa robe à sécher sur une chaise et alla s'allonger aux côtés de son mari. Demain serait un jour meilleur. Elle en était sûre. Même si l'idée de devoir quitter la famille Lopez l'inquiétait, même si la brutalité de José l'effrayait et même si l'avenir l'angoissait, elle réussit à chasser ces craintes et songea à tous les bons moments de la journée.

Le matin, ils s'étaient promenés sur le marché. À midi, ils avaient été rendre visite à Conchita et à sa mère. Toute l'après-midi, elle avait fait du crochet avec sa sœur, assises toutes les deux devant la fenêtre du salon légèrement entrouverte. C'était la fin janvier ; le temps, exceptionnellement clément sous un soleil qu'aucun nuage ne filtrait, donnait l'illusion que le printemps venait de s'installer. La douceur hivernale permettait aux deux jeunes femmes de faire la conversation aux voisines et amies qui passaient dans la ruelle sous leur fenêtre. Le rire des enfants jouant dans la rue sonnait encore à ses oreilles. Décidément, sa journée avait été des plus agréables. Seul son entêtement, le soir venu, avait tout gâché. Elle s'endormit, le rire des bambins plein la tête.

Trois ans s'étaient écoulés depuis cette nuit, et elle s'endormait chaque soir avec le rire des enfants... avec l'odeur du bouquet de mimosas qu'elle avait pris soin de humer, avec le sourire que José lui avait adressé le matin, avec le goût dans la bouche de la succulente paëlla que sa mère lui avait préparée comme tous les dimanches. Elle ne ratait jamais ces rendez-vous avec les délices de la vie juste avant de s'endormir.

Elle leur était aussi fidèle qu'à ses courtes prières. Peu loquace de nature et craignant sans cesse de déranger, elle n'avait pas l'habitude d'étirer ses prières. Elle les pratiquait cependant, chaque soir, aussi laconiques soient-elles. La peur de l'enfer l'habitait depuis son enfance et avait perduré tout au long des années sans perdre de sa vigueur. Elle se limitait à quatre ou cinq prières, en égrenant son chapelet en cachette, de peur que son mari la surprenne et le lui confisque. Ce précieux chapelet en ivoire et son éventail étaient les dernières reliques de son passé.

Elle se sentait soulagée dès qu'elle entendait la respiration régulière de son mari à ses côtés. Elle fermait alors les yeux et se laissait bercer par les bons moments de la journée et, si ceux-ci n'étaient pas assez réconfortants, elle les embellissait. Quand c'était le cas et qu'elle traversait une journée sans musique ni couleur ni senteur, une journée fade, elle se remémorait les paroles d'Isabella avec l'urgence d'une asthmatique cherchant de l'air : « Donne autant d'importance aux petites joies qu'aux grandes peines. » Une phrase courte, incisive, un scalpel prêt à enlever les tumeurs malignes dès qu'elles se présentent.

Ces précieuses minutes qui précédaient le sommeil l'enivraient d'une euphorie dont les traces étaient encore visibles au réveil.

Peu après son mariage avec José, sa sœur lui avait dit : « Carmencita, dis-moi la vérité. Tu n'es pas heureuse avec ton Pepe, hein ? Je vois bien qu'il te bat. Je le lis dans ses yeux et je le vois sur tes bras que tu essaies de cacher sous ton châle pour qu'on ne remarque rien. Tu ne me trompes pas, tu sais. Tu ris, tu chantes, mais je me rends bien compte que tu fais semblant. » Conchita avait les larmes aux yeux, elle qui filait le parfait amour avec Francisco, son cousin, un employé des chemins de fer.

« C'est vrai. Pepe me frappe quelquefois, mais c'est rare.
Je vais bien. Ne t'inquiète pas. »

Et c'était vrai. Carmen riait, Carmen chantait, Carmen souriait. Elle était Isabella. Et Isabella était toutes ces femmes qui
retenaient leurs chaînes de larmes pour faire jaillir une joie
sincère qui les délivrait du carcan d'un présent oppressant. Un
acte de résistance, un instinct de survie. Pour Carmen, c'était
tout simplement une manière moins douloureuse de vivre.

Depuis trois ans, elle s'abrutissait par des journées de travail
de quatorze heures ou par la recherche effrénée d'un emploi.
Il ne se passait pas un jour sans qu'elle ne regrette la maison
du docteur Lopez, qu'elle avait dû quitter une semaine à
peine après son mariage.

En 1923, l'ombre de la guerre civile s'étendait déjà sur
toute la péninsule ibérique. Vivant un déclin politique et
économique depuis le siècle des Lumières, l'armée espagnole avait subi, en 1922, l'une de ses dernières défaites à
l'extérieur du pays : le désastre d'Anoual au Maroc. La dé-
colonisation était en marche. Une défaite qui amènerait au
pouvoir le dictateur Primo de Rivera en 1923. Génération
après génération, la population subissait les affres de l'effri-
tement du pays. L'Espagne était divisée : monarchistes, républicains, nationalistes, prolétaires... La misère, qu'on essayait vainement de museler dans l'espoir qu'elle se taise à
jamais, se faisait entendre de plus en plus dans les villes et
les campagnes. Ouvriers et paysans de toutes les régions parlaient le même langage : celui de la colère. Les famines et les
épidémies répétitives les avaient affaiblis ; la Première Guerre
mondiale les avaient affamés pendant qu'elle enrichissait
les exploitants miniers et les industriels du pays ; la grippe
espagnole en 1918, qui fit plus de victimes dans le monde
que la Grande Guerre, ne les épargna pas non plus et fit ses
ravages au sein des plus démunis, affaiblis par des années de
privations.

La détresse engendre l'impatience chez la jeunesse, la rage de nourrir leurs enfants chez les femmes, l'urgence d'agir chez les hommes. Les syndicats et les partis politiques de gauche s'abreuvèrent directement à cette source de désarroi, où se noyait une grande partie de la population. La misère avait besoin d'une voix pour s'élever et d'un bras pour la défendre. Et elle les trouva dans les promesses des « rouges » : socialistes, marxistes et anarchistes, qui constituaient majoritairement les syndicats. La peur s'étendit à travers tout le pays, comme un brouillard qui se propage à la vitesse de la marée et plonge le monde dans une blanche obscurité. Peur des rouges avec un Staline qui, au loin, brandissait le spectre de la terreur. Peur des nationalistes qui, plus proches, brandissaient le même spectre.

Carmen s'enlisait dans cette Espagne, héritière d'une grandeur passée où les hidalgos – orgueilleuses reliques en butte déjà à une bourgeoisie émergeante – tentaient de bâillonner les appels à la révolte. Elle était incapable d'entrevoir l'horizon, qui se dérobait sans cesse. Depuis qu'elle avait cessé de travailler pour le docteur, elle se promenait d'une place à l'autre, alternant travail domestique et travail en usine. L'Andalousie, aux prises avec un taux de chômage record, ne connaissait plus la pérennité du travail depuis longtemps. Pour pallier les longues semaines d'errances pendant lesquelles elle arpentait les rues de Cordoba à la recherche d'un emploi, elle n'avait d'autre choix que de mettre les bouchées doubles une fois embauchée. Les journées de plus de quatorze heures n'étaient pas rares. Loin de se plaindre, elle trouvait un certain réconfort à être hors de chez elle et à y rapporter un peu d'argent. Travailler lui évitait de se retrouver sous le même toit qu'un mari désœuvré qui la faisait rapidement se sentir de trop. José pouvait traverser de longues périodes d'abattement entre deux emplois. Maçon de métier, il refusait le travail à l'usine. Question de principe à ses yeux. Et il lui arrivait souvent de traîner dans les bars avec ses copains quand il se faisait congédier, soit à cause du contexte économique difficile, soit à cause de son comportement un peu trop sanguin. En véritable Andalou au sang chaud, il pouvait dégainer son couteau avant même que son adversaire n'ait fini de l'injurier. Carmen eut vent de certaines incartades qui s'étaient terminées par des coupures mineures de part et d'autre, rien de vraiment très sérieux – tous les Andalous, ou presque, portaient un couteau au ceinturon. Elle n'eût pas été surprise d'apprendre que son Pepe avait poussé un jour le jeu trop loin. Mais, si tel fut le cas, le secret était bien gardé. Heureusement, la plupart du temps, il préférait sortir ses poings et la bagarre finissait par son renvoi immédiat. Sa réputation commençait à lui faire du tort : les patrons se montraient de plus en plus frileux à l'engager. Il devait pousser plus loin ses recherches pour trouver du travail. Comme la ville s'étirait sur un long périmètre, il y parvenait sans trop de problèmes. Il pouvait disparaître plusieurs jours avant de revenir chez lui, des étincelles plein les yeux, les vêtements propres et le sourire ravageur. Parti dans une autre ville chercher de l'ouvrage, prétendait-il, il avait dû loger là-bas, chez des amis qu'elle ne connaissait pas. C'était l'éternelle excuse qu'il lui servait quand il revenait au bercail, et elle ne posait pas de questions. Du moins, pas trop souvent. Une fois, elle eut l'impression qu'il était sur le point de lui fournir une autre explication pour excuser son absence, mais après les trois premiers mots, il lui dit sèchement qu'après tout, il n'avait pas à se justifier, et il repartit le soir venu pour ne revenir que le lendemain.

« Tu ne vois pas que ton mari court après les cocottes ? » La phrase lui avait été lancée par une de ses voisines chez qui la fioriture du langage constituait une pure perte de temps. D'autres le lui avaient laissé également entendre avec plus de délicatesse. Dans tous les cas, elle leur opposait l'incessante réponse : « Qu'est-ce que tu veux que j'y fasse ? »

Chacune y allait de sa recette : la grève de la cuisine, du lavage, du repassage, et même du sexe ; lui parler, pleurer, hurler, crier. Les plus émancipées allèrent jusqu'à lui conseiller de prendre un amant, sachant pourtant que le code civil considérait l'adultère comme un délit grave pour les femmes – pas pour les hommes, à moins qu'ils n'amènent leur maîtresse vivre sous le toit conjugal. Le divorce n'étant pas une option, une fois passés devant le curé, les mariés n'avaient qu'à s'endurer le restant de leur vie ! Carmen l'apprenait à ses dépens pendant que José, qui avait la loi de son côté, continuait à vivre une vie de célibataire, troquant une mère contre une épouse pour les travaux ménagers.

Mais il y avait d'autres versions des faits pour expliquer ses absences. Pas tellement plus rassurantes pour Carmen qui ne savait plus qui croire ni quoi faire. Des âmes bien intentionnées l'avaient mise en garde contre les idées subversives de José. Ces gens bienveillants lui avaient appris que son mari était un anarchiste. Il avait fallu lui expliquer le mot : José prônait le désordre et prenait parti contre le gouvernement, contre le roi, contre l'Église. Bon ! il était encore récupérable, car il était aussi contre les communistes, et ça c'était plutôt bien. Il fallait seulement qu'elle le convainque de rentrer dans le droit chemin. Et puis elle avait entendu d'autres personnes lui expliquer qu'il était contre les communistes, contre la souveraineté du peuple, contre l'État, mais qu'il y avait encore de l'espoir, car il était aussi contre l'Église, contre le roi et pour la collectivisation, et que ça c'était plutôt bien. Il fallait qu'elle le convainque d'aller rejoindre le parti officiel, le vrai, le seul en faveur du peuple : le parti communiste. Et comme si ce n'était pas suffisant, d'autres personnes se mirent à lui parler du bien-fondé de l'anarchisme et de son syndicat, la CNT[26], de la légitimité du socialisme et de

---

26. **C**onfédération **N**ationale du **T**ravail : syndicat anarcho-syndicaliste (alliée du Front populaire espagnol).

son syndicat, l'UGT[27]. Et d'autres mots encore, tout aussi mystérieux : carlistes[28], FAI[29], monarchistes, parsemaient le discours de tous ces gens.

Illettrée, elle ne pouvait rien prendre en note afin de se dépatouiller dans ce jargon. Sa mémoire n'étant aucunement exceptionnelle et son intérêt pour la politique relativement inexistant, elle finit par écouter sans chercher à vraiment comprendre, jusqu'à ce qu'un jour elle se risque à lui poser directement la question : « Il y a des gens qui me disent que tu es anarchiste. C'est vrai ?

— Oui. »

Elle ne s'attendait pas à une réponse aussi directe et elle mit quelques secondes avant de poursuivre. « Est-ce que... c'est pour cette raison que tu t'absentes ?

— Oui. »

Elle ne le crut pas tout à fait.

« Pourquoi ne m'as-tu rien dit ?

— Pour ne pas que tu t'inquiètes. Il arrive que les gardes civiles arrêtent quelques-uns d'entre nous. On est dangereux pour l'État, à ce qu'ils disent. C'est sûr, on ne veut pas d'État qui nous gouverne puisque, quand il le fait, on crève de faim, nous, les ouvriers, les paysans et... »

Ce soir-là, il lui avait tout expliqué. Les différences entre eux et les communistes, entre eux et les monarchistes...

Elle écoutait, ne saisissait pas tout ce qu'il disait, mais commençait à comprendre la crainte des uns et l'admiration des autres quand ils parlaient de José. Elle avait retenu qu'il était devenu membre de la CNT et qu'il en côtoyait les militants depuis plusieurs années déjà. Il avait hésité à entrer

---

27. Union Générale des Travailleurs : syndicat affilié au parti socialiste espagnol (le PS étant l'un des partis du Front populaire).

28. Les carlistes soutenaient la branche Bourbon et défendaient l'idée d'une monarchie ultra-catholique traditionnaliste.

29. Fédération Anarchiste Ibérique (alliée du Front populaire).

dans cette organisation qui n'était pas bien vue de tout le monde. En raison de son statut d'ouvrier de plus en plus précaire, il avait fini par épouser la cause, plus par dépit que par sincère conviction politique.

Tout cela effrayait Carmen et la sécurisait à la fois. Au moins, elle connaissait à présent la raison de ses absences. Après cette nuit de confidences, elle se sentit très à l'aise de répondre, à ceux qui faisaient allusion aux activités de son mari, que la politique, elle n'y entendait rien et que, de toute façon, ce n'était pas de ses affaires, que c'était l'affaire des hommes. Une femme, en épousant un homme, épousait aussi ses idées. Plus tard, Carmen rencontrerait des anarchistes et des communistes qui considéreraient que la femme a un rôle à jouer dans la vie politique, mais en 1920, elle se trouvait encore bien à l'abri de la tempête qu'elle n'entendait pas gronder au loin.

Ce qu'elle voulait, c'était un enfant. Un fragile bébé à serrer tendrement dans ses bras, à cajoler et à bercer le soir venu, en lui chantonnant des chansons de son pays. Un petit être à aimer, qu'elle protégerait de toutes ses forces et qui se blottirait contre elle avec cette totale confiance dont seuls sont capables les tout-petits.

Plus de trois ans qu'elle en rêvait! Mois après mois, elle ravalait sa déception et faisait bonne figure et, mois après mois, elle reprenait espoir jusqu'aux menstruations suivantes. La vue de ce sang qui expulsait son titre de mère la déprimait pendant quelques heures, le temps d'essuyer une larme sur le coin de son tablier, de s'abrutir de travail et de retrouver son optimisme habituel. Puis l'espoir l'habitait à nouveau jusqu'au mois suivant.

«Alors, es-tu d'accord pour l'adopter?» Debout devant elle, José attendait nerveusement sa réponse. Pour une fois, il lui fallait son assentiment! Il ne savait quelle attitude prendre: l'intimidation, la menace, la douceur, la tristesse, la joie?

Elle imaginait déjà sa nouvelle vie avec cet enfant. C'était si soudain. Pas le temps de se préparer durant les neuf mois habituels. Le bébé serait là demain. Il lui fallait trouver rapidement du linge. Et son lit? Où le mettre? Elle ne pourrait pas l'allaiter. Il leur faudrait une nourrice, ou bien acheter ces nouveaux biberons dont elle avait entendu parler. Et que dirait-elle aux voisins, à sa famille? Le mieux serait de dire la vérité... ou presque. Après tout, adopter un orphelin était un acte de charité chrétienne!

« Quel nom allons-nous lui donner? »

C'est ainsi que Rafael entra dans sa vie. Son fils aîné. Dès le lendemain, José revint en tenant dans ses bras le nourrisson. L'adoption devint effective rapidement et ils purent le baptiser. Pepe se chargea de tout excepté du baptême, qu'il laissa aux soins de sa femme lorsqu'elle insista sur ce point. En bon anarchiste qu'il était, il ne portait pas l'Église dans son cœur. Cette fois-ci, il fit une concession, il le lui devait bien. Après tout, elle avait accepté de devenir la mère de ce fils qui lui tombait du ciel. Dans la foulée de sa générosité, il lui permit aussi de choisir le prénom. Elle opta pour celui de son père. Là prit fin sa mansuétude. Le jour du baptême, sans consulter Carmen, il ajouta « Casimiro » au prénom de Rafael. Pour prévenir toute question, il prit les devants et dit durement à Carmen que c'était une faveur qu'il concédait à la mère biologique.

Elle dut se contenter de cette explication, puisqu'il lui avait formellement interdit d'aller voir leur jeune voisine qu'il qualifiait de traînée, de putain, de moins que rien. Il était hors de question que son épouse fréquente ce genre de femme. Carmen ne s'expliquait pas son aversion pour la malheureuse, lui qui affichait des idées libertaires et qui n'avait pas hésité à exploiter la détresse de cette pauvre fille en lui retirant son enfant.

« Es-tu sûr qu'elle veuille l'abandonner? »

La perspective de devenir mère s'était ancrée en elle avec

une rapidité dont elle ne se serait pas crue capable. Elle eut soudain peur de perdre cet enfant qu'elle ne connaissait pas. L'idée d'avorter de cet espoir lui était déjà insupportable.

« Tu parles, si elle veut l'abandonner ! Je ne me suis pas gêné pour lui décrire la vie de misère qu'elle aurait. Je lui ai fait assez honte ! Elle a fini par être persuadée qu'elle n'avait pas d'autre choix que d'abandonner son enfant. Je lui ai dit que j'allais me charger des démarches et que je trouverais une bonne famille d'adoption pour son fils. »

Et les deux femmes l'avaient cru. La jeune fille était convaincue que son petit garçon serait placé dans un foyer convenable et aisé. Carmen, quant à elle, savait à quel point José pouvait humilier une femme et la faire sentir misérable et indigne. Elle le savait mieux que n'importe qui, et pourtant elle ne fit rien pour le détourner de son dessein. Un enfant lui tendait enfin les bras. Elle courba un peu plus l'échine. Peut-être rendait-elle service à cette jeune mère, après tout. À chacune ses peines. Elle avait besoin de prendre une grande bouffée d'air pour continuer son chemin, et tant pis si c'était l'air de la voisine.

Six mois après le baptême de Rafael Casimiro, ils partirent s'installer à Alicante, où la CNT avait trouvé un emploi à José. Là-bas, ils seraient plus près de la frontière française, qu'ils traverseraient l'automne venu pour faire les vendanges et retrouver les deux sœurs et la mère de José, émigrées en France, à Peyriac-Minervois, depuis déjà deux ans.

22

LE CHÂTEAU DE LA BARBEN

Le 4 septembre 1974
Me revoici, Jo,

*En relisant mon journal, j'ai remarqué que j'ai complètement oublié
de consigner l'épisode du « Château de la Barben », même si je n'y
parle pas de château.*

*« Patricia ! Sors de là et va jouer avec tes cousins. On n'est pas venus
jusqu'ici pour que tu restes enfermée dans la voiture.*
*— Non, maman. J'ai pas envie d'aller jouer avec eux. Tu vois
pas que je suis en train de lire ?*
*— Tu ne me parles pas avec cet air arrogant et tu vas aller jouer
ou je te mets une* calebote[30] *devant tout le monde. »*
*Voilà ! le grand mot était lâché. Quand ma mère est à court
d'arguments, elle finit par dire : « Je vais te mettre une* calebote *».
Et comme elle savait qu'en effet je ne voulais pas me recevoir une
claque devant mes cousins, je me suis extirpée, en tirant la gueule et
contre mon gré, de la voiture, une Ford Escort flambant neuve. Elle
remplace la vieille Simca 1000 qui a rendu l'âme, un matin, sur
une autoroute complètement emboutaillée. Elle s'était mise à toussoter
comme si elle étouffait à cause des gaz d'échappement, et puis la
panne sèche. Elle était morte. Et, sans état d'âme, la vulgaire ferraille
qu'elle était devenue a pris la direction de la casse. Ça nous a coûté
nos vacances en Espagne. Eh oui ! c'était la voiture ou les vacances.*

---

30. Baffe (dans le glossaire pied-noir).

Et mes parents ont choisi la voiture. Comme s'ils avaient le choix ! Vu que de toute façon, on n'aurait pas pu aller en Espagne sans voiture. « Arrête de rouspéter. Tu m'énerves, Patricia, quand tu es kabout[31]. *» Un don inné que j'ai d'énerver ma matriarche. Ça m'est tombé dessus à la naissance si je me souviens bien. Elle m'a pris par le bras et m'a traînée vers les autres.*

Chaque année, à Pâques, c'est la même rengaine. Direction la forêt de la Barben. Je te jure et je n'exagère pas : on ressemble à la vraie famille Hernandez, qui est très généreuse, soit dit en passant. C'est vrai, quoi ! Cette famille adopte sans distinction de race tous les Espagnols qui n'ont pas de classe, se serrent à dix dans une 4L et se parlent les uns par-dessus les autres. On est une palanquée à nous retrouver là-bas. Nous cinq (mon père, ma mère, mon frère, l'Abuela et moi), mon oncle Eugène, mes cousins Bruno et Sophie, et ma tante Sylvette qui ne peut pas se déplacer sans une partie de sa famille, qui se colle à elle comme un arapède.

Et chaque année, on nous oblige, nous les enfants, à jouer ensemble. Le problème, c'est qu'on ne peut pas s'encaisser. On se voit tous une fois par an, pour les « grandes retrouvailles ». Les expatriés « pieds-noirs » ont besoin de se retrouver, même si c'est avec des gens avec qui ils ne partagent rien, à part une maladie qu'ils nomment « la maladie du pays ». Ma grand-mère dit souvent que partager ça rend plus heureux. Je comprends maintenant pourquoi on nous met tous dans les mêmes HLM, Arabes, Italiens, Espagnols, Arméniens, Grecs et Portugais. Pour qu'on soit moins malheureux en partageant notre maladie du pays.

Les vieux peuvent parler des heures de leur pays « là-bas » et ils oublient complètement qu'on existe, nous les jeunes. On essaie bien de se parler un peu au début pour se donner le change, mais après quelques mots, qui tombent bien à plat par terre, on finit par jouer à la guerre, où les mots sont inutiles. Tout le monde est content. Les adultes, parce qu'ils se figurent qu'on s'amuse et nous, parce qu'on

---

31. Têtue (dans le glossaire pied-noir).

peut s'amocher en toute impunité en jurant sur la tête de notre mère qu'on n'a pas fait exprès, qu'on faisait juste s'amuser. Et tous les ans, c'est la même chose, ça ne rate jamais, le jeu finit toujours par des pleurs. En général, ce sont les filles qui braillent. Et en particulier, ma cousine Sophie. Normal, c'est sur elle que moi je m'acharne le plus en tout cas. On se dispute avant même de commencer à jouer, au moment de former les deux clans. Les Allemands contre les Français. Comme personne ne veut jouer les Boches, il faut forcément un adulte pour mettre de l'ordre. Une fois la chose faite, on part chacun de notre côté dans la forêt. Les garçons ramassent des pierres pour construire les murets derrière lesquels on courra se planquer quand la guerre sera déclarée et nous, les filles, on part à la recherche des munitions, des pines de pin qu'on se balance d'un mur à l'autre. Enfin, depuis l'année dernière et depuis qu'un adulte nous l'a fait remarquer, on ne dit plus «pines de pin», mais «cônes de pin ou pommes de pin». Les garçons, eux, ils crient plutôt: «cônes de pine» et ils sont morts de rire, je ne sais pas pourquoi. En tout cas, on peut les appeler comme on veut, ça fait toujours aussi mal quand on s'en reçoit une en pleine tronche.

L'année dernière, on a battu le record de tirs de cônes de pin les plus douloureux. Tout a dégénéré quand un sale franquiste s'est moqué de l'Abuela. Ah oui! J'ai oublié de te dire que, cette année-là, pour faire changement, on avait décidé que ce ne serait plus les Boches contre les Français, mais les républicains (les bons) contre les franquistes (les méchants). Ça ne changeait pas grand-chose, étant donné que personne ne voulait jouer les franquistes, et on a encore dû recourir à un adulte pour nous départager. On jouait depuis dix bonnes minutes déjà quand j'ai aperçu ma grand-mère qui me demandait de venir la voir. J'ai évité deux ou trois tirs, je leur ai balancé une grenade au passage et j'ai foncé me réfugier en zone neutre – l'endroit où siègent tous les adultes réunis autour d'une table de camping, pour boire, manger, rire et pleurer toute la journée.

«Niña. À quoi vous jouez? J'ai entendu: Franco y republicanos.» Je lui ai expliqué notre jeu et, alors que je ne m'y attendais *pas du tout, elle s'est baissée tranquillement, a ramassé une pomme de pin et l'a envoyée en direction des méchants en criant:* «Toma! Por cet hijo de puta de Franco[32]!»

Là, je l'ai trouvée bizarre, ma grand-mère.

«Abuela, les adultes n'ont pas le droit de jouer.» *Elle ne m'entendait pas. Elle regardait fixement du côté des méchants, sans bouger. Une chance que chez nous, quand on se réunit, on est plus bruyants qu'un troupeau d'oies et personne n'a semblé l'entendre.*

J'ai compris qu'elle les voyait en vrai, les franquistes, en face d'elle. J'ai pris doucement sa main. «C'est un jeu, Abuela. Juste un jeu. On est là!»

Sans me regarder, elle m'a serré très fort la main. J'avais un peu mal mais je ne disais rien, pour ne pas lui faire peur.

«Je sais, niña. Je sais. Je m'amusais, nada más[33].»

Je l'ai raccompagnée à sa chaise pliante, je me suis assise par terre à ses côtés et j'ai mis ma tête sur ses genoux mœlleux.

Et c'est là que je l'ai vu, cet idiot de Jean-Philippe. Chez ma tante Sylvette, ils ont tous des prénoms composés. Ça sonne mieux, à ce qu'ils prétendent. Moi, je trouve que ça fait plutôt snob. Je disais donc que cet idiot de Jean-Philippe, un sale franquiste, se tapait l'index sur la tempe en me montrant l'Abuela. Il était carrément en train de me dire qu'elle était folle et il s'imaginait, parce qu'il a deux ans de plus que moi et parce que c'est un garçon, que j'allais le laisser faire peut-être.

Je ne laisserai personne se moquer de ma grand-mère. Elle aurait trop de peine de savoir que c'est ça qu'on pense d'elle. Et puis, ce n'est pas vrai! On n'est pas débile si on veut jouer quand on a quatre-vingts ans et si on veut jouer pour de vrai!

Je me suis levée sans faire de mouvements brusques. J'ai pris un caillou dans ma main, comme si de rien n'était. En sifflotant (dans les films, quand les gens ne veulent pas qu'on devine leurs intentions, ils sifflotent), je me suis avancée vers lui, le plus près possible pour ne

---

32. Tiens! Pour ce fils de pute de Franco!
33. Rien de plus.

pas manquer mon coup. Il s'est reçu le caillou en pleine poire. Assez fort pour couper son prénom en deux. J'ai couru me cacher derrière les miens, les républicains. Il a bien essayé de me rendre la pareille mais son caillou a tapé de plein fouet la clavicule de ma cousine, qui s'est mise à beugler sans délai ; une truie qu'on égorge, plus vraie que nature. Les pierres se sont mises à pleuvoir dans tous les sens. C'est un réflexe génétique : quand on entend hurler, on se met tout de suite à cogner. Sans comprendre. Pour se protéger. On avait abandonné les pines... les cônes de pin qui étaient devenus soudain des armes trop inoffensives. Et les truies et les cochons se sont mis à gueuler un peu partout. Ma cousine Sophie, c'était la truie qu'on entendait le plus. Tellement que mon oncle Eugène a fini par venir voir ce qui se passait. Mon oncle Eugène, c'est le plus cool – je pratique mon anglais – des tontons, mais il ne faut pas qu'on touche à sa fille. Là, il devient carrément con. Quand il a vu que sa petite puce se tenait la clavicule en grimaçant, ni une ni deux, il a engueulé tout le monde. Les gentils et les méchants confondus, excepté ma cousine bien sûr qui était la plus grièvement blessée... sinon elle n'aurait pas hurlé plus fort que les autres. Ce qu'il peut être naïf, mon tonton ! Bref, le jeu s'est terminé là.

Tu comprends pourquoi, cette année, je n'ai vraiment aucune envie de m'amuser à nouveau à la guerre. Et si je leur proposais de jouer à cache-cache ? J'en connais une qui va tellement bien se cacher qu'elle va passer la journée à lire tranquillement dans une voiture.

23

Janvier 1926 : Alicante

Assis par terre, Rafael jouait avec une toupie en bois qu'il relançait inlassablement. Rien d'autre ne semblait exister pour lui. Les rayons de soleil entraient par l'étroite fenêtre de la cuisine et se reflétaient sur les boucles blondes de l'enfant, qui riait aux éclats chaque fois qu'il réussissait son coup et que sa toupie se mettait à tourner. Il s'allongeait à plat ventre et scrutait le jouet de ses grands yeux noirs, comme pour en percer le mystère ou le faire tourner plus vite. Carmen observait tendrement son fils en souriant depuis sa chambre, assise sur le bord de son lit.

L'appartement qu'ils louaient à Alicante était si exigu qu'il leur était impossible de se perdre de vue. Il n'avait que deux pièces : la cuisine et l'unique chambre à coucher où dormaient parents et enfant. Pour faire leur toilette, ils n'avaient d'autre choix que de faire chauffer de l'eau et la transvaser dans une bassine. Les sanitaires, des toilettes turques, se trouvaient à l'extérieur de leur logement dans le couloir et étaient partagés avec les sept autres locataires. La seule manière qu'avait trouvée Carmen pour lutter contre la pauvreté était d'astiquer l'appartement. La misère, une fois époussetée et nettoyée, lui semblait plus supportable et elle était fière de pouvoir laisser Rafael jouer sur un plancher propre, reluisant, javellisé minutieusement tous les jours. Mais aujourd'hui, même la propreté ne suffisait plus à lui faire oublier sa misère. Dans moins de trois heures, Rafael aurait faim à coup sûr, et les placards étaient vides, aussi vides que lorsqu'ils avaient aménagé deux ans auparavant.

José aurait dû être là depuis deux bonnes heures déjà! Il l'avait promis, comme la dernière fois qu'il était revenu saoul après avoir dépensé le salaire de toute une semaine dans une des *bodegas* qu'il fréquentait. José n'était pas suffisamment porté sur la bouteille pour être, à proprement parler, un ivrogne. Il lui arrivait à l'occasion de boire un verre de trop, ce qui le rendait subitement généreux avec ses copains; et des copains, il en trouvait dès qu'il avait un verre à la main. Carmen s'était dit que la fréquentation des bars et les soirées anarcho-syndicalistes se feraient plus rares avec un fils à nourrir. Elle s'était trompée. C'était pourtant lui qui avait désiré cet enfant et, pour la convaincre, il n'avait pas manqué de lui répéter qu'il serait un bon père et qu'ils ne manqueraient de rien. Encore une fois, elle l'avait cru. Elle soupirait en se remémorant cette promesse, mais elle ne regrettait rien. Rafael était sa rose du désert.

Elle savait par sa voisine et amie, Dolores Munoz Ruiz, à qui elle se confiait quand elle ressentait l'urgence de ventiler son ressentiment, que certains compagnons anarchistes ne consommaient pas une goutte d'alcool. Le compagnon de Dolores était en effet un de ces anarchistes ultras qui s'interdisaient de toucher à la boisson. Il adhérait pleinement aux principes anarchistes qui refusaient toute soumission à une quelconque institution et qui étendaient cette doctrine à n'importe quelle forme de dépendance, incluant drogue et alcool. Si elle regrettait que Pepe ne partage pas ce précepte de l'idéologie anarchiste, elle était en revanche ravie qu'il n'adopte pas toutes les idées de ce mouvement qui bannissait aussi le mariage, dans une logique de rejet de l'État et de l'Église. Elle était mal à l'aise avec ces idées étranges. Elle n'aurait pas supporté de vivre dans le péché, et puis elle ne voulait pas d'ennuis. Les policiers, la *Guardia Civil*, la terrorisaient depuis le jour où elle les avait vus pénétrer chez ses voisins du dessus. Elle avait entendu des cris, ceux de la femme surtout, et des bruits de meubles qu'on renverse. Plus tard, dissimulée derrière les rideaux, elle les avait vus sortir en traînant l'homme évanoui, avant de disparaître au coin de la rue. On ne le revit plus dans le quartier, et on ne sut jamais ce qui lui était arrivé. Même sa femme l'ignorait. José lui avait interdit, bien avant que le drame se produise, de parler à ces gens-là.

« Carmen, je ne veux pas que tu parles aux voisins du dessus, tu as compris ?

— D'accord, mais pourquoi ? »

Elle avait compris que le « d'accord » avant le « pourquoi » la soustrayait à bien des désagréments.

« Ce sont des communistes. Des sales marxistes. Des fils de p... » Il était reparti dans des explications qu'il ne destinait qu'à lui-même. Carmen, qui ne parvenait pas à saisir les nuances entre tous ces mouvements politiques, s'était contentée d'acquiescer et d'obéir. Plus tard, lorsqu'elle croisa la pauvre épouse dans le corridor, la détresse de son regard l'émut tant qu'elle la salua et lui sourit tristement, lui signifiant par là qu'elle était avec elle de tout cœur.

Dehors, l'hiver s'était installé. Une brise glaciale eût facilement pénétré par les larges jointures des vitres si Carmen n'avait pas colmaté les ouvertures avec des bouts de tissu.

Elle regarda son fils jouer encore un peu, se leva et mit son vieux manteau élimé sur ses épaules, comme si la chose était prévue à son horaire. Elle habilla chaudement Rafael. Il pleurnichait. Il n'avait pas envie de sortir, il voulait continuer à jouer avec sa toupie. Elle lui murmura des mots réconfortants à l'oreille, lui mit le jouet dans les mains et le prit dans ses bras. La froidure hivernale la saisit. Elle accéléra le pas en serrant contre elle l'enfant qui avait arrêté de geindre, blotti contre sa mère, pour se protéger du vent froid qui lui fouettait le visage.

Son pas rapide et décidé la mena au marché, qui était sur le point de fermer. Les marchands défaisaient leurs étals et laissaient à terre des cageots de déchets destinés à être ramassés plus tard par les éboueurs. Elle n'était pas la seule à errer dans les allées. Tels des vautours qui planent pour repérer des restes de carcasses, des femmes, des enfants, des vieillards et aussi des hommes solides en état de travailler arpentaient les lieux dans l'espoir d'apaiser leur faim. Ce jour-là, elle eut de la chance. Elle trouva dans un cageot des légumes pas trop abîmés et des fruits un peu talés mais consommables. Ce n'était pas la première fois qu'elle recourait à cette dernière extrémité ; elle avait acquis l'assurance des gens qui en avaient l'expérience. Elle emporta le tout sans même jeter un regard aux alentours, comme elle le faisait au début, quand la honte la submergeait encore. Elle ne détournait plus les yeux avec précipitation si son regard croisait par inadvertance celui d'un pauvre hère fouillant dans les poubelles, car elle savait très bien que cet autre regard n'était que le prolongement du sien.

En chantonnant, elle se dépêcha de rentrer chez elle avant que José ne revienne. Elle pourrait enfin lui faire le souper et nourrir leur fils. Rafael lui souriait. La vie lui souriait. Ce soir-là, elle eut décidément beaucoup de chance. José revint avec l'intégralité de sa paie et ils eurent un souper presque agréable.

*****

Elle n'avait pas toujours eu cette chance.

Jusqu'à leur départ pour Alicante à la fin de l'année 1923, ils vécurent pauvrement, mais très décemment ; ce qui signifiait un logement et de la nourriture à table. Avant que Rafael ne fasse partie de sa vie, elle se tuait au travail et quand elle venait à en manquer, rien ni personne ne l'empêchait alors d'arpenter les rues de Cordoba pour en trouver. Il leur arrivait à l'occasion, à elle et José, de calmer les tiraillements de leur estomac en rendant visite à sa famille – celle de José vivant en France depuis quelque temps. En fait de famille, Carmen ne pouvait compter que sur sa mère et son beau-père pour la dépanner, puisque sa sœur et son mari Francisco étaient partis à Getafe, un village à quinze kilomètre au sud de Madrid, peu de temps après leur mariage. À cette époque-là, sans personne à charge, elle n'angoissait pas lorsque José réintégrait le domicile conjugal les mains vides. Elle vivait dans une sorte de *carpe diem* sans s'inquiéter du lendemain.

La venue de Rafael dans sa vie lui fit subitement découvrir la peur du lendemain. Avec un enfant sur les bras, elle ne travaillait plus aussi librement qu'avant. Au mieux pouvait-elle faire de menus travaux chez elle ou trouver des patrons qui l'embauchaient en acceptant qu'elle vienne avec le petit. Elle dépendait entièrement de l'argent que José daignait ramener, les jours de paie qu'il n'arrosait pas.

Puis leur situation s'était dégradée peu de temps après leur arrivée à Alicante. Elle était venue rejoindre José, parti chercher un logement en éclaireur. Il avait trouvé un modeste meublé, presque un galetas, qui avait néanmoins l'avantage de ne pas trop grever leurs maigres économies. Elle se souvenait de ces premières semaines prometteuses avec un époux différent, plus prévenant et affectueux. La CNT l'avait recommandé comme maçon auprès d'une entreprise de travaux publics; ils passaient leur temps libre à visiter la ville et le littoral.

Lorsqu'elle vit la mer, elle se recula, surprise devant l'immense étendue d'eau qui se dressait devant elle. Cet horizon, délimité par une simple ligne, l'effrayait, elle qui venait de l'intérieur des terres. « Ce désert d'eau doit ressembler à l'enfer. On pourrait y noyer toute l'humanité », songeait-elle, debout devant la grande bleue. Elle était loin de se douter que, quelques années plus tard, cette mer la porterait sur son dos pour l'éloigner de la terre ferme balayée par un vent de folie meurtrière. «Il y a trop d'eau. L'homme n'est pas fait pour aller là-dessus, ce n'est pas naturel», dit-elle à José. Elle espérait ne jamais avoir à prendre l'un de ces bateaux, de vulgaires coques de noix, qui ondoyaient sur des flots incertains et qui ne lui inspiraient aucune confiance.

Ces premières semaines, elle les vécut pleine d'espoir, partagée entre la découverte de la ville et l'installation de son logement. C'était sans voir José qui, lui, se sentait de plus en plus à l'aise dans cette ville qu'il faisait sienne, ainsi que dans son nouvel emploi dans lequel il semblait s'épanouir. Il reprit ses réunions au sein de la CNT, se fit de nouveaux compagnons avec qui il recommença à sortir, oublia de rentrer certains soirs, rentra ivre d'autres soirs et rappela à l'occasion à sa femme qui était le maître.

Leur vie d'antan semblait être revenue. Leurs maigres économies finirent inévitablement par s'évaporer. S'engagea brusquement une course contre la faim. Alicante n'échappait pas au contexte économique désastreux où était plongée l'Espagne, et le couple fut soumis à la ronde du chômage qui jetait régulièrement sur les trottoirs les plus démunis. Arriva finalement le moment où elle n'eut d'autre choix que de mendier.

C'était par une après-midi ensoleillée. Elle s'en souviendrait longtemps parce qu'il est aussi anormal de mendier par une belle journée que de mourir au printemps. Elle n'avait pas mangé depuis la veille, soucieuse de garder pour l'enfant, à son réveil, la dernière tranche de pain et un fond de lait. Le lait, c'était sa voisine Dolores qui le lui avait donné, plus tôt dans la semaine. Carmen était restée de très longues minutes devant la porte avant de presser le bouton de la sonnette. Le timbre avait retenti comme une sentence. Sa sentence. Le moment était venu d'implorer, et tout naturellement les mots revêtirent le sens de la quête. «S'il vous plaît. Je vous en prie... »

Elle s'était écroulée en sanglots dans les bras de Dolores, qui n'avait pas eu besoin d'autres mots pour comprendre les tourments de sa voisine. Dans ce quartier pauvre d'Alicante, la majorité des familles vivait la même détresse. Dolorès, qui approchait de la quarantaine, était soulagée de ne pas avoir eu d'enfants, pour qui elle aurait tremblé aujourd'hui. Mais sa situation n'était guère plus florissante que celle de Carmen. La santé de son compagnon, Luis, s'était gravement détériorée après de trop nombreuses années dans les mines de charbon d'Andalousie qui lui avaient laissé, en souvenir de ses bons et loyaux services, une bronchite chronique, le rendant invalide pendant de longs mois. Assumant presque seule le fardeau du ménage, Dolores était cependant incapable de refuser son aide aux personnes qui la sollicitaient. Comme tout le monde, Carmen connaissait sa générosité et, ce matin-là, dans le couloir exigu qui séparait son appartement de celui de Dolores, elle s'était laissée imprégner des cris de Rafael qu'elle entendait à travers la porte. Seuls les pleurs de son enfant pouvaient lui donner le courage de quémander auprès de cette femme qui se laissait dépouiller avec la confiance des justes. Elle s'était jurée que ce serait la première et dernière fois. Quand Dolores lui eut remis le litre de lait, elle savait qu'elle les privait, elle et Luis, de leur maigre ration ; une de ces privations dont le corps se souvient.

Aussi – alors que José continuait à briller par son absence – prit-elle Rafael avec elle, sans un mot ni une plainte, les lèvres serrées, contenant une colère qu'elle savait inutile, et elle s'éloigna de chez elle le plus vite possible. Une fois qu'elle eut jugé s'être suffisamment éloignée de son quartier, elle posa à terre le garçonnet, qui s'était remis à geindre. « Maman, j'ai faim. Je veux manger. Maman... » Son dernier repas frugal, la tranche de pain et le lait, remontait déjà au matin.

Elle sentait sur eux les regards incisifs des passants. Les plus blessants étaient les coups d'œil fuyants de ceux qui se détournaient comme s'ils craignaient de voir et d'être obligés de croire. Croire enfin à la misère des pauvres qui pullulaient et s'agglutinaient de plus en plus nombreux à leur porte.

Elle ne savait plus depuis combien de temps elle était là, immobile, son fils en larmes s'agrippant à sa robe et continuant à réclamer son souper. Lentement, elle se laissa glisser sur le trottoir, prit Rafael sur ses genoux. Des larmes froides, d'abord timides puis de plus en plus nombreuses, mordirent la chair de ses joues. Longtemps elle avait cru que retenir ses pleurs lui éviterait d'être tourmentée. Que la peine qui ne se montrait pas n'était pas de la peine, même si elle se noyait dans toutes les larmes qu'elle refusait de verser. Encore maintenant, elle tentait de retenir ses sanglots pour ne pas apeurer Rafael.

Un bruit métallique résonna : une pièce de monnaie avait atterri à ses pieds. Elle leva les yeux et vit s'éloigner, à travers une cascatelle de larmes, la silhouette d'une femme dont elle n'apercevait que le dos. La vue de son élégant manteau lui suffit pour reconnaître en elle une femme du monde. Elle s'aperçut alors qu'elle s'était aventurée en dehors de son misérable quartier et avait atteint les limites des quartiers plus riches. Les trottoirs étaient moins sales, la puanteur moins pestilentielle, les gens moins pouilleux, les jeunes moins délaissés. On voyait plus de fleurs aux balcons, plus de commerces achalandés, plus d'arbres et de réverbères. Carmen, toujours à terre avec son fils dans les bras, vit ceci en un éclair, puis tout s'obscurcit. Seule la pièce continuait à scintiller devant elle. Elle se leva brusquement et s'en fut à l'abri sous un porche, serrant d'une main son enfant et de l'autre la pièce qu'elle avait happée au passage. La femme au manteau élégant avait devancé ses intentions avant même que Carmen ne tende la main. Mêlés aux sanglots de Rafael, les battements de son cœur fouettaient ses tempes sans relâche. Elle était submergée de sentiments contradictoires : la honte d'avoir été prise pour une mendiante et la joie de pouvoir nourrir son enfant ce soir. Contrairement à la joie, la honte possède un grand spectre d'émotions, allant de la simple contrariété à l'envie de disparaître et de mourir. Elle venait de toucher l'extrémité la plus noire de ce spectre et elle se serait sans aucun doute invaginée si les cris de son fils ne l'avaient pas ramenée à la réalité. Elle tenait dans sa main de quoi calmer sa faim ! Elle se laissa envahir par cette joie simple des pauvres quand la vie vient calmer leur faim et réchauffer leur corps, sans raison, tout à fait gracieusement.

La mendicité entra dans son existence de façon ponctuelle, comme un plâtre qu'elle mettait autour de sa vie lorsque celle-ci se fissurait, juste le temps nécessaire pour la réparer.

José ne posait pas de question. Elle ne lui cachait pas qu'elle allait cogner aux portes et demander la charité quand elle n'avait plus rien à mettre sur la table. Il répondait inlassablement : « On n'aurait pas besoin de l'aumône des autres si on pouvait anéantir cette dictature de merde de Primo et cette ordure d'Alphonso, roi de mes couilles... ils... » Il pouvait monologuer longtemps, le nez perdu dans son journal. Il ne lui faisait ni excuses ni reproches. Il cherchait des fautifs. Elle cherchait à nourrir leur fils.

Une fois, alors qu'elle avait sonné à la porte d'une maison cossue, elle fut surprise de voir l'homme de la maison lui ouvrir, et elle recula instinctivement. « Oui ? » Il était trop tard pour faire demi-tour. L'homme se tenait devant elle et l'invitait, de son sourire, à parler. La dernière fois qu'elle avait recouru à la charité remontait à six mois. Elle se disait que c'était un mauvais moment à passer et que, si elle avait de la chance, tout s'arrêterait peut-être devant cette porte. On lui donnerait assez d'argent pour tenir jusqu'au lendemain et d'ici là, José ramènerait sûrement quelques pesetas.

« Je vous en prie. Un peu... de monnaie pour nourrir mon fils... ou un... morceau de pain ou n'importe quoi pour qu'il... n'ait plus faim. Je vous remercie. » Elle cherchait toujours ses mots quand elle tendait la main, parce qu'elle était sincère, qu'elle ne préparait rien à l'avance. Elle s'en allait quémander dans l'urgence, sans préméditation, repoussant cette infamie jusqu'à la dernière seconde.

L'homme continuait à sourire benoitement. Il sortit sur le perron en prenant soin de refermer la porte derrière lui et, en se penchant vers elle, il lui murmura : « Reviens plus tard, ma jolie. Quand ma femme sera partie. Je vais m'occuper de toi, tu verras. Reviens sans ton gamin. »

Puis avec un clin d'œil de rapace, il referma la porte au nez de Carmen, qui s'empressa de partir en crachant sur le perron. C'était pour éviter ces hommes, éviter de s'avilir qu'elle avait cessé de faire la manche sur le trottoir et qu'elle allait solliciter les gens chez eux, aux heures où elle savait les hommes au travail.

Elle avait décidé, dès le début, de garder sa mendicité propre comme elle avait décidé, bien avant, de garder propre sa pauvreté. Et pour y parvenir, elle avait écarté le vol et la prostitution dans un même sursaut de dignité. Elle le répétait souvent à Dolores, qui était devenue au fil des mois une amie précieuse : « Je ne veux pas que mon enfant ait honte de moi. Je veux pouvoir continuer à me regarder dans un miroir. C'est important... vous comprenez ? »

Bien sûr que Dolores comprenait ! Elle aurait aussi compris la prostitution et le vol quand il s'agit de nourrir un enfant. Mais elle s'abstint de le lui dire pour ne pas donner mauvaise conscience à son amie.

24

LE ZOMBIE

10 octobre 1974
Salut Jo,

« *On s'est sûrement fait prendre pour des cons! soupire mon père en voyant s'éloigner le train.*

— Peut-être, mais si c'était vrai, hein ? Moi, je suis persuadée qu'il dit vrai. On ne peut pas inventer des histoires pareilles », *répond ma mère sans lâcher des yeux le train qu'on ne voit déjà presque plus.* »

Moi, je crois que c'est ce qu'il fallait faire. C'est tout.

Quand le vieil homme a débarqué chez nous ce matin, il m'a foutu une de ces frousses. Je croyais qu'il était tout droit sorti du film que ma grand-mère était en train de regarder à la télévision. Un film d'horreur : La Nuit des morts vivants. *L'homme ressemblait à un zombie, à s'y méprendre ! Il n'arrivait pas à poser ses yeux quelque part. Ils bougeaient tout le temps. Des fois, j'avais l'impression qu'ils faisaient un tour complet et qu'ils se révulsaient complètement. Ça devait l'affoler, le pauvre.*

Quand il a sonné à la porte, j'ai bien remarqué que ma mère hésitait à lui ouvrir. Elle l'a observé longtemps par le judas avant de se décider. Dès que la porte s'est ouverte, il s'est mis aussitôt à parler en espagnol. Direct. Sans valider. Je ne comprenais pas tout, il murmurait comme s'il avait peur de ce qu'il disait. Je me cachais au fond du couloir pour espionner. Et tout à coup, sans prévenir, elle l'a fait entrer ! On voit bien qu'elle n'était pas en train de regarder le film, elle. Moi, j'ai reculé au fond du couloir. Les gens qui regardent leur nombril par en dedans, ça me fout les chocottes. Je me suis tenue à côté des cabinets. On ne sait jamais! Je pouvais toujours m'y enfermer à double tour si par malchance ça tournait au vinaigre. Avec la salle de bains, c'est la seule pièce de l'appartement qui ferme à clé. Mais la salle de bains était occupée par mon frère. Pas de chance, parce que, tant qu'à nous faire la peau, j'aurais bien aimé que le zombie commence par lui – il me gonfle avec ses airs de monsieur qui sait tout parce qu'il a quinze ans. Ma mère a invité le zombie à entrer dans la cuisine. À ce moment-là, je me suis sentie un peu plus rassurée. Les gens importants, ma mère les dirige vers la salle à manger sans passer par la cuisine. Les autres, c'est la cuisine, direct! Cela signifiait donc qu'il n'était pas absolument digne de confiance pour elle. Ensuite, elle est allée chercher ma grand-mère et, en passant devant moi, elle m'a demandé d'aller surveiller le vieux au lieu de jouer à l'espionne!

Il était assis comme un petit garçon, au bord de la chaise, bien droit avec les mains à plat sur ses genoux. Quand il m'a vue, il m'a souri. Je lui ai rendu son sourire par politesse, parce qu'on ne garde pas ce qui ne nous appartient pas. On en était là de nos civilités quand l'Abuela est entrée dans la cuisine, suivie de près par ma mère. Ils se sont serré la main en se présentant et ils ont parlé tout de suite de mon grand-père. Grosso modo et pour faire court, il semblerait qu'il ait connu mon grand-père pendant la guerre civile d'Espagne. Ma grand-mère, qui n'est pas née de la dernière pluie, sinon ça se saurait, lui a demandé tout de go, avant de continuer plus loin la conversation, à quoi ressemblait mon grand-père.

Il a répondu tout de go lui aussi, prenant soin de ne pas briser le rythme: «Il était colérique. Un homme fort... blabla... Cheveux clairs. Habile au couteau... blabla... membre de la CNT... généreux avec les copains... blabla. »

Le portrait craché de mon grand-père! Et la conversation a continué toute l'après-midi. Ils ont parlé de la guerre, de la Guardia Civil, des familles déchirées, de cet hijo de puta de Franco qui allait bientôt crever et des camps de concentration. Là, j'en avais perdu des bouts! Ma grand-mère n'était pas juive (elle me l'avait bien *confirmé avec l'épisode de la photo sur son passeport). Alors, je ne voyais pas pourquoi elle était allée dans les camps de concentration. Mais je n'ai pas posé de questions. Et, tout d'un coup, sans avertir personne, alors qu'il buvait tranquillement son café, il a reposé la tasse et a déboutonné sa chemise. Il venait de se rappeler subitement de quelque chose et il ne voulait pas perdre son idée. Ça leur arrive souvent aux vieux d'oublier une idée sur le bord de leur mémoire, et quand ils retournent la chercher, elle n'est plus là. Envolée, disparue. On ne sait où. Ils sont aussi bien de la dire tout de suite, sans tarder, s'ils ne veulent pas faire le vide dans leur tête trop vite. Sinon, ça résonne trop fort là-dedans, et ils peuvent devenir fous de vide.*

Ma mère, mon père et ma grand-mère n'ont rien dit quand ils l'ont vu faire. Ils sont au courant pour le vide des vieux. Ils ont regardé le torse de l'homme qui avait arrêté de parler et ils hochaient la tête en signe de sollicitude. Moi, j'ai ouvert grand mes yeux. Il était tatoué de cicatrices partout, toutes aussi laides et grosses les unes que les autres. Il nous en a montrée une, près de son sein droit, en disant fièrement : « Celle-là, je l'ai eue en 1937 quand les gardes civils sont venus m'arrêter. Ils m'ont emmené dans une prison avec une vingtaine d'autres compagnons. Ils nous ont enfermés dans un cachot dans le noir total, sans manger ni boire. On faisait nos excréments... »

Tout à coup, mon père a fait signe à l'homme de se taire et il m'a envoyée dans la salle à manger regarder la télé. En refermant la porte, il m'a longuement expliqué en quatre mots : « T'as pas besoin d'entendre. »

C'est quand les choses deviennent le plus intéressantes qu'on m'envoie voir ailleurs. Mais je suis maligne. Je n'ai pas allumé la télé et j'ai collé mon oreille contre la porte. Le vieux monsieur s'était mis à parler tellement fort que je pouvais entendre les trois quarts de la conversation.

Pour une fois, j'étais d'accord avec mon père. Je n'avais pas besoin d'entendre et j'ai mis le volume de la télé au maximum pour couvrir sa voix.

Quand, plus tard, la porte de la cuisine s'est enfin ouverte, et que j'ai vu le vieil homme, j'ai baissé les yeux. Je ne pouvais plus le regarder en face. J'étais gênée de savoir. C'est trop fort de rentrer comme ça dans l'histoire des cicatrices des gens.

Il a ensuite fait allusion à sa fille qu'il voulait revoir et qui habitait Perpignan. Il n'avait pas d'argent pour se payer un billet de train jusque là-bas, et mes parents l'ont cru. On l'a conduit à la gare, et ils lui ont payé le billet.

On est restés longtemps à regarder le train disparaître au loin. Sans parler. Jusqu'à ce que mon père soupire: «On s'est sûrement fait prendre pour des cons!»

25

Mai 1933 : Peyriac-Minervois (Aude) – France

Il était deux heures de l'après-midi. Le ciel était d'un bleu pâle sans aucun nuage. Ça sentait bon la fin du printemps, qui laisserait bientôt place à un été chaud et pluvieux.

Une quinzaine de personnes sortaient lentement du modeste cimetière du village dans un silence total. Les mots sont impuissants devant un petit cercueil blanc qu'on ensevelit sous de grosses pelletées de terre. Le petit José n'avait pas encore neuf mois lorsqu'au matin du troisième jour d'une fièvre continue, Carmen l'avait trouvé mort dans son berceau, un modeste panier en osier. Il y eut d'abord l'incompréhension, celle qui nous submerge quand la raison s'en est allée. Suivirent les cris et les gémissements. Et, quand enfin le corps cessa de se rebeller, il y eut la résignation de l'âme avec une longue litanie de « Pourquoi ? » et de « Pepito ». Il s'appelait José, mais tout le monde le surnommait Pepito pour ne pas le confondre avec son père. Il avait pleuré une bonne partie de la nuit et elle l'avait bercé jusqu'à l'aube, essayant de le calmer. José était parti dormir chez sa mère, qui habitait la maison en face, incapable de supporter les cris de l'enfant une troisième nuit. Il n'y avait pas de médecin au village. Si la fièvre ne se décidait pas à tomber, il emmènerait le gosse chez le docteur à Limoux, la grande ville, dès le lendemain. Pour l'heure, il voulait profiter de cette nuit au calme.

Depuis des années, la famille Martin de la Torre venait régulièrement tous les automnes à Peyriac-Minervois participer aux vendanges. Ils logeaient alors chez la mère et les deux sœurs de José, qui s'y étaient installées en 1923. À chaque retour au pays, ils trouvaient la misère de plus en plus pénible et difficile. L'idée de s'établir dans ce village français une fois pour toutes commença à faire son chemin. Et c'est ainsi qu'en 1929, partis à nouveau faire les vendanges, ils déposèrent définitivement leurs valises à Peyriac. Ils louèrent un logement, contigu à celui de la mère de José, où Carmen mit au monde sa fille Carmencita quelques mois plus tard. Il s'écoula encore deux ans avant qu'elle ne tombe enceinte de Pepito. Le droit du sol les rendait parents de deux petits Français. C'est ainsi que la France entrait tranquillement dans leurs veines, leur distillant le soluté d'une vie moins misérable.

Aux aurores, Pepito s'était, croyait-elle, endormi dans ses bras d'un sommeil paisible. Rompue par la fatigue d'une nuit blanche, elle avait délicatement déposé le petit corps sans vie dans son berceau. Ce n'est que plus tard qu'elle comprit que Pepito n'avait pas simplement arrêté de pleurer mais qu'il avait cessé de vivre.

José la trouva assise à terre, berçant Pepito dans ses bras et gémissant inlassablement son prénom. La petite Carmencita, du haut de ses trois ans, était agenouillée à ses côtés et caressait la tête de son petit frère.

« Papa, le petit frère est mort. Pepito, il est allé au paradis. »

Rafael, qui était allé chercher son père en courant lorsqu'il avait vu sa mère pleurer sur le corps du bébé, se jeta sur son matelas et se mit à sangloter. Tous dormaient dans l'unique pièce du logement, sur des matelas à même le sol. Cacher leurs souffrances n'était pas un luxe qu'ils pouvaient se permettre.

« Lève-toi ! Tu es un homme, non ? Va chercher le curé. »

José détestait toujours autant les curés, mais il savait qu'il n'avait pas d'autre choix. Des fausses couches, Carmen en avait souvent faites, et il avait à chaque fois refusé de mêler l'Église à ces caprices de la nature. Là, c'était différent. Il devinait que seul un curé pourrait donner du réconfort à sa femme et, par la même occasion, la sermonner pour la forcer à remplir à nouveau et au plus vite ses obligations. Ils n'avaient pas les moyens de se priver de son salaire et il fallait qu'elle s'occupe de la maison et des deux autres enfants. Il prit Pepito, le remit dans son berceau, essuya rageusement ses larmes et essaya d'apaiser la douleur de son épouse. Il n'était pas doué pour la compassion. Tout sonnait faux. Chacune de ses paroles meurtrissait Carmen un peu plus.

« Ça va passer. C'est rien. Tu verras, c'est un mauvais moment à passer. Sois forte pour les enfants qui nous restent. Arrête de pleurnicher. Donne l'exemple. C'est difficile, je sais, mais on n'est pas les seuls à perdre un enfant... » Elle se réfugia à l'autre bout de la pièce, les yeux hagards, les mains plaquées sur ses oreilles pour ne plus entendre.

Quand le curé arriva, il trouva Carmen tenant dans ses bras le petit corps sans vie. Deux jeunes femmes l'entouraient de leur bienveillance. Dans un coin de la pièce, une vieille dorlotait la petite Carmencita en la berçant contre elle.

Exaspéré d'entendre Carmen gémir, José était allé chercher sa mère et ses deux sœurs, et s'était empressé de s'éloigner en vociférant : « Cette saloperie de vie m'a enlevé mon fils. Cette fille de pute assassine nos enfants et on la laisse faire. Il faut se battre. Nous aussi, on veut manger à notre faim et avoir des docteurs. On n'est pas des chiens... on travaille comme les autres... »

Les rares Espagnols qui croisaient son chemin hâtaient le pas et détournaient leurs regards. Ils habitaient le village depuis plus longtemps. Ils ne voulaient surtout pas tout gâcher en montrant à cet homme de l'intérêt ou de la commisération. Ils avaient travaillé fort pour s'intégrer aux villageois français. Le temps avait fini par atténuer leur accent ; il l'avait poli, lui avait ôté toute aspérité ibérique, l'avait décoloré en lui enlevant ses rondeurs et les vibrations de ses « r ». Ils s'étaient faits discrets, parlaient français entre eux dès qu'ils pouvaient être entendus. Dans l'espoir de s'assimiler le plus rapidement possible, ils avaient renié ce dont ils avaient toujours été fiers : leur langue. Restait leur nom qui les marquait au fer rouge. Ceux qui parvenaient à tromper les gens du village par un français parfait rougissaient dès qu'ils déclinaient leur identité. Ils allaient même jusqu'à franciser leurs vêtements en évitant de porter la mantille à la messe du dimanche et en bannissant leurs éventails, même les jours de canicule.

Ainsi, la vue de cet homme hurlant à tue-tête dans les rues réveillait leur vieille cicatrice, leur vieille humiliation des premières années sur le sol français. Eux aussi, ils avaient eu envie de hurler, mais ils s'étaient tus ou avaient baissé les yeux. Face à José qui déblatérait contre les Français, l'instinct de survie leur commandait de fuir, de se différencier de cet étranger. Dans leur panique, certains tentaient d'entraîner leurs femmes avec eux. Mais quelques-unes se firent soudain plus attentives quand elles comprirent, au détour d'un mot, que cette souffrance était causée par la mort d'un enfant. Ce n'était pas l'appel du sang qu'elles entendaient, mais le désespoir d'un père. Leurs pas ralentirent, leurs regards se portèrent sur cet homme et leur empathie alla à la mère de l'enfant. José, lui, ne les voyait pas. Il n'entendait plus les mots qu'il extirpait de son cœur pour arracher la douleur qui oppressait sa poitrine, mais les mots ne réussissaient pas à calmer son désarroi. Une rage, de celle qui peut faire commettre l'irréparable, sourdait de lui. Se calmer. Vite. Étouffer une colère inutile, qui ne résoudrait rien, une violence qui le perdrait sans aucun doute dans ce pays qui lui était étranger et qui ne comprenait que la douleur des siens.

Ses pas le menèrent au bar du village. Le tenancier le connaissait bien. C'était un bon client, un client régulier. Sans rien lui demander, il lui servit une bonne rasade de muscat de Mireval d'un jaune pisseux. José but d'un trait. En commanda un autre. Puis un autre...

26

Mai 1933 : Peyriac-Minervois

On enterra Pepito quarante-huit heures plus tard. Les belles sœurs de Carmen s'occupèrent des obsèques. Au matin, le petit corps fut déposé dans un cercueil. Carmen l'avait veillé sans discontinuer. Si elle était frappée de la même fatalité que sa mère ? se disait-elle. Elle se souvenait du regard ténébreux de cette dernière quand un de ses enfants la quittait. Elle ne voulait pas mourir de son vivant et offrir aux siens la vue d'une mère errant dans les limbes de la vie. Il lui fallait choisir. La vie ou la mort, pas les deux. C'était contre-nature. Ce fut lors de cette longue veillée funèbre qu'elle choisit son camp.

José revint à temps pour la mise en terre et il fut surpris de trouver sa femme presque sereine. Il se rangea à ses côtés au cimetière ; elle ne leva pas les yeux vers lui et continua à regarder le cercueil descendre dans cette terre qui n'était pas la sienne. Pepito ne connaîtrait jamais son pays d'origine. Avant que les premières mottes de terre n'atteignent le cercueil, elle lança dans le trou une poignée de sa terre natale qu'elle avait emportée avec elle, dès qu'elle fut obligée de quitter l'Andalousie. Elle avait soigneusement enveloppé un bout de son pays dans un vieux foulard dont elle avait relié les quatre coins à l'aide d'une ficelle. José en avait fait autant. En jetant une poignée de terre de son pays sur le cercueil, elle murmura : « Ne t'inquiète pas, Pepito. Je viendrai te rejoindre bientôt. On sera tous de nouveau réunis là-haut. Je te le promets. Je t'aime... je t'aime. »

Et son corps s'affaissa devant cette tombe qu'elle ne retrouverait plus, cinquante-cinq ans plus tard, quand le hasard de la vie la ramènerait à nouveau dans ce village qu'elle allait devoir quitter pour l'Espagne, en 1936, juste avant que la guerre civile n'éclate.

27

VINO

15 octobre 1974
Bon matin, Jo,

Sais-tu Jo, que les mains d'Abuela me fascinent ? J'ai peut-être du sang gitan dans les veines. On peut imaginer toute une vie, juste à regarder des mains. Celles d'Abuela sont toutes maigres, pleines de callosités dans la paume et complètement fripées sur le dessus. Je m'amuse souvent avec les plis. Je pince la peau, je la relâche et, miracle... elle reste pincée avant de s'affaisser tranquillement et retrouver forme humaine. Je dispose seulement de quelques secondes pour essayer de bâtir des murets sur sa main. Bien sûr, je n'y arrive jamais, mais ça m'amuse, va donc savoir pourquoi. Pour lui faire passer le temps – parce qu'elle doit trouver le temps long, la pauvre, quand je prends ses mains pour un terrain de jeu –, je lui demande de me parler de ce qu'elles (ses mains) ont bien pu fabriquer pour devenir si rugueuses.

Aujourd'hui, elle m'a parlé des vendanges qu'elle faisait quand elle vivait en France, à Peyriac-Minervois, avant la guerre. Là où ma tante Carmen et mon oncle Eugène sont nés. Ils sont fiers de dire qu'ils sont Français d'accouchement, eux !

Pour revenir à mes vendanges, Abuela en connaît un rayon sur les vignes. C'est comme ça qu'elle a attrapé des callosités : en sarclant le pourtour des vignes como un hombre[34], *qu'elle m'a dit. Et ensuite,*

---

34. Comme un homme.

elle ramassait les grappes pendant des semaines, plus de douze heures d'affilée, penchée au-dessus des vignes. Dans ce temps-là, c'était dans le dos qu'elle avait mal, peuchère. Elle m'a dit qu'elle en garde quand même un bon souvenir, car si tout le monde travaillait dur, ils rigolaient aussi pas mal. Les étrangers et les Français ensemble.
« *On était* un poco como una misma familia[35].
— *Et il était bon le vin, après ?*
— *Sûrement.* Yo no bebía.
— *Tu ne le buvais pas ? Tu préfères le wiki ?* »
Wiki pour dire whisky. Elle n'arrive pas à prononcer le « *s* » *et nous, on s'amuse à le prononcer comme elle. Abuela, elle aime bien qu'on lui serve un petit verre de whisky avant le repas. C'est mon oncle Raphaël qui l'a initiée. Depuis, elle ne déteste pas ça. Elle dit que ça lui donne des papillons dans le ventre. Je crois qu'elle aime bien le champagne aussi parce que je l'ai toujours entendu dire qu'elle achèterait une bouteille du meilleur champagne qui existe quand cet* hijo de puta *de Franco crèvera.*

Comme je te l'ai déjà écrit, chez nous, on ne peut pas dire Franco sans mettre « hijo de puta » *devant. Quand j'étais petite, je croyais que c'était son prénom, jusqu'à ce que ma maîtresse du CE1 m'entende le dire à un camarade à la récréation et qu'elle vienne me gronder :* « *On ne parle pas de cette manière, Patricia, voyons !* » *J'ai rien dit. Je croyais qu'elle m'engueulait parce que j'avais parlé en espagnol. Le soir, quand j'ai raconté à table que je m'étais fait enguirlander pour avoir parlé de cet* hijo de puta *de Franco et que je ne comprenais pas pourquoi, tout le monde a ri. Même mon crétin de frère. Depuis, je sais que cet* hijo de puta *de Franco s'appelle aussi pour d'autres :* hijo de puta *de Francisco Franco.*

---

35. On était un peu comme une même famille.

28

Juin 1936 : Peyriac-Minervois

Carmen regardait, sans pouvoir la déchiffrer, cette lettre qui lui était adressée. Le matin même, alors qu'elle était occupée à tailler les vignes du domaine de monsieur Montserrat, à quelques kilomètres de chez elle, le facteur l'avait remise à sa belle-mère. Elle avait ouvert l'enveloppe avec délicatesse, en prenant soin de ne pas la déchirer, le cœur battant, comme chaque fois qu'elle recevait du courrier qui lui était personnellement destiné, c'est-à-dire une ou deux fois l'an. À l'intérieur, une feuille blanche pliée en deux et, glissés au milieu, trois billets de banque de la République espagnole. Sur la feuille, seulement cinq lignes étaient écrites. Qui pouvait bien lui écrire et surtout lui envoyer des pesetas? Toutes les lettres qu'elle recevait à son nom étaient écrites par son beau-frère Francisco, qui prêtait sa plume à sa femme Conchita. Celle-ci lui dictait ce qu'il lui semblait important de dire à sa sœur, qu'elle n'avait pas vue depuis plus de dix ans. Depuis leur départ de Cordoba. Elle avait toujours été bavarde et ses lettres étaient longues, plusieurs pages en général. Tandis que là, elle avait la désagréable impression que les cinq lignes avaient été écrites dans l'urgence. Et pourquoi cet argent? Carmen savait qu'elle n'aurait pas de réponse avant que son mari ou son fils Rafael ne revienne. En attendant, elle pouvait au moins éclaircir un point. Elle chercha sous son lit une boîte de biscuits en fer-blanc dans laquelle elle conservait précieusement tout le courrier pour éviter que les souris ne le grignotent. Elle compara les anciennes lettres avec celle qu'elle venait de recevoir. C'était bien la même main qui les avait écrites : Francisco. Elle avait maintenant la certitude qu'un événement grave venait de se produire. La dernière lettre qu'elle avait reçue de sa sœur datait de moins d'un mois. Si Francisco prenait la peine de lui écrire encore une fois en si peu de temps et en si peu de phrases, ce n'était certainement pas pour lui donner encore des nouvelles. Il était arrivé un malheur. Sa sœur ? Sa nièce ? Ses neveux ? Sa mère ? Cette dernière, de nouveau veuve depuis quelques années, avait quitté elle aussi Cordoba pour aller s'installer auprès de sa fille Conchita à Madrid. Carmen avait beau fixer la lettre de toutes ses forces, celle-ci restait muette.

Heureusement, les petits allaient l'occuper jusqu'au repas. Son plus grand ne serait pas de retour avant huit heures. Après l'école, il se rendait directement à la ferme des Montserrat où il travaillait comme ouvrier agricole. À treize ans, quoique de stature au-dessous de la moyenne, Rafael était assez costaud et habile pour effectuer de menus travaux de ferme. Il réparait les clôtures, portait la nourriture aux bêtes, rentrait le foin et trayait les vaches quand madame Montserrat était trop occupée. L'argent qu'il ramenait à la maison aidait considérablement la famille. Carmen regarda affectueusement les deux petits qui jouaient à se pousser sur les matelas. Avant de s'affairer aux fourneaux, elle leur raconterait une histoire. Ensuite, Carmencita s'occuperait de son jeune frère, le petit Eugenio, tandis qu'elle préparerait le repas.

Eugenio était né dix mois après la mort de Pepito. Quand elle avait réalisé qu'elle allait donner la vie à nouveau, alors que le corps de son garçon était encore tiède dans son suaire, elle eut la désagréable sensation de le trahir, de l'abandonner une fois de plus. Décidément, rien ne se passait comme elle l'aurait souhaité ! Elle n'avait pas eu le temps de faire son deuil. Ce n'était pas sain pour cet enfant qu'elle allait mettre au monde. Il allait naître dans le linceul de son frère, se disait-elle. S'il naissait seulement ! Elle craignait que son sang à elle, imbibé d'une profonde détresse, soit un poison pour cette nouvelle vie. Les mois s'étaient néanmoins écoulés, insensibles et indifférents. Elle savait qu'elle était impuissante contre la nature, car telle était la volonté de Dieu. Elle finit par accepter cet enfant qui continuait à grandir en elle. Elle ne refusa plus cette offrande que la vie lui offrait non pas comme une seconde chance ou un second départ, mais plutôt comme un pied de nez à la Grande Faucheuse. Au cri du nouveau-né, elle comprit que la vie avait fini par triompher, que la douleur qui l'asphyxiait encore quelques mois auparavant s'en était allée dans la délivrance de son placenta. Seule subsistait une cicatrice, une tristesse qui s'adoucirait avec les années.

En prenant place sur la paillasse qui tenait lieu de matelas, elle vérifia au fond de sa poche si la lettre qu'elle avait religieusement pliée et remise dans son enveloppe était toujours là. Rassurée, elle se mit à raconter aux enfants, venus se pelotonner contre elle, les mêmes histoires qu'elle réinventait le soir venu. Les petits adoraient ces moments privilégiés et rares où leur mère était toute à eux. Ils aimaient la tendresse de sa voix, la douceur de ses gestes et l'amour de son regard. Ils se laissaient bercer par un flot continu de paroles fantastiques qui contrastaient avec la brièveté de ses phrases habituellement dénudées d'onirisme. Toutes ses histoires étaient vraies ! Elle leur disait qu'elles s'étaient passées il y a bien longtemps, et qu'il ne fallait surtout pas en douter. Il arrivait même à Rafael d'y croire encore quand, envoûté par la magie de ces récits presque mystiques, il se détournait un instant de ses occupations.

Le bruit d'une porte qu'on ouvre sans ménagement les sortit de leurs rêveries. José arrivait plus tôt que prévu. Trop préoccupée par la lettre enfouie dans son tablier, Carmen ne s'attarda pas sur ce détail et se leva précipitamment pour la lui tendre. Elle allait enfin savoir si elle avait eu raison de s'inquiéter. Avant qu'elle n'ait eu le temps de prononcer un seul mot ni même de sortir la lettre de sa poche, elle se sentit projetée à terre.

Quoi? Le repas n'était pas prêt? Sa femme se la coulait douce, tranquillement allongée sur le lit avec les mômes, pendant que lui, il avait passé la matinée à travailler dur pour réparer les murs en torchis de la fermette de monsieur Perez! C'est pour cette raison, et uniquement pour cette raison, qu'il était ensuite allé au bar du village, en pleine après-midi, pour se détendre un peu. Il l'avait bien mérité, non? À travailler fort toute une matinée. Son copain Miguel était venu le rejoindre et, de verre en bravade, ils n'étaient pas retournés au travail. Ils avaient fini de belle humeur et plus imbibés que des éponges. Il était le meilleur maçon de la place! Bientôt, ce serait lui le patron. Et ils verraient tous de quel bois il se chauffe! Un jour, il serait quelqu'un. À quarante-deux ans, il était temps qu'on le reconnaisse enfin pour ce qu'il était. Un homme. Un vrai! Il allait retourner auprès de ses compagnons de la CNT à Cordoba. Là-bas, les anarchistes savaient se faire respecter. On était un homme si on en faisait partie. Ici, à Peyriac, seul Miguel le comprenait. Lui aussi était un anarchiste de la FAI! Mais à eux deux, ils ne pouvaient faire grand-chose dans ce pays étranger pour lequel l'Espagne n'était qu'un pays sous-développé.

«Le souper n'est pas prêt? hurlait José en regardant Carmen à terre qui se cachait le visage.

— Ce... ce n'est pas encore l'heure, Pepe. Il est juste six heures.»

Elle hoquetait, la main sur son arcade sourcilière qui s'était entaillée lorsque sa tête avait cogné le carrelage. Le sang coulait entre ses doigts. Les enfants pleuraient en silence. Carmencita serrait contre elle son frère qui criait: «maman!», effrayé par la voix de son père. «Tais-toi!» cria-t-il en jetant son sac de travail en direction des enfants.

Carmen s'interposa entre les petits et leur père. Elle ne voulait pas que José leur fasse du mal comme la fois où il avait giflé leur fille, si fort que les traces de doigt sur sa joue avaient mis du temps à s'estomper. Parce qu'elle a ta peau trop blanche et trop délicate, lui avait reproché José, quand elle lui avait montré les marques. Sa belle-mère et ses belles-sœurs, elles, ne disaient jamais rien devant la violence de José. Elles y étaient habituées. Et puis il leur fallait un homme à la maison. C'était bien utile pour les travaux de force. Avec lui dans le logement à côté, elles se sentaient plus en sécurité. De toute façon, quelques baffes n'ont jamais causé de tort à personne. Après tout, les enfants et Carmen n'avaient qu'à bien se tenir et à lui obéir.

«Je reviendrai quand la bouffe sera prête! Espèce de feignasse. Et occupe-toi de tes gamins, mère indigne. Tu ne vois pas qu'ils ont la morve au nez? Mais avant, je vais aller faire un somme. Qu'on ne me dérange pas. Compris?»

Il se coucha sur le lit et s'endormit profondément, satisfait de sa journée. Elle savait qu'il ne se réveillerait que le lendemain matin, sans aucun souvenir de la veille. Elle fit signe aux enfants de se tenir tranquille, se lava le visage et appliqua une compresse sur son œil. Puis, elle se mit à faire le souper en attendant que Rafael rentre. Elle essaya d'anticiper ce qu'elle pourrait bien lui dire pour justifier son œil enflé et sanguinolent. Elle craignait qu'il ne finisse par commettre l'irréparable: se battre avec son père.

Au cours des derniers mois, elle s'était interposée à plusieurs reprises entre son mari et son aîné, qui ne supportait plus les coups de gueule de son père. Rafael avait appris à recevoir, sans broncher, stoïque, les corrections que lui assénait José. Mais il en allait autrement quand le courroux de son père était réservé à sa mère. «Je vais le tuer un de ces quatre matins!», avait-il hurlé un soir qu'il trouva sa mère tentant de se relever, les reins endoloris par un coup de pied.

Elle reconnaissait dans cette voix résolue et ce regard dur la même détermination qu'elle voyait et entendait chez José. Bientôt, toute cette colère encore contenue chez son jeune fils prendrait la forme d'une confrontation de mâles. Elle craignait de ne plus avoir le courage de l'empêcher de se jeter sur son père. Il n'avait que treize ans. Il n'avait pas encore la force d'un homme. Pour retarder le plus possible ce moment si redouté, elle veillait à lui dissimuler ses tourments et elle trouvait refuge dans le flamenco. Cette musique ancestrale l'enivrait plus que n'importe quel vin n'aurait pu le faire. Elle chantait à longueur de journée et elle finissait presque par se sentir heureuse.

C'est ainsi que Rafael, en rentrant le soir, trouva sa mère. Elle mettait la table en chantonnant! Elle chantait encore en lui souriant. Elle chantait toujours quand il sentit son visage devenir livide à la vue de l'œil tuméfié de cette femme qu'il aimait tant. Il serra les poings avec cette force qui s'avive chez les hommes quand ils sentent que les mots ne sont plus que des balles à blanc et qu'en face d'eux se dresse leur propre démon ou celui des autres. L'adolescent qu'il était au dehors devenait soudain un homme en rentrant chez lui. La première fois que cette métamorphose s'était produite remontait à quelques mois, alors qu'il était rentré plus tôt du travail.

Ce jour-là, sa patronne, en brave mère de famille, avait bien vu qu'il était fiévreux. Elle l'avait sommé de rentrer chez lui et de se reposer. Il avait d'abord refusé. Il avait besoin de cet argent et il savait que son père allait se mettre dans tous ses états s'il revenait sans sa paie. Bien sûr, il n'en avait rien dit à madame Montserrat. Il avait sa fierté. Mais elle avait deviné ses inquiétudes. Elle connaissait bien la famille Martin de la Torre, leur pauvreté et les terribles colères du père. Elle avait insisté et mis de force l'argent dans ses mains, en lui soulignant bien que ce n'était pas de la charité, et qu'il travaillerait plus dur les prochaines fois pour compenser, c'est tout. Il avait pris l'argent et était parti sans la remercier : « Entendu, madame Montserrat. On se voit demain. Je viendrai plus tôt. »

Elle lui avait pardonné sa brusquerie : c'était le seul moyen qu'il avait trouvé pour ne pas pleurer. Elle n'ignorait pas que, le lendemain, il ferait l'école buissonnière, que le maître d'école ne lui ferait aucun reproche et n'irait pas rapporter son absence à ses parents. Il était au fait que les enfants d'immigrés cessaient prématurément de fréquenter l'école pour subvenir aux besoins des leurs. Certains d'entre eux n'étaient d'ailleurs même pas scolarisés, surtout les filles, qui demeuraient au foyer pour s'occuper des plus petits ou aider aux travaux ménagers. Carmencita faisait partie du nombre. José ne voyait pas l'intérêt de l'envoyer à l'école. Et lorsque l'instituteur était allé jusque chez lui pour lui expliquer combien il était important que sa fille fréquente un établissement scolaire, il lui avait claqué la porte au nez en lui disant de se mêler de ses affaires.

Rafael, frissonnant de fièvre, avait espéré tout au long du trajet ne pas trouver son père à la maison. Il n'aurait pas eu la force d'affronter ses reproches. En rentrant dans la pièce, tout lui avait semblé bien calme. Il en avait conclu que les petits et sa mère étaient sans doute chez sa grand-mère et que le père était encore au travail... ou au bar. Rapidement, il avait discerné deux formes allongées dans l'ombre. Craignant d'avoir surpris ses parents dans un rare moment d'intimité, il s'apprêtait à refermer la porte à la hâte, quand il avait entendu une voix murmurer : « Rafael... Rafael, viens m'aider à me lever, s'il te plaît. »

C'était sa mère. Il s'était approché, sans vraiment comprendre.

« Qu'est-ce que tu as, maman ?

— Oh, rien de grave. Je me suis fait un tour de rein. Ça va aller mieux. Ne t'inquiète pas, mon fils. »

Il était surpris de voir sa mère allongée en pleine après-midi. Son père était tourné de l'autre côté. Sa respiration forte et régulière ne laissait aucun doute. Il dormait et cuvait son vin.

« Il t'a encore frappée ? C'est ça, hein ?

— Non. Non. Qu'est-ce que tu vas t'imaginer. Allez, viens m'aider au lieu de dire des bêtises. »

Il sut tout de suite qu'elle mentait. Les poings serrés à lui faire mal, il chercha du regard un bout de bois, une hache, le rouleau à pâtisserie... n'importe quel objet lourd pour fracasser le crâne de son père qui gisait sans défense. Il imaginait clairement la scène : il se dirigeait calmement vers cet homme qu'il détestait et l'objet s'abattait lourdement sur sa tête dans un fracas d'os brisés. Il fut pris soudain d'un haut-le-cœur et courut dehors vomir dans un coin. Puis, d'un coup, la noirceur l'envahit. Il se sentit glisser sur la terre humide et perdit connaissance.

À son réveil, il était allongé sur son matelas, une serviette humide sur le front. Sa mère était assise à ses côtés, une jatte sur les genoux, en train de peler des pommes de terre. Son jeune frère jouait à ses pieds.

« Maman ? avait-il murmuré.

— Ah ! Dieu merci, tu te réveilles enfin.

— Qu'est-ce qui s'est passé ?

Tout était flou dans son esprit. Il paniqua soudainement à l'idée de ne pas avoir rêvé la scène où il tuait son père. Affolé, il chercha José du regard, mais il ne semblait être nulle part.

« La fièvre, mon fils. La fièvre. Tu as déliré toute la nuit. Ton père est allé chercher le docteur. Il a dit que tu avais attrapé un gros froid. Il t'a administré une piqûre. Il doit revenir te voir dans la soirée. »

Six mois après la mort de Pepito, un médecin de Marseille était venu habiter à Peyriac et, même s'il avait installé son cabinet dans la grande ville de Limoux, à cinquante kilomètres, il acceptait volontiers de soigner les habitants du village quand il y avait des urgences.

Rafael éprouvait de la colère envers lui-même. Il s'était montré si faible! Une vraie femmelette. Non seulement il avait perdu connaissance mais en plus, son père, ce lâche qu'il aurait aimé pulvériser, lui avait peut-être sauvé la vie en allant chercher le médecin. Sa mère lui dit que lorsqu'elle l'avait vu à terre, elle avait secoué José en hurlant de ramener le docteur. Il avait obtempéré tout de suite, devinant l'urgence dans la voix de sa femme, et il avait veillé sur lui une partie de la nuit. Son père excellait dans l'inconstance: il pouvait se montrer ignoble et, l'instant d'après, être le plus charmant des maris ou des pères. Rafael lui en voulait d'éroder ainsi la haine qu'il fomentait à son égard. Tout était à refaire! Ce n'était pas facile de haïr son géniteur au point de souhaiter le faire disparaître de la surface de la terre, sans qu'en plus ce dernier se mette à se montrer attentionné aux moments où on s'y attendait le moins! C'était déroutant et cela embrouillait les sentiments qu'il éprouvait à son égard.

Sa mère lui apporta un bouillon chaud et il s'endormit avec la confiance d'un nouveau-né, sécurisé par les bruits familiers du foyer.

Lors de cette terrible nuit où, délirant, il avait été convaincu d'avoir réellement tué son père, Rafael avait pris la résolution de prendre ses jambes à son cou à chaque fois qu'il sentirait monter en lui le désir effréné de se jeter sur lui. Et, quand il vit que son père avait une fois de plus levé la main sur sa mère, quand il aperçut son œil tuméfié qu'elle tentait de dissimuler en chantant, il préféra s'enfuir et se calmer. Carmen fut soulagée de le voir repartir.

Elle vérifia si la lettre était toujours dans son tablier. Que pouvait-elle contenir? Un mauvais pressentiment. Elle savait que le malheur s'annonce toujours en quelques mots, à petite dose, pour ne pas tuer. Et qu'on y répond par un hurlement ou le silence. Elle ignorait quand Rafael allait revenir et José, lui, ne se réveillerait pas avant le lendemain matin. À bout de patience, elle décida d'aller cogner à la porte de madame Bertrand, leur nouvelle voisine qui venait d'aménager avec son mari et son fils de douze ans. Elle ne savait rien de ce ménage, si ce n'est qu'il venait d'un autre village du Sud-Ouest et que la femme était Espagnole. Elle l'avait entendue parler à son fils dans la langue de Cervantès, un jour où il avait brisé un carreau de leur cuisine avec un lance-pierre en visant un chat de gouttière. De fait, elle ne lui avait pas parlé, mais lui avait plutôt passé un savon et, dans sa colère, sa langue maternelle avait pris le dessus.

Carmen recoiffa son chignon, mit un tablier propre et s'en alla cogner à sa porte. Lorsque la jeune femme lui ouvrit, Carmen afficha son plus beau sourire et, tout en restant sur le perron, elle lui montra la lettre : « Bonjour, madame Bertrand. Je m'excuse de vous déranger. J'ai reçu une lettre de ma sœur aujourd'hui mais je ne sais pas lire. Vous voyez, il n'y a pas beaucoup de lignes et je me demandais si...

— Excusez-moi, Madame, je ne parle pas espagnol », lui rétorqua-t-elle dans un français sans accent.

Carmen resta abasourdie. Elle ne s'attendait pas à cette réponse. Jusqu'à présent, tous les Espagnols qu'elle avait rencontrés au village n'avaient fait aucune manière pour lui parler dans leur langue maternelle, surtout quand ils s'apercevaient qu'elle avait de la difficulté à s'exprimer en français.

« Mais je vous ai entendu parler espagnol avec votre fils, dit-elle en français cette fois-ci et en s'appliquant du mieux qu'elle pouvait.

— Je vous ai dit, Madame, que je ne parlais pas espagnol. Je suis désolée. »

En apercevant derrière Carmen une autre voisine du quartier qui passait dans la rue, elle avait haussé la voix, sans aucune agressivité, seulement pour être sûre d'être entendue. Du moins, c'est ce que Carmen en déduisit.

« Excusez-moi, madame Martin, il faut que je retourne dans la cuisine. J'ai un rôti au four. Bonne journée à vous.

Encore désolée. » Elle referma doucement la porte. Carmen resta immobile, la lettre dans la main, fixant la porte dans l'espoir de la voir s'ouvrir de nouveau, comme s'il s'agissait d'une mauvaise blague.

Elle était très déçue de rentrer chez elle en ignorant toujours ce que la lettre contenait et tout cela, par la faute de madame Bertrand, qui prétextait ne pas savoir parler sa langue maternelle ! Elle tenait donc tant à cacher son hispanité ? C'est vrai qu'avec le nom de son mari et sans aucun accent, il n'y avait plus vraiment de trace ibérique en elle. « Faire Française le plus possible » devait être son credo depuis de nombreuses années. Elle aurait pu tout au moins la faire entrer chez elle et lui lire la lettre ! Ni vu ni connu. Non ! Carmen avait du mal à accepter cette mise à l'écart. La jeune femme devait craindre, sans doute, de la rencontrer au marché ou à l'école, et cette rencontre risquait de lui être fatale ! Son secret n'en serait plus un. Il suffisait d'un seul mot en espagnol pour qu'on devine ses origines. Carmen savait tout cela, mais ne comprenait pas cette honte qui l'empêchait de porter assistance à une compatriote. Les Espagnols ne faisaient de mal à personne après tout. Ils travaillaient dur pour ce pays qui les avait si généreusement accueillis. Elle s'était mise à aimer la France. Elle ne voulait pas la craindre.

Elle n'avait lu aucune animosité dans le regard de madame Bertrand. Pas plus que de l'irritation. Plutôt une espèce de fatalité qu'elle ne savait expliquer. Comme si être Espagnol était une malédiction contre laquelle on ne peut rien. Elle est encore si jeune, elle n'a pas dû connaître la misère, ça expliquerait son indifférence, croyait Carmen. Et sans se poser davantage de questions, dont les réponses n'auraient de toute façon en rien calmé ses appréhensions, elle retourna chez elle et attendit que son fils revienne. Tout en caressant distraitement la joue d'Eugenio, elle se mit à prier pour que ses enfants ne ressemblent pas à madame Bertrand, pour qu'aucun d'entre eux ne refuse leur aide de peur de ce que les autres pourraient penser. «La vie nous donne déjà suffi-samment de bonnes raisons pour ne pas porter assistance aux autres, dit-elle à haute voix dans sa prière. Faites, Seigneur, que mes enfants n'aient pas le péché d'orgueil devant la détresse des autres.»

La colère commençait à monter en elle. Madame Bertrand l'avait humiliée gratuitement, sans aucune raison! Il lui aurait fallu trente petites secondes pour lui lire la lettre et la délivrer de son tourment. Trente malheureuses secondes qui lui auraient ôté l'angoisse qui oppressait à présent sa poitrine. Elle n'avait même pas daigné regarder le papier. D'ailleurs, elle ne l'avait même pas regardée, elle non plus. Aux yeux de cette voisine, elle n'existait pas. Elle n'était qu'une petite femme insignifiante qui avait osé l'importuner comme une vulgaire colporteuse. Mais elle existait! Carmen était à deux doigts de retourner la voir et lui crier qu'elle devrait avoir honte de ne pas l'aider, de ne pas...

Quelqu'un venait de frapper à la porte. Timidement. Peut-être pour ne pas être entendu. C'était la voisine, debout devant elle, l'air attristé: «Excusez-moi, madame Martin.» Décidément, madame Bertrand ne faisait que s'excuser. Sauf que cette fois-ci, elle le faisait en espagnol!

«Je ne sais pas lire, moi non plus. Ni en espagnol, ni en français.

— Oh!»

Carmen se sentit confuse d'avoir eu des pensées si peu chrétiennes à son égard. Elle était tellement centrée sur sa personne et ses problèmes qu'elle n'avait pas su voir le malaise de la jeune femme.

«Ce n'est pas grave, madame Bertrand. Je vais attendre que mon fils revienne.» Elle esquissa un geste pour la faire entrer et lui offrir une tasse de café, quand elle se souvint soudain que José ronflait au fond de la pièce. «Je vous aurais bien offert une tasse de café, mais mon mari est malade et... il est en train de dormir et... nous n'avons qu'une seule pièce.»

Madame Bertrand lui sourit: «Ça ne fait rien. Je comprends. Ce sera pour une autre fois. Si vous avez besoin d'aide, n'hésitez pas à venir me voir. Enfin... pour autre chose que de la lecture. »

Les deux femmes se mirent à rire et, soudain, sans que Carmen ne s'y attende, madame Bertrand lui saisit la main et chuchota: «Il n'a pas le droit de vous faire ça.» Elle pointait de son regard l'œil tuméfié de Carmen.

«Oh non, ce n'est pas ce que vous croyez. Je me suis cognée à la porte du placard en me relevant trop vite. C'est ma faute. »

Madame Bertrand hocha la tête, fit une moue qui signifiait qu'elle n'était pas dupe et s'éloigna en lui faisant un signe de la main.

29

LE CINÉMA ET LE
DÉBARQUEMENT DE NORMANDIE

30 octobre 1974
Mon très cher Jo,

Cette après-midi, je suis allée avec l'Abuela au cinéma, à l'Alhambra, dans le quartier Saint-Henri. On est mercredi, et le mercredi, on n'a jamais classe. C'est mon jour préféré de la semaine. Ma grand-mère me garde et on passe la journée toutes seules. On peut faire ce qui nous plaît... personne pour nous crier dessus. Mes crayons de coloriage, je les laisse par terre. Mes chaussettes, au milieu du couloir. Mon bol de céréales à moitié vide, sur la table. Elle est cool, ma grand-mère. Sauf qu'elle devient nerveuse juste avant que la Violeta arrive. C'est le prénom de ma mère. Une violette, c'est une minuscule fleur mauve délicate qui, dans le langage des fleurs, est le symbole de la timidité, la modestie et la pudeur. Le contraire de ma mère! Tellement qu'on ne peut pas faire plus contraire. Moi, je dis qu'on devrait pouvoir rebaptiser les gens à leur mort. C'est vrai, quoi! Il faut penser aux autres. Tu imagines si tu deviens célèbre? Tu deviens du coup éternel et c'est long l'éternité. Même pour toi, Jo. Rappelle-toi le journal d'Anne Frank que tout le monde connaît (même moi!). Tu te rends compte si elle avait appelé son journal «Torchon»... c'est un coup à te faire devenir inconnu. Comme Hitler. Tu imagines s'il s'était appelé «Innocent»? (Oui, je sais. Je suis aussi surprise que toi que ce soit un prénom. Mais c'est un vrai prénom... j'ai vérifié.) La pilule est dure à faire passer, non? Je vois d'ici le maître à l'école commencer son cours par «Innocent Hitler». C'est un coup à foutre des émeutes dans les cours de récréation et même dans la rue, si on n'y prête pas attention.

Bon, il faut encore que je fasse des dispersions. Je reprends. Je disais donc que, lorsque ma mère est sur le point d'arriver, c'est le branle-bas de combat. On fait une inspection complète de l'appartement. Vite! regarde sous le divan, qu'elle me dit, pour voir s'il n'y a pas des machins qui traînent. Et la cuisine, j'te dis pas! Faut que je la passe au peigne fin à la recherche d'éclaboussures d'huile ou de miettes de pain. Ça, c'est mon job, parce que l'Abuela a une cataracte et qu'elle ne voit pas très bien. Je t'ai déjà dit que chez ma mère on peut manger par terre, tellement ça brille? Elle a la maniaquerie de la propreté. Elle a hérité cette maladie de l'Abuela, avec les intérêts en plus. Quand mes copains ou mes copines viennent me voir, je suis obligée de leur faire enfiler des patins en feutre ou bien de leur demander d'enlever leurs souliers. Pourquoi? Mais parce que d'après ma mère, ils risqueraient de marquer le plancher avec leurs chaussures! Je vais finir par être célibataire d'amis si ma mère continue à déchausser mes camarades. Ils ne veulent plus venir, ils disent qu'ils se sentent ridicules à marcher comme des astronautes en glissant un pied devant l'autre. Je reconnais qu'ils n'ont pas tort. Mais ils préfèrent quand même mettre les patins que d'enlever leurs godasses (à l'exception de Mohamed, qui est habitué à cette nudité pédestre depuis qu'il accompagne ses parents à la mosquée). Et pour couronner le tout, la Violeta, elle met un drap blanc sur le divan pour qu'on ne le salisse pas. Le problème, c'est qu'on n'a pas le droit non plus de salir le drap! Quand j'ai dit à mon amie martiniquaise de faire attention à ne pas le tacher, elle s'est mise en colère:

« Tu me dis ça parce que je suis Noire, hein? (En passant, c'est vrai qu'elle est très noire. Si noire, qu'on dirait un trou dans le décor.)

— Ben non, que je lui ai répondu, je ne suis pas idiote. Je sais bien que les Noirs, ils ne déteignent pas. Ça se saurait. »

Depuis une semaine, elle refuse de m'adresser la parole. À cause du drap ou de la teinture. Je sais pas trop.

Cette après-midi, j'ai laissé les patins, le drap, les amis... trop compli-
qué et je suis partie avec l'Abuela voir un film à l'Alhambra. C'est un
petit cinéma avec une seule salle de projection. On peut y aller à pied
ou en bus, ce n'est pas très loin de chez nous. On a regardé un film
de guerre sur le débarquement de Normandie et, à l'entracte, je me
suis empiffrée de caramels. Un peu trop, j'ai mal au cœur. Pas grave,
je suis hypercontente de mon après-midi et, demain à l'école, je vais
pouvoir lui en mettre plein la vue à Frédéric. Imagine-toi donc! Mon
oncle a participé au débarquement de Normandie! Je n'en revenais
pas quand l'Abuela m'a annoncé cette grande nouvelle en pleine
représentation. Au début, lorsque j'ai appris que le film était un film
de guerre, j'ai eu un peu peur qu'on s'ennuie toutes les deux. Tout
le monde sait que les films de guerre, c'est pour les garçons. Quand
ma grand-mère a compris – à la moitié du film – qu'il s'agissait du
débarquement en Normandie et qu'elle a vu le drapeau anglais flotter
sur un bateau, elle a crié: «Tu oncle Rafael también[36], il a fait el
débarquement en Normandie con[37] les Anglais.» J'ai eu l'impression
que tout le monde dans la salle nous regardait, tellement elle a parlé
fort. Et moi, je déteste me faire remarquer. Je sais que l'Abuela non
plus, elle n'aime pas se faire remarquer mais quand elle va au cinéma,
elle oublie, une fois les lumières éteintes, qu'on n'est pas seules. Je lui
ai fait signe de parler moins fort et elle a murmuré, gênée: «Sí, sí.»

Moi, je n'ai plus écouté le reste du film. Une image n'arrêtait
pas de trotter dans ma tête. Mon oncle Raphaël en plein débarque-
ment de Normandie! Avant de le savoir, je le trouvais plutôt sympa.
Aujourd'hui, il est carrément mon héros! Il va me servir à marquer
des points contre ce crétin de Frédéric. Je suis sûre que personne
dans sa famille n'a accompli ce genre d'exploit! Il s'en serait vanté
depuis longtemps, surtout qu'il se trouve de plus en plus en panne
de munitions.

En sortant du ciné, j'ai bien entendu harcelé ma grand-mère de
questions: «Quand, comment, pourquoi?» Elle m'a expliqué que

---

36. aussi
37. avec

les Américains et les Anglais avaient débarqué en Algérie avant la Normandie, en novembre 1942. Et que Raphaël, qui avait à cette époque dix-neuf ans, avait couru s'engager dans les forces britanniques. Elle est restée sans nouvelles de lui jusqu'à mon baptême. Et d'un coup, elle s'est arrêtée de parler et a hoché silencieusement la tête de bas en haut. J'ai bien vu qu'elle venait de partir très loin, de l'autre côté de la Méditerranée. Je lui ai pris la main pour qu'elle ait envie de revenir et qu'elle ne se perde pas. J'ai attendu patiemment son retour. Et quand elle est revenue, je lui ai demandé avec douceur, pour ne pas qu'elle s'en aille à nouveau : «Pourquoi il est parti ?»

J'avais une autre question qui me démangeait encore plus : «Pourquoi tu n'as plus eu de ses nouvelles ?» J'ai débuté par celle qui faisait le moins mal.

«Pour ne pas matar su padre.

— Pour ne pas tuer son père ?»

Je savais que mon grand-père n'était pas un homme supersympa, mais de là à vouloir le tuer !

«Il né supportait pas que me pega[38].»

Je n'aurai pas droit à plus de détails. Elle n'aime pas développer sur ce sujet. J'ai alors opiné de la tête et j'ai décalé le mal. «Est-ce qu'il frappait Raphaël aussi ?

— Claro !»

Le «bien sûr» était si appuyé et si ferme que mon grand-père s'est changé soudain en sale brute, le genre de monstre qu'on voit dans les films en état d'illégitime attaque sur leur femme et qui finit par se faire tuer par quelqu'un.

La deuxième question me brûlait les lèvres.

«Pourquoi tu es restée sans nouvelles de lui pendant... »

Il fallait que je calcule. Vite ! Elle l'a revu à mon baptême. Ça veut dire en 1964. Soixante-quatre moins quarante-deux, ce qui fait... vingt-deux ans !

«... Vingt-deux ans !»

Deux fois mon âge !

_____

38. Il ne supportait pas qu'il me frappe.

«No lo sé.» *Celle-là, de réponse, je ne m'y attendais pas. Il y a dix ans qu'elle le revoit tous les ans et elle ne sait toujours pas pourquoi il n'a jamais donné de ses nouvelles ?*

Au début, bien sûr, elle a cru qu'il était mort à la guerre. Et elle a attendu, attendu. Je t'ai déjà dit que l'Abuela est patiente, non ? Eh bien, elle a attrapé cette qualité en attendant la mort de son fils. Elle tremblait chaque fois que le facteur lui remettait une lettre. Pour rien. Aucune ne lui parlait de son Raphaël. Elle s'est décidée à aller voir la Croix-Rouge pour leur demander de l'aide. Mon grand-père ne l'a pas beaucoup aidée dans ses démarches. Pour lui, son fils était mort, en vrai et peut-être dans son cœur aussi. La Croix-Rouge l'a un peu rassurée en lui disant que Raphaël n'était pas mort à la guerre, sinon elle en aurait été avisée par l'armée ou quelqu'un du gouvernement. On s'occupe mieux des soldats une fois morts, paraît-il. Elle a repris espoir et, un jour, une dame de la Croix-Rouge est venue la voir et lui a annoncé qu'ils avaient enfin retrouvé la trace de son fils en Angleterre. C'était en janvier 1964. Et moi qui croyais qu'il avait toujours fait partie de notre famille ! Ben non, il est devenu mon oncle à mon baptême seulement. Personne n'a jamais su pourquoi il n'avait pas donné de ses nouvelles.

«*C'est pas grave.* No quiero saberlo. El *plus* importante c'est que yo *l'ai retrouvé*[39] !»

C'est tout ma grand-mère, ça ! Elle a le sens des priorités.

---

39. C'est pas grave. Je ne veux pas le savoir. Le plus important, c'est que je l'ai retrouvé.

30

Juin 1936 : Peyriac-Minervois

Elle ne comprenait pas ce qui motivait José à vouloir absolument partir à Madrid avec toute la famille.

Une semaine auparavant, Rafael avait fini par revenir, enfin calmé, et lui avait lu la fameuse lettre :

> *Carmen, notre mère est au plus mal. Elle a attrapé cet hiver une mauvaise bronchite qui ne guérit pas et qui la rend de plus en plus faible. Elle approche les quatre-vingts ans et le docteur dit qu'elle ne passera pas l'été. Elle te réclame et je crois qu'il serait bien que tu viennes la voir le plus vite possible. Je t'envoie de l'argent pour le voyage. On t'attend. Viens vite. Conchita*

Carmen aimait sa mère. Sa sœur avait raison. Elle devait se rendre à son chevet, c'était là son devoir de fille. Par pudeur, pour ne pas montrer son affliction à son fils, elle était sortie dehors chercher du bois. En rentrant dans la maison, chargée de bûches, elle se heurta à Rafael, qui sortait la rejoindre. Il lui prit son fardeau des mains, le posa à terre et, sans un mot, l'entoura de ses bras comme l'aurait fait un homme. Il la serra contre lui en continuant à se taire. Elle laissa ses larmes couler silencieusement pour ne pas rompre le confort bienfaisant du moment. La journée avait été trop pénible. Mais elle ne devait pas se plaindre. Combien de femmes pouvaient se vanter d'être prise dans les bras d'un fils aimant? Malgré tout, la vie la comblait. Tous les enfants finissent par perdre leur mère. Il arriverait le jour où ce serait le tour de Rafael. Elle espérait que ce jour-là, il aurait lui aussi la chance d'avoir un enfant qui le prenne ainsi sur son cœur.

Le lendemain, elle annonça à José qu'elle partait pour deux semaines voir sa mère mourante à Madrid. Il refusa aussitôt d'un ton ferme : « Non. Pas question que tu partes, avec ce qui se passe là-bas. »

Elle savait que l'Espagne vivait des moments difficiles, surtout depuis que le Front populaire avait été porté au pouvoir quatre mois plus tôt, en février. Elle avait entendu José en parler quelquefois avec Miguel, et les nouvelles à la radio semblaient aller dans le même sens. Plus jeune, elle ne s'était pas vraiment intéressée à la politique et, illettrée, elle n'en comprenait que ce que José ou les autres voulaient bien lui dire. Or, depuis que la radio était rentrée au village, elle parvenait à se faire une idée plus juste du monde qui l'entourait. Elle l'écoutait, dès qu'elle le pouvait, pour avoir des nouvelles de son pays. Et dans l'attente d'informations sur sa terre natale, elle s'abreuvait de politique sans s'en apercevoir. Il y avait beaucoup d'émissions et de débats politiques, très peu d'émissions de divertissements ; aussi écoutait-elle la radio sans se sentir coupable. Elle s'informait, voilà tout ! C'était un moyen de garder le contact avec ceux qui étaient restés de l'autre côté de la frontière et un moyen, également, de s'intégrer à cette France dont elle ne connaissait que le petit village de Peyriac-Minervois.

Elle ne pouvait écouter la radio que chez madame Montserrat, où elle faisait le ménage et le repassage trois fois par semaine. Seuls les gens aisés possédaient une T.S.F. qui coûtait l'équivalent d'une année de salaire d'un ouvrier. Monsieur Montserrat, un des hommes les plus fortunés du village, sans cesse à l'affût de la dernière technologie en vogue, en avait fait l'acquisition très rapidement. Sa femme avait installé l'appareil, un superbe Ducretet C45 en bois, bien en évidence dans le salon sur le magnifique napperon confectionné par Carmen, qui en avait fait cadeau à sa patronne. La radio, rehaussée d'un cercle chromé qui enfermait le célèbre diapason de Ducretet, scintillait autant qu'un joyau. Madame Montserrat n'était pas issue d'une grande famille de propriétaires terriens, contrairement à son mari. Elle avait conservé de son modeste milieu rural une humilité qui plaisait à Carmen. Mais il lui arrivait quelquefois de s'enorgueillir d'un nouvel achat que son mari faisait. Ce fut le cas lors de l'acquisition de la radio. Quand Carmen lui remit le napperon qu'elle lui avait crocheté, sachant qu'elle adorait ces pièces de tissu faites main, elle s'empressa de mettre la T.S.F. dessus et se mit aussitôt à s'extasier sur le poste, sans aucun égard pour le napperon. Carmen n'en prit cependant pas ombrage, sachant fort bien que sa patronne avait tout de même apprécié son cadeau. L'effet désiré était réussi.

Carmen, qui jusqu'alors n'avait pas vraiment porté attention à ce nouvel achat, lui demanda candidement à quoi pouvait bien servir cette belle boîte qui ne s'ouvrait pas. Le rire de sa patronne la froissa un peu jusqu'à ce qu'elle entende des voix sortir de l'appareil. Une incroyable coïncidence voulut qu'on y parle, à cet instant précis, de l'Espagne et de l'assassinat sauvage de quatre gardes civils, que des paysans en colère avaient tués et coupés en morceaux à Castilblanco, dans la province de Badajoz, là où elle s'était mariée. Qu'allait donc penser madame Montserrat ? Que tous les Espagnols étaient des barbares ? Elle eut peur soudain de perdre son emploi. Et si sa patronne allait s'imaginer qu'ils étaient eux aussi des assassins ? Le regard rassurant de madame Montserrat, qui semblait avoir deviné ses craintes, réussit à calmer ses appréhensions. Depuis ce jour, elle l'incita à écouter la radio en faisant le repassage et le ménage du salon, car, à cette heure-là, la maison était inoccupée.

Trois fois par semaine, Carmen allumait donc religieusement la boîte parlante, après avoir pris soin d'en astiquer le chrome. Au fil des années, elle finit par se faire une certaine idée de l'Espagne, du chaos dans lequel son pays vivait. Depuis 1931, il n'y avait plus de monarchie, le roi s'était exilé à Rome. À la place s'était installée une République. Quand elle apprit que cette République donnait le droit de vote aux femmes, tandis qu'en France ce droit n'était pas acquis, elle pensa que c'était plutôt une bonne chose. Pour elle, il était trop tard, bien sûr. Elle avait toujours cru que pour voter il fallait savoir lire le bulletin de vote. Pour sa fille, ce serait peut-être bien. Enfin ! si José voulait bien la laisser fréquenter l'école. Lorsqu'elle apprit ensuite que cette République permettait aussi le divorce, elle éprouva le même soulagement que ressentent les prisonniers de guerre à qui on annonce la fin de la guerre, mais qu'on tient dans l'ignorance du moment de leur libération. Là encore, elle savait que pour les femmes du peuple, ceci se résumait à une belle idée, un concept davantage destiné aux riches épouses ou héritières. Cela ne convenait pas aux femmes sans le sou qui devaient nourrir leurs enfants. Néanmoins, elle était contente de savoir que des gens instruits, quelque part à Madrid, voulaient changer la donne. Ces deux seules réformes lui suffirent pour cautionner la République.

Elle se désolait de voir son pays continuer à souffrir de la pauvreté, tout comme elle se désolait de voir que tout le monde avait peur de tout le monde. Les uns craignaient les fascistes pendant que les autres se méfiaient des bolchéviques, et entre les deux rien n'existait, si ce n'était un immense gouffre qui forçait les Espagnols à choisir un bord pour ne pas tomber dans le vide. La République glissa d'une gauche centriste à une droite centriste. Puis, en 1934, une droite plus radicale entra au gouvernement, un an après que Hitler ait pris le pouvoir. Pendant des mois, elle avait entendu José et Miguel déblatérer contre ce nouveau gouvernement qui représentait la République espagnole :

«Je te dis que le fascisme est en train de s'installer en Espagne aussi. Regarde autour de toi, il est partout déjà. En Allemagne, en Italie, au Portugal. La CEDA[40] ne prendra en compte que les intérêts des sales bourgeois et des grands propriétaires terriens. Encore une fois, nous, le peuple, on sera les dindons de la farce. On va continuer à se faire exploiter et à travailler plus fort que des animaux pour les enrichir...»

Depuis que sa famille vivait en France, elle avait de plus en plus de mal à se sentir concernée par ce qui se passait en Espagne. Ici, ils mangeaient à leur faim la plupart du temps. Elle redoutait le moment où José les obligerait à repasser la frontière. Elle était Espagnole et le resterait jusqu'à sa mort. Mais qu'y avait-il de mal à le rester en France? Ses enfants parlaient parfaitement le français. Peut-être que, dans quelques années, personne ne ferait plus attention à leurs origines. Fallait-il qu'elle meure de faim dans son pays pour lui témoigner son attachement? Elle était une simple mère de famille, déshéritée et sans instruction. Que pouvait-elle faire pour changer le monde? Elle ne pouvait que subir. Et son mari, qu'aurait-il vraiment pu faire s'ils étaient restés là-bas? Il parlait beaucoup et fort, mais elle avait l'intuition que ça s'arrêtait là!

Elle se demandait si sa fuite vers la France n'avait pas été pour lui davantage un prétexte pour ne pas s'avouer son impuissance que la crainte de voir les siens mourir de faim.

Elle se prit à penser qu'elle était peut-être dans le vrai lorsqu'il la chapitra à nouveau: «Non. Pas question que tu partes avec ce qui se passe en ce moment.»

Ainsi il n'avait pas l'intention de prendre une part active aux événements qui se déroulaient là-bas. Tous les jours, des gens y mouraient, assassinés. C'était encore pire depuis

---

40. Confédération Espagnole de la Droite Autonome : alliance de partis catholiques de droite rassemblés sous Gil Robles.

février, depuis que *el Frente popular* (le Front populaire) avait pris le pouvoir aux dernières élections. Des milices avaient éclos à travers tout le pays. Les nationalistes s'attaquaient à tous ceux qui étaient noirs ou rouges : les anarchistes, les syndicalistes, les communistes. Tandis que les milices ouvrières s'en prenaient à tous ceux qui portaient cravates ou robes : les bourgeois et les prêtres. Et les représailles de s'enchaîner sans s'essouffler.

« Écoute, Pepe. Je dois partir. Je laisserai les petits à ta mère et tes sœurs. Elles s'en occuperont durant mon absence. Tu n'auras pas à t'en préoccuper.

— Ma mère et mes sœurs ne sont pas à ta disposition !

— Elles me l'ont déjà proposé. Ma mère va mourir. Je dois y aller. Je n'ai pas le choix. Je suis désolée. »

Elle avait parlé sans crainte ni peur. Sa résolution était prise. Elle savait que ses enfants seraient en sécurité chez sa belle-mère. Elle était prête à subir l'ire de son mari si c'était la seule solution. Il l'avait bien compris, lui aussi. Il l'avait rarement vue si déterminée et il prit soudain sa décision :

« Puisque tu ne changes pas d'avis, on partira tous avec toi.

— Tous ?

— Oui. Les enfants et moi. On t'accompagnera là-bas.

— Mais ton travail... et l'argent pour les billets de train ?

— Ne t'inquiète pas, je vais m'arranger. »

Il n'y avait rien qui l'inquiétait plus que lorsqu'il refusait de lui répondre en lui disant de ne pas s'inquiéter.

Une semaine plus tard, il revint avec l'argent. Le départ était prévu pour le lendemain, ce qui leur donnait peu de temps pour se préparer. Partir avec trois enfants, dont un très jeune – Eugenio n'avait que deux ans –, lui paraissait une très mauvaise idée. Sa sœur pourrait-elle tous les loger ? Et si l'un d'eux tombait malade ? Ici au moins, elle savait où trouver un docteur. Mais là-bas ? Peut-être même y avaient-ils perdu tous leurs droits. José n'avait pas cédé devant ses craintes.

Elle le trouvait changé depuis qu'il avait décidé de repartir chez eux. Il était plus joyeux, plus fébrile. Elle ignorait où il avait pu se procurer l'argent pour le voyage. À part Miguel, sa mère ou une de ses sœurs, elle ne voyait pas vers qui il aurait pu se tourner pour emprunter une telle somme. Que son employeur l'ait laissé partir précipitamment en lui permettant de prendre un congé de deux semaines la laissait également perplexe. Le périple avait un goût d'aller simple. Et si elle s'était trompée ? S'il ne rêvait que de se lancer dans la bataille lui aussi ?

Les effluves du passé, riches d'une vie de misère, refirent surface et sa détermination à partir s'amoindrit. Aux portes de la quarantaine et avec trois enfants, elle n'avait plus assez d'énergie pour faire face aux malheurs, les siens et ceux des autres. Elle était à l'abri du besoin ici. Ses enfants avaient le ventre plein. Rafael fréquentait l'école. Là-bas, elle n'avait jamais rien saisi à la politique. Comment l'aurait-elle pu ? Elle y avait renoncé, prise dans la spirale des urgences qui ne lui avaient laissé aucun répit. Ici à Peyriac, elle comprenait un peu plus le monde et son fonctionnement. José voulait-il la replonger dans l'obscurantisme ? Lui remettre la tête dans le sable et lui ordonner de faire l'autruche ? La politique n'était pas l'affaire des femmes, et encore moins celle des mères, des analphabètes et des pauvres. Bien sûr, elle avait entendu parler de la *Pasionaria*, cette Dolores Ibárruri, une ouvrière communiste qui venait d'être élue députée des Asturies. José la détestait. D'abord parce qu'elle était communiste, ensuite parce qu'elle avait quitté son mari et ne s'occupait pas de ses enfants et, pour finir, parce que c'était une femme. La mère en elle désapprouvait le parcours de la *Pasionaria*; la femme en elle l'admirait. Elle secoua la tête, chassant cette image impure. La *Pasionaria* était une exception. Carmen avait la force du nombre avec elle.

Elle savait que questionner son mari ne servirait à rien. Il ne répondrait pas ou, au mieux, il mentirait.

Elle passa la soirée à astiquer la maison et à faire les valises, sans se départir de cette sensation étrange qui lui barbouillait l'estomac, une sorte d'angoisse qu'elle essayait d'évacuer en frottant énergiquement meubles, murs et plafonds. L'intuition que ce voyage n'avait aucun billet de retour ne la lâchait pas. Au matin, elle partit se recueillir une dernière fois sur la tombe de Pepito. Elle arracha méticuleusement les mauvaises herbes autour de la modeste dalle blanche. Deux fois par semaine, elle rendait visite à son petit garçon, nettoyait sa tombe et y déposait des fleurs fraîches et blanches qu'elle cueillait dans les champs. Puis, elle frottait la dalle, à genoux, avec une brosse en chiendent pour qu'elle soit la plus propre du cimetière. Ils n'avaient pas pu lui offrir une vraie pierre tombale. C'était bien au-dessus de leurs moyens. À défaut d'une stèle et d'un soubassement, Pepito avait la tombe la mieux entretenue du cimetière. Elle avait supplié sa belle-mère de veiller sur lui.

«Si vous pouviez changer l'eau du vase et nettoyer sa tombe, s'il vous plaît, mère, ce serait vraiment gentil.

— *Sí, sí...*»

La vieille femme était restée un peu évasive. Elle partageait avec son fils José son aversion des églises et des cimetières.

Ce matin-là, Carmen resta plus longtemps que d'habitude, agenouillée sur la tombe de son enfant. Dans quelques heures, ils prendraient le bus. Direction : Carcassonne. Elle sortit de sa poche un vieux foulard en tissu plein de terre. La dernière fois qu'elle l'avait ouvert, c'était il y a trois ans, au même endroit. Tout était encore si clair dans ses souvenirs ! Elle déposa le foulard sur la dalle, défit délicatement la ficelle pour ne rien renverser et lissa bien à plat les quatre coins du tissu. Elle gratta ensuite le sol avec une binette en prenant soin d'aller au plus proche de la dalle pour y prélever de la terre. Elle en prit une poignée dans sa main tremblotante et la pulvérisa finement entre ses doigts, au-dessus de la terre de Cordoba enserrée dans le foulard depuis si longtemps.

31

L'ADOPTION

Le 3 novembre 1974
Mon cher Jo,

Aujourd'hui, ton vrai nom «journal intime» prend vraiment tout son sens.

Ça me démange tellement de te confier ce que je viens d'apprendre!
Le plus grand secret que j'ai jamais possédé. Il est encore plus fort que celui de Corinne quand elle m'a dit que Fréderic l'avait embrassée, mais ça, c'était peut-être pour se vanter quand je lui avais dit que je... voilà que je me disperse à nouveau.

Bon, je me lance!

Mercredi, je suis donc allée au cinéma avec l'Abuela et là, en sortant de la salle, elle m'a raconté qu'elle avait perdu de vue mon oncle Raphaël durant plus de vingt ans.

Cette après-midi, en aidant ma mère à plier les draps, j'ai tout de suite vu qu'elle était dans un bon jour. Aussi, je lui ai répété ce que ma grand-mère m'avait dit.

«Eh oui, la pauvre, elle a beaucoup souffert de son absence! Je me souviens encore quand mon frère est parti, j'avais quatre ans. Ma mère a arrêté de chanter ce jour-là. D'un coup. Elle chantait tellement bien. C'est dommage.»

Je t'avais dit qu'elle était dans son bon jour, ma mère. C'est plutôt rare qu'elle fasse des compliments à l'Abuela! Mais bon, ça lui arrive quand même. Surtout après un repas bien arrosé.

«Surtout que... Ah non! je ne devrais pas te le dire. Tu es trop jeune pour comprendre.»

Évidemment, il y a rien de pire que de s'entendre dire qu'on est trop jeune pour comprendre. C'est vrai, quoi ! Surtout que pendant qu'elle lit les romans photos dans Nous Deux, moi je me tape les mots du petit dictionnaire Larousse illustré en noir et blanc que j'ai demandé le jour de mon anniversaire. Je crois bien que si elle comprend, je comprends ! Je n'ai rien dit. Trop peur du coup de savate. J'ai plutôt profité de sa bonne humeur pour lui dire : « Allez, maman. Dis-le-moi. Je suis grande. Et puis... je suis ta fille chérie, non ? »

En prononçant la dernière phrase, je me suis sentie rougir un peu. Pas l'habitude d'être aussi gentille avec ma mère, moi non plus. Maudit héritage qui nous colle à la peau !

« D'accord. Mais que ça reste entre nous. Tu ne le répètes à personne, tu as compris ? » J'en revenais pas ! J'allais avoir droit à un secret de famille ! Comme dans les feuilletons à la télé !

« Ben oui, bien sûr. À qui veux-tu que je le répète ? »

À Corinne, Isabelle, Brigitte, Nadine, Sonia, et même Frédéric, si c'est un secret qui peut l'impressionner.

Et tout en continuant à plier les draps, elle s'est lancée dans la confidence : « Voilà... Raphaël n'est pas le fils de l'Abuela. Il a été adopté et il ne le sait toujours pas. »

Ouf ! C'est vrai que c'était toute une nouvelle. Je me demandais pourquoi ma mère connaissait ce secret et pas Raphaël. Après tout, c'était lui le principal intéressé. Quand je lui ai posé la question, j'ignorais que la suite allait être encore plus croustillante.

« Elle n'a pas pu faire autrement que de me le dire. J'ai bien vu que quelque chose n'allait pas quand elle a retrouvé Raphaël à ton baptême. Il était venu avec sa femme et ses quatre enfants. Lorsqu'elle a vu Raymond, elle a aussitôt compris. Son regard ne peut pas mentir, tu le sais. »

Là, moi, je commençais à être perdue, par contre. Mais il en allait de mon honneur. Je lui avais dit que j'étais assez grande pour comprendre. Je me suis mise alors à réfléchir le plus vite possible. À mon baptême, Raymond, mon cousin, le fils de Raphaël, devait avoir huit ou neuf ans. Je ne voyais toujours pas ! J'ai pris mon air de première de classe et je lui ai demandé, comme s'il était évident qu'elle avait oublié un détail important : « Elle a compris quoi ?

— Que Raphaël était le fils de son mari ! C'est mon demi-frère. »

En prononçant « demi-frère », elle a mis trois traits d'union entre les deux mots, pour me donner le temps de bien assimiler la nouvelle. Elle a aussi arrêté de plier les draps et m'a regardée droit dans les yeux. J'avais l'impression qu'elle attendait une réaction de ma part et je la lui ai donnée en m'exclamant : « Quoi ? Non ! C'est pas vrai ! »

Je faisais semblant, mais je n'avais rien compris évidemment. Bon, j'avais bien saisi que mon grand-père avait trompé ma grand-mère puisqu'il avait un fils d'une autre femme. Mais, comment avait fait l'Abuela pour le deviner, juste à regarder Raymond ?

« Tu as bien compris. Et oui ! Personne n'en aurait rien su si Raymond ne ressemblait pas autant à ton grand-père. »

Voici donc l'explication ! Le parfait exemple d'un atavisme – je viens juste d'apprendre ce mot hier dans le dictionnaire, je suis rendue à lettre B. Tu auras compris, cher Jo, que j'ai évité de faire cette réflexion à ma mère. J'avais trop peur que ça lui coupe son inspiration.

« Quand elle a vu Raymond, elle a pâli. J'ai senti que quelque chose n'allait pas et, à force de l'asticoter, elle a fini par me le dire. Elle se sentait bien idiote de ne pas avoir compris avant. Elle aurait dû trouver louche que mon père veuille adopter l'enfant d'une inconnue, une fille-mère. Elle m'a dit : 'Va savoir... tu as peut-être plein d'autres frères et sœurs que tu ne connais pas.'

— Et qu'est-ce qui s'est passé ensuite ? Elle en a parlé à pépé ?

— Pourquoi faire ?

— Pour être sûre.

— Pas la peine. C'était flagrant. »

En flagrant délit, ouais. Et puis, elle devait bien s'en foutre. C'est elle que Raphaël préférait de toute façon.

« Bon, allez ! Il faut que j'aille préparer la frita[41] *pour ce soir »,* a lancé ma mère avec une désinvolture inattendue après une telle révélation.*

---

41. Plat espagnol à base de légumes.

Si je n'y avais pas fait attention, l'histoire de mon oncle aurait pu finir là, dans la sauce à frita. Mais, maintenant elle est conservée bien au chaud dans mon journal.

« *Oh non ! pas la* frita. *C'est dégueulasse.*

— *Tu n'aimes rien. Une vraie* Patos[42]. *On voit que t'as pas connu la guerre et...* »

Ça y est ! Le charme de la confidence était rompu et j'ai eu droit à une morale bien arrosée.

---

42. Française métropolitaine (dans le glossaire pied-noir).

32

MAISONS EN RUINE

Le 28 novembre 1974
Salut Jo,

Hier, dimanche, je suis allée me promener avec la famille dans la colline, derrière chez nous, la cité du Castellas. Quand je dis la famille, je parle de la mini-smala Hernandez : ma mère, mon père, mon frère, ma grand-mère, ma tante Carmen (la grande sœur de maman) et mes deux cousines : Ghyslaine et Marlène (les filles de ma tante).

J'adore aller me balader dans ces collines. On ne rencontre presque personne et on passe toute la journée à ramasser des fleurs et des figues. Seule dans la campagne, j'ai l'impression que la nature m'appartient, même le vent et le ciel. Ce que j'aime surtout, c'est trouver, par hasard en marchant, des maisons abandonnées et toutes délabrées. Plus elles ont l'air vieilles, sales et tristes, plus je les aime. Elles me font pitié, perdues toutes seules au milieu de quelque part qui n'existe plus. Avant, elles étaient quelqu'un, on les respectait, on prenait soin d'elles, on les nettoyait et elles brillaient de toute leur propreté. Aujourd'hui, elles ne sont plus que des mansardes vides qui sentent la pisse comme de vieilles incontinentes avec des escarres à la place des portes et des fenêtres défoncées. À l'intérieur, il ne reste plus grand-chose, à part des toiles d'araignée et des vieilles cuisinières rouillées. Tu dois te demander pourquoi je les aime, hein ? En fait, je ne sais pas moi-même. Je soupçonne que c'est parce qu'elles ont été belles à une autre époque, quand des gens y vivaient heureux. Et, aussi, parce qu'il se passe plein de trucs dans une maison, en tout cas beaucoup plus que n'importe où ailleurs... au mètre carré.

Tu connais un autre endroit où on peut boire, manger, regarder la télé, dormir, se laver, s'amuser, lire... tout ça dans une même journée et sans se faire engueuler ? Une maison, c'est le contraire d'une prison. Tout y est permis, on y est libre. C'est pourquoi on doit la respecter, pour ce qu'elle a été dans sa jeunesse. Moi, quand je rentre dans une maison, j'ai plein de souvenirs imaginaires qui me viennent en tête et je me sens bien.

Des fois, on a de la chance et on peut mettre la main sur des objets pas trop abîmés. Ma mère, ce qu'elle cherche, ce sont des vieilleries, des « antiquités » qu'elle appelle. Elle pique surtout des anciens fers à repasser sans fil électrique et des moulins à café en bois. Ensuite, elle les astique jusqu'à ce que ça ressemble à des objets qu'on achète chez le brocanteur et elle les met bien à la vue sur une étagère dans la cuisine. L'Abuela ne participe jamais à ces pillages. Elle dit que ce n'est pas bien de faire ça et elle n'oublie pas de refermer la porte derrière elle... quand il y en a une. Lorsqu'on lui dit que ces vieilles affaires n'appartiennent plus à personne, elle dit que ce n'est pas vrai, que les gens qui ont habité ces toits seraient tristes de nous voir profaner leur maison et voler les objets qu'ils n'ont pas eu le temps d'apporter avec eux.

Un jour où, sans raison, je me sentais plus intelligente que d'ordinaire, j'ai pris la défense de ma mère.

« Mais non, Abuela. S'ils les ont laissés, c'est forcément qu'ils n'en voulaient plus.

— Et sus casas[43] ? Ils ne les voulaient plus también[44] pour les laisser dans cet état ? »

Là, elle venait de marquer un point. C'est vrai qu'on a l'impression qu'ils sont partis un peu vite. Devant mon air déconfit, elle m'a offert, sans que je lui demande rien, un petit bout de sa vie. Et, quand ça passe, il faut se dépêcher de le prendre par la ficelle. Sinon il s'envole plus vite qu'un ballon à l'hélium qu'on regarde monter

---

43. leurs maisons
44. aussi

très haut dans le ciel et qui nous fait sentir microscopiques. Elle m'a avoué qu'elle a de la peine quand elle voit ces maisons. Elles lui rappellent celles qu'elle a dû abandonner elle aussi. J'ai écarquillé grand les yeux, je n'en croyais pas mes oreilles.

« Avant, tu vivais dans des maisons aussi grandes ? Avec des escaliers à l'intérieur ?

— No. C'étaient des petits appartements dans des grandas casas qué les proprietarios louaient aux obreros[45]. »

Elle m'a aussi expliqué que dans ces minuscules appartements, qui ne comptaient pas plus de deux pièces, il n'y avait ni salle de bains ni toilettes.

« Et comment vous faisiez pour vous laver et aller aux toilettes ? »

En deux phrases, j'étais passée de la bastide aux latrines. La toilette était reléguée dehors dans la cour et servait à tous les locataires. La nuit, s'ils avaient envie, ils devaient faire dans un seau qu'ils vidaient le matin dans les toilettes sèches dehors. Ouach ! Je m'imagine rencontrer, au petit matin, ma voisine avec un seau rempli de pipi et de merde. On est un peu moins fier après ! Surtout quand, en voulant faire trop vite pour essayer de passer le plus inaperçu possible, tu te casses la figure avec le seau. En tout cas, je suis certaine que c'est déjà arrivé à plein de monde ces histoires d'horreur.

« Et tu as abandonné combien de maisons, Abuela ?

— Abandonadas ? Avec des cosas à nous à l'interior ? Tres : una à Peyriac-Minervois, una à Alicante y una à Alger. Les otras casas, on est partis normalmente[46]. »

On comprend pourquoi elle n'est pas riche, ma grand-mère. À force de devoir tout racheter à chaque fois, peuchère !

---

45. Non. C'étaient des petits appartements dans de grandes maisons que les propriétaires louaient aux ouvriers.

46. Abandonnées ? Avec des choses qui nous appartenaient à l'intérieur ? Trois... une à Peyriac-Minervois, une à Alicante et une à Alger. Les autres maisons, on est partis normalement.

33

Juin 1936: Espagne

Gare de Llérida.

Quand le train entra en gare, ils étaient partis de la frontière depuis plus de trois heures, après avoir été fouillés et interrogés.

Ils avaient passé la frontière française sans encombre; les choses s'étaient corsées du côté espagnol. «Tout le monde est suspect depuis quelque temps, avait tenu à leur préciser un vieil homme qui se tenait sagement derrière eux, dans la longue file où tous les passagers en provenance de France attendaient de passer la douane.»

La queue n'avançait pas vite. Elle s'étirait sur plusieurs centaines de mètres et aboutissait devant trois modestes bureaux, installés à la hâte au milieu du hall de la gare. Derrière ces bureaux, trois fonctionnaires réduits à tamponner les papiers des voyageurs. Debout, à leurs côtés, des gardes civils reconnaissables à leur singulier chapeau tricorne noir. Leur fusil bien en évidence, en bandoulière sur leur poitrine, ils écoutaient attentivement les explications des passagers interrogés par les douaniers. Quand ils donnaient les bonnes réponses, ils étaient dirigés dans une salle que tout le monde, depuis la file d'attente, lorgnait comme un endroit béni des dieux, car cela signifiait qu'ils étaient autorisés à poursuivre leur voyage. S'ils donnaient les mauvaises réponses, ils étaient alors transférés dans une aile du hall de la gare, bien à la vue de tous, où deux hommes – un soldat et un garde civil –

effectuaient une fouille corporelle, avant d'ouvrir et vider les valises. Quelquefois des femmes pleuraient et suppliaient, des hommes injuriaient. Mais la plupart du temps, la fouille se passait dans un silence glacial. S'ils découvraient des armes ou si l'interrogatoire ne satisfaisait pas les gardes, les personnes étaient immédiatement amenées dans une autre pièce fermée d'où aucun passager n'était encore ressorti.

La tension dans la file se faisait de plus en plus palpable d'heure en heure. Tous se sentaient coupables parce qu'ils ignoraient ce qui pouvaient faire d'eux de bons ou de mauvais Espagnols.

Carmen se souvint soudain du couteau qu'elle avait dans son cabas. Impossible de convaincre ces hommes, qui ressemblaient plus à des inquisiteurs qu'à des douaniers, que ce couteau ne leur servait qu'à trancher du pain et peler des oranges. Ce ne pouvait être qu'une arme blanche. L'inquiétude venait de laisser place à l'angoisse.

« Pepe ! Le couteau.

— Eh bien quoi ? Tous les Andalous avec des couilles ont des couteaux.

— Il faut le jeter.

— Non ! Tout le monde, ici, a un couteau, je te dis. »

Ils avaient interrogé José sans relâche. « Qu'est-ce qui les amenait à revenir au pays ? » Carmen s'était dépêchée de leur montrer la lettre de Conchita, qui les avait un peu rassurés, et ils avaient continué leur interrogatoire avec moins d'agressivité et d'arrogance. Mais José était à bout de patience. Il ne s'expliquait pas la cause de leur acharnement. Ils étaient pourtant du même bord ! Les anarchistes avaient soutenu le Front populaire lors de son élection en février, non ? Mais oui ! Pourquoi n'y avait-il pas pensé plus tôt ? Il leur montra fièrement une vieille carte d'affiliation de la CNT dont il n'avait pas voulu se départir. À la vue de la carte, l'un des douaniers fit une moue de dédain, presque imperceptible, qui n'échappa pas à José.

« Que se passe-t-il, camarade ? Tu es de quel bord ? »

Il savait que rien n'était acquis dans cette Espagne en transformation. Seulement un tiers de la population avait voté en faveur du Front populaire, et dans ce tiers, les divergences étaient de taille. Les deux autres tiers étaient lotis à la même enseigne, oscillant entre l'extrême-droite (les monarchistes, les carlistes, les phalangistes, la CEDA) et la droite plus modérée. Là aussi, la scission entre ces mouvements n'était pas nette. Pour l'instant, ils se haïssaient tous, mais étaient forcés de travailler ensemble. En ce mois de juin 1936, José avait encore l'avantage de se trouver dans le camp des gagnants. La République avait basculé à gauche, et il en était. Si ce douanier avait grimacé, il ne faisait aucun doute qu'il n'adhérait pas aux idées des anarchistes, dont il devait se défier car ils effrayaient bien du monde avec les actes incontrôlés et barbares de leurs milices. Forts de leur nombre, presque deux millions, les anarchistes adhérant à la CNT, les cénétistes, se méritaient le respect et José n'allait pas laisser passer cette chance de relever enfin la tête.

« Combien de temps encore allez-vous empêcher un honnête ouvrier espagnol de rentrer chez lui ? »

Il avait haussé le ton. Carmen entrevoyait le pire et l'espoir de revoir sa mère encore en vie rétrécissait comme une peau de chagrin. Elle ne se sentait pas en sécurité dans ce pays qui était le leur, mais où ils ne pouvaient circuler que s'ils fournissaient les bonnes réponses. Elle se retrouvait coincée entre deux frontières et n'en serait délivrée que par le bon vouloir d'un douanier. Instinctivement, elle avait serré ses plus petits contre elle et, d'un regard, avait signifié à Rafael de se tenir tranquille.

Exclue de la conversation, elle regardait la scène, complètement impuissante. Elle n'avait pas un sou sur elle. José gardait sur lui l'argent qu'elle avait réussi à économiser ces dernières années. Quelques misérables billets qui ne les feraient pas tenir plus d'un mois tous les cinq. Ces billets, elle aurait tout de même bien aimé les palper en ce moment dans sa poche, car José allait se retrouver en prison d'un instant à l'autre. Il était comme ça, son homme ! Impossible à contrôler dès que son orgueil était en jeu. Il narguait les douaniers et surtout les gardes civils, sans songer aux conséquences de son arrestation. Qu'allait-elle devenir, seule avec les trois enfants, sans travail, sans logement, sans mari ? Il fallait qu'elle reste forte. Et puis non, elle n'était pas seule. Sa sœur et son beau-frère l'attendaient à Madrid, elle pourrait...

Elle déroulait les différents scénarios, plus rassurants les uns que les autres, pour se donner du courage. Elle ne s'était pas aperçue que José avait fini par baisser la voix, qu'il avait rangé les papiers dans sa poche et que la conversation se poursuivait sur un ton moins froid, presque cordial. Aussi avait-elle été surprise quand on leur avait demandé de rejoindre les autres dans la pièce si convoitée. Sans demander son reste, elle avait pris sa valise et s'était dépêchée de suivre José dans cette salle d'où ils pourraient enfin prendre un train pour Madrid.

Ils étaient une cinquantaine assis à même le sol. Peu de familles. Beaucoup d'hommes seuls. La tension ici était beaucoup moins palpable que dans la file. Certains somnolaient ou lisaient un journal. La plupart gardaient les yeux rivés vers l'extérieur dans l'espoir de voir arriver le train, craignant que les douaniers ne changent d'avis.

Assise sur une valise et encore tremblante, Carmen pelait une orange et en distribua quelques quartiers aux plus petits. Ils ne lui avaient pas enlevé son couteau ! La théorie de José sur les couilles des Andalous et les couteaux s'avérait donc exacte.

Ils n'avaient pas encore mangé lorsqu'ils entrèrent en gare de Llérida. À l'arrêt du train, Eugenio se réveilla en se plaignant qu'il avait faim. Sa sœur Carmencita appuyait chacune de ses jérémiades par une litanie de « Moi aussi. Moi aussi ».

Carmen se saisit du cabas où elle avait mis à la hâte, avant de partir de Peyriac, des tranches de pain de campagne, de la charcuterie et des fruits secs pour le trajet.

Ils n'avaient pas avalé trois bouchées quand, par la fenêtre du wagon, ils assistèrent à un début d'échauffourée. Des centaines d'ouvriers avaient envahi le quai et brandissaient des pancartes en criant: «Vive la révolution sociale!». La plupart étaient vêtus en habits de ville: pantalon, chemise blanche ample et casquette. Quelques-uns arboraient leur bleu de travail comme une deuxième peau. Sur les pancartes, on pouvait lire pêle-mêle: *CNT/FAI – Pour ne pas oublier Figols las Minas – Payez nos salaires – Patrons = bandits – Tous en grève...* Dans la foule, on apercevait des dizaines de femmes. Certaines avec des enfants dans les bras. Les plus vieux portaient sur leurs visages l'aigreur de la faim et de l'injustice. Les plus jeunes riaient et hurlaient à pleins poumons: «Vive la révolution!», un cri plein d'espoir, comme si cette révolution, tant prônée par leurs aînés, allait enfin avoir lieu et mettrait un terme à leurs misères.

Des policiers tentaient en vain de les détourner des rails et de les refouler à l'intérieur de la gare, quand une vingtaine de membres de la Garde civile accourut leur prêter main-forte. On aurait dit qu'ils étaient arrivés sur les traces des manifestants et ils se tenaient prêt à intervenir. Le nombre et le désespoir se trouvaient du côté des grévistes. Les gardes civils perdirent du terrain et se retrouvèrent bientôt acculés aux wagons du train.

Tout se déroula très rapidement. Déjà, une certaine frénésie s'était emparée des voyageurs. Carmen poussa un cri de surprise quand le tricorne d'un des gardes civils vint heurter bruyamment la fenêtre par laquelle elle regardait. Instinctivement, elle se tourna vers José et ce qu'elle vit l'alarma davantage que les bousculades au dehors! Il était subjugué par ce qu'il apercevait. Admiratif devant ces affrontements. On pouvait voir battre, à la base de son cou, une veine jugulaire bleue et gonflée. Il trépignait comme un gosse devant une friandise. Il était presque en transe, son poing déjà serré ne demandant qu'à s'abattre sur la crâne du garde civil qui, sans le savoir, se trouvait protégé de sa haine par la vitre du wagon. Elle sentit qu'elle n'était pas assez forte pour lutter contre ce qui allait arriver.

«Pepe. Ne t'en mêle pas, s'il te plaît.»

Il était aussi blanc qu'un linge, la mâchoire et les poings crispés. «Toi, ne t'en mêle pas», susurra-t-il entre ses dents, sans même lui jeter un regard, trop occupé à suivre les événements.

Tout alla très vite ensuite. Il y eut des coups de feu. Les gardes civils tirèrent sur la foule. Une femme cria et il s'ensuivit une bousculade dans laquelle disparurent les gardes. On entendit encore des coups de feu. À ce moment-là, elle s'aperçut qu'une dizaine d'ouvriers étaient munis de fusils. C'était la pagaille. Deux ouvriers évacuaient un des leurs, loin de la foule. Elle ne parvenait pas à discerner s'il s'agissait d'un blessé ou d'un mort. Les gardes civils, désarmés, furent amenés à l'intérieur de la gare par une poignée de meneurs.

Les manifestants ne se tenaient plus de joie. Ils criaient et s'embrassaient. Ils forcèrent ensuite les portes des wagons et firent descendre les passagers sur le quai: «Dehors, dehors. Les ouvriers, vous n'avez rien à craindre de nous. On est des vôtres, on veut défendre vos droits.»

Quand ils découvrirent que le train entier était rempli uniquement de gens du peuple, sans aucun wagon de première classe, ils furent déçus, assoiffés d'une vengeance qui restait inassouvie.

«Hé, Pepe! Pepe!» Un des grévistes avait aperçu José et il tentait de se frayer du coude un chemin à travers la foule qui noircissait le quai. Quand il fut suffisamment proche, elle reconnut Bernardo, un ancien camarade de José, un fervent cénétiste d'Alicante.

« Ça fait des années qu'on ne t'a plus vu, *hombre!* Où étais-tu ? » Sans attendre sa réponse – les circonstances n'étant pas propices à des longues explications –, il invita José à se joindre à lui au sein du comité révolutionnaire de Llérida qui se réunissait le soir même afin de décider de la poursuite de la grève. José lui dit qu'il allait y réfléchir avec sa femme et qu'il lui rendrait une réponse rapidement.

« D'accord, camarade. »

Carmen savait pertinemment qu'il n'allait pas réfléchir et encore moins lui demander son avis, que sa décision était prise avant même de voir Bernardo. Elle était au bord de la crise de nerfs. Son champ de vision se rétrécit et tout s'évanouit autour d'elle, hormis la terrible certitude que, dans quelques instants, elle allait se retrouver seule avec ses enfants dans un pays hostile où le monde s'entretuait. Et, comme pour la conforter davantage dans cette terreur, des tirs se firent entendre dans la rue de l'autre côté de la gare.

« On fusille les gardes civils ! » Des gens dans la foule se mirent à applaudir, d'autres se signèrent. Une vieille femme pleura en répétant : « Mon Dieu ! Mon Dieu ! » Des femmes perdirent connaissance. Carmen, elle, se mit à hurler :

« NON... NON, PEPE. TU NE ME LAISSERAS PAS SEULE, ICI, AVEC LES ENFANTS. C'EST TOI QUI AS VOULU LES EMMENER. TU RESTES ! TU ENTENDS ? TU RESTES ! »

Elle n'avait jamais hurlé aussi fort contre personne. Elle ne se reconnaissait plus. José la secoua par le bras pour essayer de la calmer et finit par la gifler dans l'indifférence générale, un vent de panique s'étant propagé depuis l'exécution des gardes.

« Il faut partir. Il va y avoir des représailles. Vite ! »

Les paroles de Bernardo eurent plus d'effet que la gifle et Carmen, dégrisée par ces mots et l'imminence du danger, se ressaisit aussitôt. José lui remit dans la main la bourse renfermant les quelques francs économisés si laborieusement et, en la serrant rapidement dans ses bras, lui jura : « Je vais venir vous rejoindre à Madrid chez ta sœur, dès que je le pourrai. Ne t'inquiète pas. »

Encore ce maudit « ne t'inquiète pas » qui ne faisait que décupler sa peur. Il embrassa les deux petits, fit une accolade à Rafael, comme pour lui signifier que c'était lui à présent l'homme de la famille, et il fut happé par les grévistes qui détalaient dans toutes les directions. Elle eut juste le temps de lui crier, avant qu'il ne disparaisse : « Quand ? Quand vas-tu venir nous rejoindre ? »

Mais la réponse de José s'évanouit dans le brouhaha de la débandade et il disparut avec les autres. En l'espace d'une minute, le quai de la gare s'était vidé de tous les manifestants.

Seuls restaient les voyageurs, serrant leurs valises contre eux, désemparés. Un calme anormal succéda à l'effervescence. Les enfants se taisaient, faisant corps avec ce silence imposant qui avait absorbé tous les sons dans un besoin urgent de purifier l'air de la folie du moment.

« Le train partira dans cinq minutes. Les passagers munis d'un billet doivent monter dans les wagons. »

L'employé de la gare avait parlé d'une voix neutre et autoritaire, sans émotion aucune, comme il avait coutume de le faire dès qu'il prenait son service. Tout semblait être revenu à la normale. Avaient-ils rêvé ? Certains, plus enclins que d'autres à se conformer à l'autorité, réintégrèrent immédiatement leur wagon. D'autres les suivirent timidement. Et d'autres encore. Elle resta seule sur le quai, les bras le long du corps, les valises à ses pieds. Elle était pétrifiée, incapable du moindre mouvement, quand le klaxon de la locomotive annonçant le départ la fit sursauter. Une main ferme l'agrippa.

« Allez, maman, il faut qu'on monte. Le train risque de partir sans nous.

— On devrait attendre ton père, mon fils.

— Maman. Il ne reviendra pas. Il vous l'a dit. Il va venir nous rejoindre à Madrid. Enfin... c'est ce qu'il prétend.

Elle regarda la bourse remplie de billets qu'elle tenait encore serrée dans sa main. C'était vrai ! Tout ce qui venait de se passer n'était pas un rêve. C'était un vrai cauchemar. Rafael avait raison. Il était parti ! José les avait abandonnés en plein milieu de nulle part, entre la frontière française et Madrid, pour aller jouer avec ses copains !

Un second coup de klaxon retentit. Rafael se saisit des valises et les mit dans le compartiment, puis il se dépêcha de redescendre pour chercher son frère et sa sœur qui pleurnichaient en regardant leur mère. Elle tourna le dos au wagon et, en se cachant, glissa les billets dans sa blouse. Se ressaisir, et vite, si elle ne voulait pas être dépouillée par un malfaiteur et se retrouver encore plus démunie. Elle se hâta de prendre place près des siens et le train se mit en branle presque aussitôt.

Après plusieurs kilomètres, les petits s'assoupirent, bercés par le balancement du train. Rafael essaya de lutter un temps contre le sommeil qui commençait à l'engourdir, avant de sombrer lui aussi dans les bras de Morphée. Carmen était tentée d'en faire autant. Elle aurait besoin de toutes ses forces dans les heures à venir. Mais avant de se laisser gagner par la fatigue, elle sortit le couteau du cabas et le mit dans la poche de sa blouse, avec les billets. Lasse, elle appuya son front contre la vitre et regarda défiler la campagne catalane sans même la voir.

« Arrivée chez Conchita, j'aviserai, pensa-t-elle. Elle va sûrement pouvoir m'héberger quelques temps, jusqu'à ce que je trouve du travail. Et puis José a promis qu'il viendrait nous rejoindre. »

Ses paupières se firent lourdes et l'angoisse des dernières heures laissa place pendant quelques minutes à une somnolence qui, de guerre lasse, finit par céder devant un profond sommeil réparateur.

34

LES AMÉRICAINS NE
SONT PAS ALLÉS SUR LA LUNE

Le 15 décembre 1974
Bonjour, très cher Jo,

Voici les grandes croyances de l'Abuela. Quatre trucs auxquels elle croit dur comme fer et dont j'aimerais pouvoir me souvenir quand je serai plus grande :

1. *Elle ne croit pas, mais pas du tout, que les Américains sont allés sur la Lune.*

2. *Elle sait que le communisme n'est pas l'idée la plus brillante que l'espèce humaine ait eue.*

3. *Elle affirme que les gens qui ont les mains froides ont le cœur chaud.*

4. *Elle est persuadée que «faire l'enfite» guérit les crises de foie et «faire le soleil» guérit les insolations.*

Quand les Américains ont mis le pied sur la Lune, j'avais cinq ans et je n'étais qu'une enfant, mais je m'en souviens comme si c'était hier. On était tous avachis devant la télé. C'était le soir, et j'avais vachement sommeil. Mais comme tout le monde était assis sur mon lit (je dors sur le divan convertible de la salle à manger) et que je n'avais aucune envie de dormir avec des pieds et des fesses trop près de mes narines, je me suis résignée. J'ai, moi aussi, regardé ce qui était, paraît-il, «la plus grande prouesse technologique de l'histoire de l'humanité». Je n'ai pas compris à quoi ça avait bien pu servir d'aller si loin et si haut, si ce n'est de voir les humains encore plus minuscules. En fait, c'est même carrément humiliant d'insister autant sur notre petitesse. Enfin, ce jour-là, on a quand même crié au génie humain. Tout le monde s'est senti américain. Pendant que ma famille regardait la télé, moi je regardais ma famille. Et je voyais que la nouvelle leur faisait du bien, car ils avaient l'air heureux de voir ces images pourtant toutes embrouillées et d'écouter, sans comprendre, le journaliste américain commenter en anglais ce qu'on essayait de voir. Ils ont applaudi, comme quand l'OM marque un but. C'est te dire à quel point ils étaient heureux. Sauf ma grand-mère. Elle, elle n'arrêtait pas de hocher la tête de droite à gauche et de répéter : «No se puede. No, eso no es verdad[47]. »

Quand elle s'est mise à le répéter pour la troisième fois, elle a eu droit à des «chut» bien sentis. Sa tête a continué à nier toute seule et à se promener de droite à gauche, puis de gauche à droite.

Aujourd'hui, il y a cinq ans déjà que les Américains ont débarqué sur la Lune et elle n'y croit toujours pas. Au début, par obligation familiale, on a bien essayé de comprendre son refus de la chose. Elle répondait sans perdre patience, comme si nous étions devenus demeurés par trop de télé: «Porque no es posible. La Lune est trop loin.

— Mais on l'a vu à la télé!

— Sí, como un film. »

Et quand on lui disait que, dans ce cas-là, c'était différent, que c'était un documentaire filmé par des journalistes, elle répondait du tac au tac: «Como la propaganda franquista[48]. »

Et, de plus en plus faiblement, on essayait de continuer encore un peu.

«On n'est plus en dictature, Abuela.

— Lo sé. J'ai dit: como[49]. »

On souriait et on arrêtait là. L'année dernière, je me suis dit que j'allais la convaincre pour ne plus qu'on se moque d'elle. C'est

---

47. Ça ne se peut pas. Non, ça, ce n'est pas vrai.
48. Comme la propagande franquiste.
49. Je sais. J'ai dit: comme.

vrai, quoi ! À chaque fois que quelqu'un vient chez nous et qu'il ne connaît pas ce travers de ma grand-mère, il s'en trouve toujours un pour clamer tout haut : « Vous savez que l'Abuela ne croit pas qu'on est allé sur la Lune ?

— Ah bon ? Comment donc, madame Martin, vous n'y croyez pas ? »

Et ça recommence.

À la date anniversaire du premier pas sur la Lune, quelque part en juillet, on regardait à la télé des images de Neil Armstrong. On était juste toutes les deux.

« Tu sais, Abuela, ils sont vraiment allés sur la Lune. Une fusée, c'est pas tellement plus compliqué qu'un avion. Tu sais que les avions existent, non ? Tu es monté dedans.

—Sí, sí. Patricia, no es possible porque, là-haut, ils seraient trop prêts de Lui.

— Qui ça, Lui ? » Je commençais à avoir ma petite idée mais je préférais croire que je me trompais.

« Dios[50]. »

En prononçant ce mot, elle avait baissé le ton. Je ne me trompais pas. J'ai dit : « D'accord », et on a continué à regarder la télé. Là, c'était trop ! Je n'arrivais déjà pas à lui faire croire à une chose qui existe sous prétexte qu'on la voit, comment aurais-je pu lui faire comprendre que Dieu, qu'on ne voit pas, n'existe pas ? La tâche était impossible. Point final.

Sa deuxième grande croyance : le communisme n'est pas l'idée la plus brillante que l'espèce humaine ait eue. Rien à dire là-dessus. On est tous d'accord avec elle, puisqu'on est pro-Américains. Pas étonnant d'ailleurs qu'on ait applaudi quand ils ont mis le pied sur la Lune. L'Abuela, elle, si elle n'aime pas les communistes, c'est pour une autre raison que celle d'aimer les Américains. C'est parce qu'ils font travailler leurs vieux trop longtemps et dans des conditions inhumaines, qu'elle nous dit. C'est suffisant à ses yeux pour affirmer

---

50. Dieu.

que le communisme, c'est pas une bonne chose. Je t'ai déjà dit qu'elle n'est pas compliquée, ma grand-mère, hein ?

Mais l'Abuela, si elle a des idées bien arrêtées en politique et en sciences, elle peut aussi avoir des idées de « vieilles femmes » qu'elle a dû ramener de son enfance, à l'époque des potions. Mains froides, cœur chaud ! Tu parles d'une idiotie. Et ça m'énerve, car si je sais que ce sont des couillonnades, je ne peux pas m'empêcher d'y penser quand je serre la main de quelqu'un.

   « L'enfite et le soleil » : elle ne sait pas les faire, mais elle y croit autant qu'à une aspirine ou à un Alka Seltzer. Malheureusement pour moi, ma mère a appris ces pratiques occultes de mon oncle Pierrot. Et, lorsque que j'ai mal au ventre ou à la tête, je ne peux pas y échapper. Pour le « soleil » qui guérit soi-disant des insolations, elle fait bouillir de l'eau dans une espèce de petit pot en terre cuite qu'elle retourne sur une assiette, comme l'Abuela le fait avec l'omelette de pommes de terre quand elle la retourne dans une assiette pour la remettre dans la poêle. Ensuite, elle marmonne des prières bizarres. Et elle attend. Je te jure que, dans ces moments-là, elle ressemble vraiment à une sorcière avec des pouvoirs magiques. Quand le pot se met à siffler, on sait que j'ai attrapé une insolation et que le mal est en train de partir avec le sifflement ou la vapeur, je sais pas trop. Des fois, je n'en peux plus... et je pouffe de rire. Mais c'est pour cacher ma gêne. C'est vrai quoi, ce n'est pas drôle d'avoir une mère qui croit à ce genre de truc et qui, en plus, s'en vante. Des gens viennent même la voir exprès.

   La marmite en terre était déjà bien suffisante à mon malheur, mais non ! pour couronner le tout, elle pratique aussi « l'enfite ». Là, elle remplace le pot par une cravate en soie. Je dois tenir une extrémité de cette cravate sur mon estomac et l'autre bout, c'est elle qui le tient. Après, elle replie la cravate à l'aide de son coude. Je ne sais pas comment ça fonctionne, mais c'est vraiment n'importe quoi. J'essaie de ne pas avoir trop mal à la tête ni au ventre. Je garde ces maladies pour moi et je partage les autres, du genre : « J'ai mal aux oreilles ». Là, elle n'a pas de combines débiles, seulement des gouttes qui soignent les otites, comme des gens normaux.

Quand elle voit que je n'aime pas ces pratiques superstitieuses, ma grand-mère me dit en souriant : « Si ça ne peut pas te faire du bien, ça ne peut pas te faire du mal. » Je te l'avais bien dit ! Ses croyances sont trop puissantes pour moi. Je ne suis pas de taille.

35

23 août 1936 : Madrid

Ce jour-là, soixante-dix nationalistes furent exécutés à la prison de Model à Madrid pour venger les centaines de républicains que les nationalistes avaient massacrés quelques semaines avant. Le gouvernement républicain de Manuel Azana ne contrôlait plus ses milices armées. Depuis le putsch du 17 juillet par le général Franco, les représailles succédaient aux représailles. L'Espagne était coupée en deux, sans aucun espoir de réunification. La pression avait été trop longtemps contenue et les deux parties avaient fini par se laisser entraîner dans une haine au même visage hideux.

Ce jour-là, Carmen et sa sœur Conchita pleuraient dans les bras l'une de l'autre. « Tu vas me manquer. Ne partez pas. Restez ici. On est dans la capitale, c'est peut-être plus sûr qu'ailleurs, non ? » Dix ans plus tôt, la faim avait poussé Carmen et José à quitter Cordoba pour Alicante et ensuite pour la France. Conchita ne voulait plus revivre cette pénible séparation. Il y avait à peine deux mois qu'elle avait retrouvé sa sœur !

Elle l'avait vue débarquer chez elle par une après-midi pluvieuse, complètement trempée, une valise à la main et un petit garçon à son bras. Pendant un court instant, elle n'avait pas reconnu cette femme vieillie, aux traits tirés. De fines rides commençaient à creuser son visage qu'elle voyait encore si jeune dans ses souvenirs. Elle pouvait même apercevoir quelques filets blancs éparpillés dans sa chevelure ébène. Caché derrière elle, un adolescent, presque un homme, agrippait lui aussi une valise dans une main et une fillette dans l'autre. Leurs vêtements trempés accentuaient l'air de pauvreté qui se dégageait de leurs regards égarés et de leurs habits rapiécés. Elle poussa un cri de joie. Carmen, trop éprouvée par le voyage, eut seulement la force de lui sourire, épuisée.

« Pepe dit que c'est justement parce que c'est la capitale que c'est plus dangereux. Les avions n'arrêtent pas de nous bombarder.

— Alors si Pepe le dit... », répondit Conchita, sarcastique.

Elle n'avait jamais aimé son beau-frère, et son aversion s'était empirée quand elle avait vu sa sœur et ses enfants arriver seuls chez elle. Encore une fois, il l'avait laissée à elle-même et encore une fois, sa sœur, trop bonne ou trop naïve – elle hésitait entre les deux adjectifs – essayait de lui trouver une excuse : « Il a été forcé de rester avec ses compagnons. Mais il m'a donné nos économies et il a juré de venir nous rejoindre ici. »

Lorsque, quelques jours plus tard, ce fut au tour de José de sonner à sa porte, Conchita dut reconnaître que, cette fois-ci, sa sœur semblait avoir eu raison... à moins que, sans ressources, après avoir donné à sa femme leurs maigres économies dans un moment d'égarement, il se soit ravisé et dépêché de venir la retrouver dans le but de corriger cette générosité, qu'il regrettait sans doute. Conchita ne l'aimait pas et ne parvenait pas à lui donner le bénéfice du doute, un exercice dans lequel sa sœur, par contre, excellait pour deux.

Malgré sa tristesse, Carmen ne put réprimer un sourire devant la méfiance que sa sœur entretenait envers José, et ce depuis les débuts de leur mariage, quand elle avait deviné sa brutalité, elle qui avait épousé un homme si doux et bienveillant.

« Il dit que là-bas, à Alicante, on sera mieux. Bernardo lui a assuré que le syndicat allait lui trouver du travail. Les anciens du mouvement sont, paraît-il, choyés.

— Tu sais bien que c'est surtout parce que, là-bas, il va pouvoir retrouver ses camarades de beuverie. Ici, il ne connaît personne. »

Carmen savait que sa sœur avait probablement raison. Elle ne conservait pas de bons souvenirs d'Alicante, la ville de toutes les privations, la ville où elle avait dû apprendre à mendier. Les cicatrices de l'âme ne peuvent s'effacer ; tout au plus, peuvent-elles s'atténuer. Elle aurait préféré rentrer en France, à Peyriac-Minervois, où son fils Pepito l'attendait. Elle espérait que sa belle-mère tiendrait sa promesse et entretiendrait la tombe de son petit-fils. Elle en voulait à José de ne pas l'avoir écoutée quand, à l'annonce du putsch de Franco, elle l'avait supplié de repartir chez eux, de l'autre côté des Pyrénées. Il lui avait rétorqué, l'air hautain : « Chez nous, c'est ici. Il en a toujours été ainsi. Le peuple espagnol va bientôt pouvoir vivre de son travail. On n'a plus aucune raison de retourner en France. On doit se battre pour notre pays... »

Il avait continué son long laïus qu'elle n'écoutait déjà plus. Comment pouvait-il dire qu'ils n'avaient plus aucune raison de retourner de l'autre côté des Pyrénées ? Et Pepito, leur fils ? Il l'avait déjà oublié ? José ne l'effrayait plus, maintenant qu'elle vivait sous la protection de sa sœur et de son beau-frère. Elle avait interrompu son monologue : « Et ton fils ? Pepito ? Tu t'en souviens ? On ne peut pas l'abandonner !

— Ma mère s'en occupe. Tu lui as fait jurer, non ?

— Je veux vivre près de sa tombe.

— On le ramènera ici, dans son pays, quand la guerre sera finie. »

Elle avait toutefois gardé l'espoir de le convaincre de repartir, jusqu'à ce fameux 8 août 1936, où le bruit avait circulé que la France avait fermé ses frontières avec l'Espagne. Prisonniers dans leur pays et loin de chez eux.

Madrid leur était une ville étrangère. Il arrivait souvent à José d'y errer, désœuvré, arpentant les rues comme dans un labyrinthe. Sa résolution était prise : ils quitteraient la capitale dès qu'une occasion se présenterait. Même si les bus se faisaient rares et avaient été pour la plupart réquisitionnés par les membres de la FAI, José restait confiant. Un sentiment d'allégresse et de fierté s'était emparé de lui depuis cet événement mémorable où Bernardo et ses troupes avaient eu le dessus sur la Garde civile dans la gare de Llérida.

Carmen avait retardé le douloureux moment où elle aurait à annoncer à sa sœur leur départ imminent. Depuis deux mois, ils logeaient dans son minuscule appartement, dans un quartier ouvrier. Les enfants se partageaient la même chambre, sur des matelas de fortune. José et elle occupaient le canapé du salon. Neuf personnes dans un modeste soixante mètres carrés, et pourtant ce furent là les plus heureux moments qu'elle avait vécus depuis bien longtemps. Malgré les bombes, malgré la peur, malgré les cadavres trouvés sur les trottoirs au petit matin.

Lorsqu'elle avait débarqué chez Conchita, elle ignorait ce qui l'attendait. Elle était arrivée seule, avec les trois enfants, par un jour sombre et pluvieux. Seule ? Comment peut-on être seule et accompagnée de trois enfants ? s'était-elle demandé en entendant les premiers mots de bienvenue de sa sœur : « Tu es seule, Carmen ? » Durant son trajet, elle en avait croisé de ces femmes « seules avec enfants et bagages » qui, comme elle, essayaient de pallier l'absence de leur compagnon en se rapprochant d'une mère, d'un frère, d'une sœur, d'un oncle... de n'importe quel parent, plutôt que de demeurer dans cet état d'abandon, leur nouvel état civil.

Trois jours après son arrivée, sa mère Antonia décédait dans une maison de retraite qui, la veille, avait échappé de justesse à un bombardement de l'aviation allemande[51].

---

51. Hitler soutiendra l'effort de guerre de Franco durant toute la guerre civile.

La maison de retraite était proche d'une caserne militaire qui avait subi des dégâts considérables, aux dires des miliciens républicains à la recherche d'éventuelles munitions ou armes qui leur faisaient cruellement défaut.

Elle regarda l'imposant édifice, la dernière demeure de sa mère, le but de son voyage. Carmen était soulagée d'avoir réussi : elle avait accompli son devoir filial et c'est presque sereine qu'elle entra voir sa mère. La vieille femme luttait déjà depuis plusieurs jours pour laisser le temps à ses filles de se rendre à son chevet. Il en avait toujours été ainsi dans la famille. C'était la tradition de mourir entourée des siens, une forme de récompense pour le rôle de mère joué avec brio avant que le rideau tombe et qu'un linceul vienne recouvrir sa dépouille. Le monde autour d'elle se mourait, des milliers d'hommes, de femmes et d'enfants jouaient aussi leur ultime rôle parmi les hurlements qui, seuls, accompagnaient le tomber du rideau. Antonia ne voyait pas cette misère. La vie, dans sa grande mansuétude, lui avait épargné ce spectacle qui mettait en scène l'agonie de l'Espagne glorieuse qu'elle avait connue et adulée. Carmen remerciait Dieu de rappeler à lui cette brebis égarée dans un pays qu'elle ne reconnaissait plus et qu'elle rebâtissait, jour après jour, dans une folie rédemptrice.

Elle ne voyait pas les blattes qui couraient le long des murs d'une blancheur douteuse, ni la crasse qui donnait sa teinte grisâtre au plafond et aux cloisons, ni les draps maculés. À la vue de sa mère gisant sur un misérable grabat, Carmen avait immédiatement arrimé son regard à celui de la mourante, pour fuir sa propre souffrance.

« Maman ! Maman ! On est là. Tout le monde est là. Conchi et moi, ta fille Carmen. Et Rafael et Carmencita et... »

Elle aperçut une lueur dans ses yeux. Sa mère ressurgit un instant des fonds de la syrte où le désespoir, plus que la maladie, l'avait plongée, et elle pressa légèrement les mains de ses filles pour leur signifier qu'il était temps qu'elle s'en aille. Un voile passa devant son regard azuré qui s'éteignit doucement. Conchita abaissa les paupières, par réflexe. Le regard des morts est insoutenable, il ouvre une fenêtre sur le néant qu'il nous est interdit de voir avant le dénouement de notre propre vie.

Les deux femmes sanglotèrent sur le corps de leur vieille mère, comme deux enfants qu'elles n'avaient jamais cessé d'être. Leur souffrance était réelle, tout comme leur délivrance. Elles n'auraient plus à revenir dans cet endroit sordide ni à y traîner leurs jeunes enfants, effrayés déjà de voir en leur grand-mère un lémure. Mourir aimé et dans la dignité a un prix : celui d'imposer à ses proches la vision de leur propre finitude. Les filles De La Haba Recio avaient réglé leur dette. Leur ancêtre put mourir en apportant avec elle la conviction que son monde n'était pas disparu, qu'il allait lui survivre.

On ne trouva pas de curé pour l'enterrement. Les ecclésiastiques se cachaient, de plus en plus nombreux, terrorisés devant le massacre des leurs par les milices anarchistes et communistes qui voyaient en eux les ennemis jurés du peuple. Ils étaient révolus, d'une autre époque, celle de l'oppression. Et puis, ils avaient eu la mauvaise idée de soutenir une monarchie qui avait basculé dans le camp des nationalistes, le mauvais camp quand on vivait dans une ville comme Madrid, qui avait choisi le parti des républicains et résistait aux nationalistes de l'intérieur comme de l'extérieur. Des milices, échappant au contrôle du gouvernement républicain, s'étaient mises à se faire justice elles-mêmes. Les miliciens bouffaient du curé dès qu'ils en avaient l'occasion. Les bonnes sœurs n'étaient pas épargnées non plus. Des dizaines d'entre elles furent fusillées au même titre que les hommes. Somme toute, on leur rendait justice dans un souci d'égalité qu'elles ne réclamaient pas.

Mais Carmen n'avait que faire de la politique. Sa mère aurait souhaité une sépulture chrétienne et elle l'aurait ! L'absence de José allait faciliter ses recherches. Elle ignorait où il pouvait bien être. Peut-être était-il, lui aussi, en train de persécuter des gens d'Église. Qui sait? Tout pouvait arriver dans cette folie qui frappait l'Espagne. On avait vu des anarchistes pointer leurs armes sur d'autres anarchistes qui s'apprêtaient à exécuter trois prêtres qu'ils avaient alignés le long d'un mur, les mains attachées dans le dos. Ceux-ci attendaient la balle qui allait faire d'eux des martyrs, mais la balle ne vint pas. Ils furent libérés par des hommes qui s'excusèrent pour leurs camarades et auprès de leurs camarades, qu'ils venaient d'abattre et qui gisaient à terre, un filet rouge s'écoulant de leur poitrine. Carmen ne comprenait plus rien, ne savait plus ce qu'il était bien de penser et encore moins de faire. On apprit plus tard qu'un des anarchistes tués n'avait que vingt ans, qu'il était membre du POUM[52] et qu'il avait été abattu par un marxiste, son jeune frère de dix-huit ans. Bien sûr, les rumeurs allaient bon train, peut-être que rien de tout cela n'était vrai. Mais les histoires de ce genre étaient trop nombreuses pour n'être que des histoires. Elle commençait à entrevoir l'horreur de cette guerre civile. Républicains contre nationalistes. Anarchistes contre communistes. Carlistes contre monarchistes alphonsins... la liste était inépuisable, et bientôt les exécutions devinrent aussi de simples règlements de compte avec lesquels la politique n'avait plus rien à voir. Oncle contre neveu, frère contre frère, père contre fils... des familles entières se déchiraient, indifférentes au poison qu'elles distillaient dans le sang des générations futures.

Carmen chercha opiniâtrement un curé partout dans la ville, à l'aveuglette, car elle ne connaissait pas Madrid. Sa sœur et son beau-frère avaient refusé de l'aider. Ils craignaient d'être vus en compagnie d'un représentant de l'Église, quel

---

52. **P**artido **O**brero de **U**nificación **M**arxista (Parti des travailleurs de l'union marxiste). Ce parti n'était pas trotskiste, comme le prétendaient les staliniens, mais avait plus en commun avec l'opposition de gauche en Union soviétique (référence de Antony Beevor: *La guerre d'Espagne*).

qu'il soit. Francisco avait formellement interdit à Conchita d'assister sa sœur dans cette quête qu'il qualifiait de suicidaire, lui qui, d'ordinaire, n'interdisait rien à sa femme. Carmen trouva la plupart des églises fermées, saccagées ou investies par les républicains, les biens de l'Église étant devenus la propriété du peuple. Elle avait passé la journée entière à parcourir la ville. À bout de force, elle en oublia sa prudence et questionna les voisins d'une basilique. « S'il vous plaît, monsieur, savez-vous où je peux trouver le prêtre ? C'est pour offrir une messe à ma mère qui vient de mourir. »

Des portes se fermèrent précipitamment sur des visages fatigués et déformés par la crainte. D'autres portes restèrent grandes ouvertes et elle dut supporter des regards courroucés et chargés de suspicion. Elle eut peur soudain. Et si on la croyait franquiste ? Sa recherche d'un curé la faisait basculer dans le camp ennemi. Il se faisait tard, sa sœur allait s'inquiéter.

Elle finit par se résoudre à enterrer sa mère en païenne, comme tous ces morts enterrés à la hâte, sans veillée rituelle. Les cadavres étaient trop nombreux, on craignait des épidémies. Avant la mise en bière, elle plaça devant le visage de sa mère un morceau de miroir pour s'assurer que la vie s'en était vraiment allée. L'absence de buée le lui confirma. Elle était rassurée. Se faire enterrer vivante était la plus grande hantise de sa vie, et elle voulait éviter à sa mère un tel calvaire.

Dix jours après son arrivée à Madrid, Carmen vit enfin arriver José. Il descendit d'un camion peint en noir et rouge aux couleurs de la FAI. Il était aussi excité que les jeunes hommes qui ne cessaient de parader dans les rues depuis l'annonce du coup d'État, depuis que les syndicats avaient pris les armes, avant même que le gouvernement ne leur distribue des fusils pour défendre la République.

Elle éprouva un soulagement mitigé, entre la joie de ne plus se retrouver « seule avec trois enfants » et l'appréhension de devoir affronter à nouveau la brutalité de son mari. Cependant, elle n'en laissa rien paraître et reçut José en bonne épouse. Dans les semaines qui suivirent, il passa ses journées à creuser des tranchés destinées à défendre la capitale contre l'arrivée des nationalistes. Cela rassurait Carmen qui préférait le voir revenir le soir avec de la terre sous les ongles qu'avec du sang sur les mains.

« *No pasarán*! – Ils ne passeront pas! » C'était le slogan que tous répétaient dans la capitale, un leitmotiv puissant dès le réveil pour se donner du courage. Une véritable frénésie parcourait la ville jusque tard dans la nuit. Les bus et le tramway circulaient en arborant fièrement les couleurs de la révolution anarchiste. Les murs étaient placardés d'affiches révolutionnaires. La foule ne cessait de circuler dans tous les sens, telles des fourmis affolées après un coup de pied dans leur fourmilière. Des camions munis de haut-parleurs sillonnaient les rues et diffusaient des chants révolutionnaires à longueur de journée. Les signes ostentatoires de richesse étaient supprimés ou camouflés. Les hommes et les femmes s'habillaient en ouvriers; on avait banni les cravates et les costumes. Même le vouvoiement avait disparu.

Francisco avait raconté qu'il avait vu, de ses propres yeux, un journaliste étranger se faire rabrouer pour avoir voulu donner un pourboire à la serveuse. Le règne de l'argent semblait bel et bien terminé.

Mais Carmen se demandait comment elle allait s'y prendre pour subvenir aux besoins de la famille, une fois la guerre terminée. José lui ramenait bien quelquefois des tickets de rationnement, mais ils étaient insuffisants pour nourrir tout le monde. Heureusement, sa sœur lui avait trouvé une place dans une manufacture de chaussures.

36

SAUVÉS PAR LA CLOCHETTE

Le 6 janvier 1975
Bonjour, Jo,

*Ce matin, on est allés se recueillir sur la tombe de mon grand-père.
Ma grand-mère, ma mère et moi. Il est enterré à l'autre bout du
monde. Il faut qu'on prenne deux bus pour y aller ! Il repose au
cimetière Saint-Pierre.*

*« Habille-toi, Patricia, on va au cimetière voir ton grand-père,
m'a dit ma mère ce matin.*

— Quoi ? Voir pépé ? Il n'est pas mort ? »

*Il y a des jours comme ça où je cherche la merde. Et ce matin,
c'était un jour comme ça.*

*« Arrête de faire de l'esprit. Il faut qu'on aille nettoyer la tombe.
Cela fait au moins six mois qu'on n'y est pas allés.*

— M'en fous, j'irai pas.

— QUOI ?

— M'en fous, j'irai pas. »

*Je sentais la tension monter, car j'avais décidé de ne pas céder.
J'ai horreur d'aller au cimetière. D'abord, parce que je ne crois pas
en Dieu. Ensuite, parce que je ne connais pas mon grand-père qui
est mort quand j'avais deux ans et demi et enfin, parce qu'il allait
encore faire pleurer l'Abuela, comme s'il ne l'avait pas assez fait
pleurer de son vivant !*

*Ma mère a souvent les nerfs à fleur de peau. Elle est née ainsi !
Je suis sûre qu'elle hurlait plus fort que les autres nouveau-nés.*

Je jouais avec le feu, c'était plus fort que moi. Moi aussi, je dois être née ainsi. C'est dans ma nature.

« Tu vas t'habiller tout de suite ou je t'en mets une ! »

Elle se contrôlait, la pauvre, évitant de crier pour ne pas que nos voisins l'entendent. Je sentais que la rouste s'approchait à grands pas.

« Ben, pourquoi Serge, il y va pas, lui ?

— Ton frère a quinze ans, il peut rester seul !

— Et il peut pas me garder, ce gros imbécile ? »

Là, je savais que je venais d'exagérer et de pousser le bouchon un peu trop loin. Qu'on nous laisse seuls deux minutes, et c'est le « fratricide » assuré (c'est un mot que j'ai appris avant de savoir marcher).

« Non. Et tu le sais très bien. Je ne te le répèterai plus. Va t'habiller. »

Du coin de l'œil, je voyais ma grand-mère qui m'incitait à obéir. Elle me faisait les gros yeux et me faisait comprendre, en regardant ma mère, qu'elle n'allait pas se contrôler encore bien longtemps. Aïe, Aïe, Aïe, je savais que ça allait bientôt pleuvoir. J'avais juste à aller chercher mon manteau bien sagement et j'esquivais la fessée. Pas compliqué pourtant.

« M'en fous ! J'irai pas. » Et voilà ! C'était dit. Ma goutte d'eau a fait déborder son vase trop plein. Elle a couru prendre le martinet qu'elle cachait à la vue de tous, bien à l'abri derrière la cuisinière. Il devait y avoir au moins trois mois qu'elle ne l'avait pas sorti. Trois mois pendant lesquels elle s'est plutôt servie de ses mains pour m'envoyer des « calebotes[53] », comme elle dit. Des tapes sur le cul et les cuisses. « Jamais sur la tête », dit-elle avec fierté quand elle raconte aux autres de quelle manière elle s'y prend pour se faire obéir. Bien appliquées, les tapes nous marquent au rouge une bonne demi-heure. Elle a la tactique. Quand elle sent qu'elle est vraiment trop énervée et que sa main risque de s'épuiser avant elle, elle se sert de sa savate. Superefficace aussi. Je l'admire, ma mère ! Elle ne renonce jamais. Elle a une grande foi en la Fessée et ses vertus. « Ça fait circuler le

---

53. Baffe (dans le glossaire pied-noir).

sang», qu'elle dit. C'est sûr qu'à ce rythme-là, je n'aurai jamais d'embolie, contrairement à mon oncle Raphaël qui en a gardé quelques séquelles. Tout bien considéré, ma mère s'occupe bien de moi et prend soin de ma santé.

Par contre, ce matin, je n'ai pas eu droit à mon remède anti-embolie. En effet – au risque de me répéter –, ma mère administre ce remède de trois manières différentes : avec la main, avec la savate et avec le martinet. Tout à l'heure, sa préférence s'est portée sur le martinet. Ce qu'elle ne savait pas encore, c'est qu'au cours de ces trois derniers mois, mon frère et moi, on s'est mutinés en silence et on s'est amusés (oui, ça nous arrive !) à arracher les lanières en cuir du martinet. Une par semaine. Résultat : quand ma mère s'est saisie du fouet, il ne restait plus que le bâton d'un rouge écaillé. Sa face a dangereusement changé et j'ai compris ce que les condamnés à mort peuvent ressentir juste avant de s'installer sur la chaise électrique : « Ça va chauffer » ou pour les plus optimistes : « Ça va chatouiller ». Mais, à ma grande surprise, ce que je prenais pour une grimace de bourreau n'était qu'un simple sourire de maman. Je crois qu'à la vue de ce sabotage, elle s'est remémoré les bêtises qu'elle faisait quand elle était plus jeune en Algérie et ça l'a mise de bonne humeur.

« Allez, file t'habiller. » Sa voix était devenue toute douce et j'avais juste envie de lui faire plaisir. J'ai tout de suite mis mon manteau.

Je n'aime pas aller au cimetière. J'ai la trouille. Juste à savoir que je risque de pourrir là-dessous. C'est pour ça que je veux être médecin. Je vais le trouver, moi, le vaccin de l'immortalité. Pas question qu'on me range dans une boîte, comme un simple souvenir, du style photo jaunie ou dessin raté que les enfants font à la fête des Mères.

Et puis je me sens trop triste en voyant ceux qui restent là, tout seuls, sans personne pour s'occuper d'eux. Leur tombe est envahie de mauvaises herbes et leur nom s'efface. On dirait qu'ils meurent plus vite que les autres.

Dès qu'elles arrivent sur la tombe, ma mère et ma grand-mère pratiquent toujours le même rituel. Avant de commencer le grand ménage, elles se signent en silence et moi, pendant ce temps-là, je file faire ma corvée attitrée : remplir le seau d'eau à la fontaine. Je m'amuse à tourner le plus vite possible l'espèce de manivelle au-dessus de la fontaine en fonte, pour que l'eau fraîche puisse couler à flots. Ensuite, je rapporte le seau rempli à ras bord pour que l'Abuela remplisse le vase et y range les fleurs fraîches qu'elle a achetées. J'aimerais bien voir la figure que ferait mon grand-père s'il voyait qu'on lui apporte des fleurs, lui qui était si macho ! Je me demande si ma grand-mère ne le fait pas exprès, pour se venger.

Elle désherbe le pourtour de la tombe et finit par l'époussetage. Faut que ce soit impeccable. La propreté, c'est sacré pour l'Abuela. Une question de respect.

«Te acuerdas *ce que je t'ai demandé*, hija mía[54] ?

— *Oui, Abuela. Je m'en souviens.*

—No me gustaría. *C'est ma grande peur*, lo sabes, verdad[55] ?

— *Oui, je le sais, Abuela. Ne t'inquiète pas. Je le ferai. Promis.* »

Elle me sourit. Tout a été dit. Elle aime que je l'accompagne ici pour me rappeler de tenir ma promesse.

Je t'ai déjà raconté ses grandes croyances, mais elle a aussi de grandes peurs. Se faire enterrer vivante, par exemple ! Elle m'a souvent raconté que, dans l'ancien temps, on enterrait les morts en attachant à leur poignet une corde qu'on reliait à une clochette à l'extérieur du caveau, au cas où, finalement, ils se réveilleraient. Vu que c'est déjà arrivé d'enterrer des vivants. On l'a su le jour où on a déterré des cercueils et qu'à l'intérieur on a trouvé des marques de griffures. Quand la clochette sonnait, le gardien savait qu'un cadavre en dessous l'avertissait qu'un crétin au-dessus s'était gouré. Et le gardien de déterrer ce qu'il venait d'enterrer, sachant très bien que le même travail serait quand même à refaire plus tard. Une simple question de timing. Mais, bon... chaque mort, à son heure. L'Abuela, elle aimerait bien avoir aussi une ficelle à son poignet, histoire de la rassurer, une fois là-dessous. Alors, étant donné que les clochettes sont passées de mode, elle m'a fait jurer que le jour de son décès, je mettrais un miroir sous son nez ; s'il se couvre de buée, faut surtout

54. Tu te souviens de ce que je t'ai demandé, ma fille ?

55. Je n'aimerais pas. C'est ma grande peur, tu le sais, n'est-ce pas ?

pas l'enterrer. Faudra attendre que la mort soit véridique avant de procéder. J'ai juré, sans lui parler du vaccin que je vais découvrir et qui rendra inutile le miroir. Ma grand-mère, c'est quelqu'un de simple. Faut pas compliquer les choses.

37

25 décembre 1937 : Alicante

Il était trois heures du matin. Le travail avait commencé. Trop tôt. La sage-femme qu'elle avait consultée à l'hôpital, une semaine auparavant, lui avait pourtant dit que ce ne serait pas avant le 10 janvier, qu'elle allait pouvoir passer les Fêtes chez elle. Carmen venait de perdre ses eaux, les contractions débutèrent presque aussitôt, violentes et intenses ; elles ne laissaient rien présager de bon. Elle n'était pas prête, même si le moment semblait plutôt favorable, car après de longs mois de batailles sanglantes et d'implacables pilonnages, la guerre connaissait enfin un répit.

On ne tirait plus sur le front et les bombardements avaient cessé depuis quarante-huit heures. L'esprit de Noël semblait être respecté de part et d'autre ; athées et croyants des deux camps organisaient une trêve, unis dans un désir non pas de communion ou de partage, mais dans un désir de prouver au monde, à leurs ennemis et à eux-mêmes que certaines valeurs sont indestructibles et au-dessus de tout : l'amour des siens. On racontait que des frères ennemis avaient déposé leurs armes dans le vestibule de la maison familiale, s'étaient fait l'accolade et étaient allés s'asseoir près de leurs vieux parents pour se remémorer les temps heureux. Des larmes avaient coulé. Des mains s'étaient jointes à la recherche d'un espoir naissant. Et, aux lueurs sans éclat d'un triste matin, dans le silence glacial d'une maison endormie, ensemble, ils avaient repris leurs armes, ajusté leurs uniformes. Un dernier regard vers la maison de leur enfance et ils avaient refermé la porte sans faire de bruit pour ne pas réveiller leurs parents, comme du temps de leur jeunesse quand ils s'éclipsaient la nuit pour poser des gestes interdits. Hésitants, ils s'étaient serré la main. Une main légèrement tremblotante, de froid ou de regret. S'évitant du regard, déjà endurcis en prévision des combats à venir. Sans mot, ils étaient ensuite partis, chacun de son côté, réintégrer leur bataillon. Cette histoire s'était répétée dans d'autres foyers plus que de raison, mais la raison n'a rien à voir avec les sentiments, tout le monde le sait.

Une vie encore innocente s'agitait en elle, désireuse de s'extirper de son cocon pour voir le monde. «José, il faut aller à l'hôpital. J'ai perdu les eaux.

— Quoi? L'hôpital est à dix kilomètres! Comment veux-tu qu'on s'y rende? Il est trois heures du matin et on est le 25 décembre!» S'ensuivit une myriade d'injures, la plupart dédiée à l'Église et ses envoyés. «Je vais voir si Pedro a encore la fourgonnette de son beau-frère.»

Elle opina de la tête, les yeux fermés pour mieux se recueillir et se préparer mentalement aux pénibles heures à venir. Quelques minutes plus tard, José revint en jurant de plus belle: «Pedro n'est pas là! Je vais aller au bar de Manual. Il y a un téléphone là-bas.

— C'est fermé à cette heure-ci, non?

— Il habite au-dessus du bar. Je vais le réveiller. Il me doit bien ça, ce connard.»

Elle avait entendu dire que ce Manual, le propriétaire du bar où José et ses camarades cénétistes aimaient à se retrouver, avait tenu des propos anticommunistes un soir où l'alcool l'avait rendu moins prudent: «Faut se méfier de ces sales cocos, les gars. Ceux de Staline. Tu penses qu'ils viennent ici juste pour nos beaux yeux d'Espagnols? Ils veulent faire la révolution chez nous aussi. Et vous, les gars, qui êtes contre l'État, et ben dans le cul vous allez l'avoir, l'État...»

Le bar n'était fréquenté en général que par des anarchistes

qui ne portaient pas les communistes dans leur cœur, et d'ordinaire, ses propos n'auraient indisposé personne, bien au contraire. Mais, ce soir-là, il avait joué de malchance. Quatre membres des Brigades internationales[56] avaient décidé d'arroser leur soirée et choisi de le faire dans le bar de Manual! De surcroît, un des quatre hommes était un communiste russe envoyé par Moscou. Il avait rapporté ces propos à son supérieur, qui voulut donner une bonne leçon à l'imprudent – du genre balle rapide dans la nuque et exposition du cadavre dans la rue avec une pancarte pendue au cou: «Traître». Les anarchistes avaient eu vent de la chose et avaient dépêché José pour défendre le tenancier devant le comité des Brigades, leur expliquer que les paroles de Manual étaient les propos d'un pauvre travailleur ayant trop forcé sur l'alcool, éreinté par de longues heures de labeur. José avait bien défendu son camarade, soucieux sans doute de préserver aussi son débit de boisson préféré. Et Manual en fut quitte pour une bonne frousse et un avertissement qui se voulait le dernier.

«Je vais amener les petits chez madame Dolores et je reviens tout de suite, maman!»

Rafael s'était réveillé dès les premiers gémissements de sa mère. Parents et enfants occupaient la même pièce, comme ils en avaient l'habitude depuis longtemps. Rafael allait sur ses quinze ans et cette promiscuité commençait à lui peser. La guerre, avec ses restrictions, avait au moins l'avantage de lui faire oublier ce désagrément, un mal chassant l'autre. Et puis il se sentait privilégié de se retrouver à Alicante au milieu d'autres républicains en qui il avait confiance.

*****

---

56. Composées de volontaires antifascistes venant de 53 pays différents, ces brigades se sont battues aux côtés des républicains contre les rebelles nationalistes, lors de la guerre civile espagnole, entre 1936 et 1938.

Quand les Martin de la Torre étaient partis de Madrid pour venir s'installer ici, ils avaient fait un détour par Cordoba. Un caprice du père ! Personne ne sut pourquoi il avait voulu à tout prix se rendre dans sa ville natale. Les explications qu'il avait données du bout des lèvres devant l'insistance de sa femme et de son fils restaient vaseuses, presque farfelues. Peu lui importait d'ailleurs d'être cru ou non, sachant pertinemment que la famille n'avait d'autre choix que de le suivre.

Cordoba fut l'une des premières villes à tomber sous la tutelle des nationalistes, l'Andalousie étant devenue une tête de pont entre l'Espagne et le Maroc, d'où Franco avait ramené ses troupes. Son mot d'ordre : éliminer ceux qui ressemblaient, de près ou de loin, à des républicains. À Cordoba, ils avaient vu les cadavres de huit hommes portant un brassard noir et rouge aux couleurs anarchistes, exposés bien à la vue sur une charrette adossée à un mur ; trois corps calcinés gisaient sur un trottoir encore ensanglanté par la fusillade de la veille ; et ces femmes... Rafael en avait encore des frissons, un an après. Elles étaient une vingtaine. On les avait agenouillées par terre. Deux hommes, vêtus de l'uniforme bleu des phalangistes, leur rasaient la tête. Elles étaient sœurs, femmes et mères de républicains. Tondre sur la place publique les femmes des « rouges » était une façon pour les franquistes de les marquer au fer rouge. Aucune d'entre elles ne s'était débattue, n'avait tenté de fuir ou n'avait hurlé. Quelques-unes avaient le visage inondé de larmes. D'autres avaient les traits durcis par la haine, mais aucune trace d'humiliation ne se lisait dans leur regard. La beauté de ces femmes à genoux avait bouleversé Rafael. On n'entendait ni plainte, ni gémissement, ni sanglot. Le silence des témoins renforçait l'odieux du spectacle. Seuls les bourreaux, de temps à autre, laissaient échapper une injure destinée à leurs victimes, pour justifier leur geste, pour se rappeler la raison de leurs actes ou pour ne plus entendre leurs propres doutes que le silence rendait audibles. Rafaël, subjugué par cette scène issue d'un

Les républicains en seraient démoralisés et les franquistes oseraient enfin s'afficher et se battre de l'intérieur.

José avait laissé sa famille sur un banc, dans un quartier de la ville que Carmen connaissait bien, proche de la maison du docteur Lopez où elle avait travaillé plus de huit ans. Il leur avait dit de ne pas bouger, qu'il allait bientôt revenir les chercher. Carmen avait aussitôt demandé à Rafael d'aller voir si le docteur Lopez habitait encore au même endroit. Peut-être qu'il pourrait les aider à rejoindre Alicante. Il avait toujours été un homme bon pour elle et pour tant d'autres. Rafael s'était dépêché de se rendre à l'adresse qu'elle lui avait donnée. Il ne fallait surtout pas qu'il rencontre la garde civile car il était sans papier. Il ne tarda pas à parvenir à l'adresse indiquée.

Une femme d'une cinquantaine d'années lui ouvrit et, à la vue du jeune Rafael qu'elle prit pour un mendiant, elle s'apprêta à refermer la porte en s'excusant de ne rien avoir à lui donner.

«Je voudrais voir le docteur Lopez, s'il vous plaît, Madame. » L'assurance de l'enfant arrêta son geste. Elle lui demanda pour quelle raison il tenait à voir le docteur.

« C'est personnel, Madame. »

Sa mère lui avait bien dit de ne parler à personne d'autre qu'au docteur ou à sa femme. Les ennemis pouvaient se cacher derrière n'importe quel sourire avenant.

«Je suis son épouse, mon garçon. Tu peux me parler. Le docteur Lopez est en consultation et il risque d'en avoir pour un moment. »

Il se sentit soudain heureux de pouvoir se présenter comme le fils de Carmen De La Haba Recio. À ce nom, la femme lui sourit immédiatement et, en le prenant par le bras comme une personne importante, l'introduisit dans la salle d'attente. La fameuse salle où son père avait courtisé sa mère durant de longues semaines.

Elle lui fit signe de s'asseoir, mais il préféra rester debout.

Il ne devait pas s'attarder, même si le confort des lieux et la chaleur de l'accueil l'incitaient à vouloir prolonger sa visite. Il se sentait bien dans cette maison et il comprenait pourquoi sa mère y avait été heureuse. Il se confia à cette femme, qu'il ne connaissait pas dix minutes plus tôt, avec une soif insoupçonnée de partager ses malheurs. Sa carapace d'homme prématuré venait de se disloquer. Tout y passa. La longue route qui les avait amenés de France à Cordoba, la mort de Pepito, la souffrance de sa mère, la brutalité de son père, leur engagement du côté des républicains, les morts qu'ils avaient vus partout depuis leur arrivée à Cordoba et leur fuite imminente vers Alicante. Elle était pendue à ses lèvres, buvant chacune de ses paroles qui semblaient la bouleverser. Rafael en frémissait presque de plaisir. Personne ne l'avait écouté avec autant d'intérêt ni d'empathie.

«Attends-moi ici, Rafael. Je reviens tout de suite.»

Elle lui sourit tristement en s'éloignant. Les confidences avaient délivré Rafael du poids de leur dure réalité. Il respirait mieux. Elle venait tout juste de refermer la porte derrière elle qu'il ressentait déjà les effets de son absence. Il se mit à fureter du regard la pièce où elle l'avait laissé seul. À la vue des nombreuses toiles et statuettes qui décoraient la salle, il en déduisit que le docteur Lopez était amateur d'art. Des photos trônaient sur la cheminée. Il s'en approcha. Sur l'une d'elles, il aperçut le docteur Lopez en compagnie d'un garde civil. Sur une autre, le docteur et sa femme se tenaient près d'un char de l'armée de Franco, avec à leurs côtés un soldat rifain arborant fièrement son fusil. La vérité s'affichait devant lui, saisie sur le vif par l'objectif d'un appareil photo. Il n'avait jamais supposé que le fameux, le bon, le gentil docteur Lopez pouvait être du côté des nationalistes ! Et encore moins sa douce épouse. Il s'était, ni plus ni moins, jeté dans la gueule du lion. Comment sa mère n'y avait-elle pas songé ? Et lui, qui s'était si stupidement confié à cette femme ! Elle semblait pourtant si bienveillante.

Il se précipita vers la porte, le cœur déchiré par cette trahison. Mais avant qu'il ne l'atteigne, madame Lopez pénétra dans la pièce, les bras chargés de sacs, le sourire aussi cordial que quelques minutes plus tôt. Lorsqu'elle aperçut Rafael, son sourire s'effaça. Elle déposa précipitamment les sacs sur le sol et verrouilla la porte.

Rafael se sentit tel un rat pris au piège. Crier ne lui servirait à rien puisqu'il était dans l'antre du loup. Mais il se sentait fort. Elle n'était pas de taille contre lui... à moins qu'elle ne se mette à crier et à alerter les siens. Il cherchait des yeux une arme, n'importe quoi qui la fasse taire.

«Écoute, petit. Je sais ce que tu as cru en voyant cette photo.» Il ne s'était pas aperçu qu'il tenait encore le cadre dans sa main. «Et tu as eu raison de le croire. Nous estimions beaucoup ta mère. C'est une brave femme. Son seul tort a été d'épouser ton père, ce bon à rien d'anarchiste. Une brute.»

Rafael était incapable de parler, complètement paralysé.

«Voilà de quoi vous nourrir, ainsi qu'un peu d'argent. Ça va peut-être vous permettre d'atteindre Alicante. Il faut que tu me jures de n'en parler à personne! Sinon, on nous passera par les armes. Même si mon beau-frère appartient à la garde civile.

— L'homme sur la photo?»

Elle acquiesça sans dire un mot et se remit à lui sourire. Il se remit à l'aimer, sans rien y comprendre. Elle lui tendit des vêtements propres : «Ils appartiennent à mon fils aîné. Ils sont sûrement un peu grands pour toi. Il est parti combattre sur le front du Nord depuis plusieurs semaines et je n'ai pas encore reçu de ses nouvelles.»

Il refusa poliment les vêtements et prit le reste. Il ne pouvait tout de même pas revêtir les habits de l'ennemi.

Une fois dehors, les bras pleins de victuailles et l'argent en poche, il se mit à trembler de tous ses membres et dut s'adosser au mur. Quand il reprit enfin ses esprits, ignorant combien de temps il était resté prostré, il se mit presque à courir. Sa mère devait s'inquiéter.

Soudain, juste devant lui, il aperçut une silhouette familière qui discutait avec une jeune femme. Après une courte hésitation, il n'eut plus de doute. C'était bien son père ! La femme semblait plus jeune que lui. Peut-être la mi-trentaine. Ses traits encore enfantins lui rappelaient vaguement quelqu'un. Il était pourtant certain de ne l'avoir jamais vue. La femme faisait de grands gestes et son père l'intimait de se calmer. Rafael le vit alors lever le bras et lui asséner une gifle avant de la traîner vers la ruelle voisine, dans laquelle ils disparurent. Il fut tenté de les suivre. Mais l'idée que cette femme pouvait être une prostituée arrêta son dessein, et il préféra s'éloigner et rejoindre sa mère.

De retour auprès d'elle, il ne lui raconta que sa rencontre avec la femme du docteur, sans toutefois lui parler des photos. Il ne voyait pas la nécessité d'arracher à sa mère ses plus beaux souvenirs de jeunesse. Le trou que cela aurait laissé aurait été trop profond pour être jamais comblé.

Assis au même endroit depuis trois bonnes heures, ils commençaient à susciter la curiosité des passants quand son père réapparut, une cigarette aux lèvres, marchant avec cette désinvolture et cette nonchalance qui avaient tant séduit Carmen et qui continuaient à enjôler encore bien des femmes, malgré ses quarante ans passés.

« Où étais-tu ? » Carmen était exténuée d'attendre dans cette ville qui, en l'espace de quelques heures, lui était devenue étrangère et hostile.

« J'avais du monde à voir. Des camarades. »

Rafael le regarda d'un air qui signifiait, sans s'y méprendre, qu'il n'était pas dupe. Son père ne s'aperçut de rien ou du moins n'en laissa rien paraître. Rafael avait la certitude que sa mère non plus ne le croyait pas, surtout quand elle lui demanda, avec une pointe d'ironie inhabituelle chez elle : « Est-ce qu'ils peuvent nous aider à repartir d'ici... tes camarades ?

— Non. Je ne les ai pas trouvés.»

Il n'avait pas trouvé non plus de bus pour Alicante ni personne pour les aider. Beaucoup de républicains qui n'avaient pas fui à l'arrivée des franquistes avaient été tués. Les autres essayaient de s'échapper en se mêlant à l'exode, dans l'espoir que leur nom ne figurerait sur aucune des listes dressées par les nationalistes, sur lesquelles se trouvaient inscrits, à l'encre rouge, les sympathisants de la République, qualifiés de «terroristes».

Rafael et sa famille fuyaient comme les autres, jetés sur les routes de l'exode. Certains suivaient la colonne humaine sans savoir où aller. Ils s'étaient enfuis devant le danger, la peur au ventre, comme les animaux devant un feu de forêt. D'autres, plus chanceux, marchaient d'un pas décidé, avec en poche une ou deux adresses dans la zone restée fidèle au gouvernement. Les Martin de la Torre s'étaient joints à tous ces fuyards, unis dans un même élan de frayeur devant l'avancée d'*El Caudillo*[57].

Alicante se trouvait à plus de cinq cents kilomètres de Cordoba. Avec deux jeunes enfants en bas âge, ils n'iraient pas loin. Heureusement que madame Lopez leur avait donné de quoi se nourrir pendant quelques jours !

*****

Rafael remuait encore ces souvenirs quand il sonna à la porte de Dolores. Il dut s'y prendre plusieurs fois avant qu'elle finisse par lui ouvrir, apeurée, ses longs cheveux gris défaits sur une chemise de nuit délavée et limée par des années d'indigence.

«Mon Dieu. Tu m'as fichu une de ces peurs. Je croyais que c'étaient des camaradess du front qui venaient m'apporter des nouvelles de Luis. J'ai tellement peur d'en recevoir de mauvaises.»

---

57. Surnom de Franco, signifiant «le guide».

Une fois remise de ses émotions, elle aperçut les trois enfants de Carmen devant elle et comprit qu'une chose grave était en train de se passer.

« Qu'y a-t-il, Rafael ? C'est ta mère ?

— Oui. Elle va accoucher. Pouvez-vous garder Eugenio et Carmencita ? Mon père est parti chercher un médecin.

— Bien sûr. Tu peux rester ici, toi aussi, si tu veux.

— Non. Il vaut mieux que je rentre à la maison attendre le retour de mon père. Merci, madame Ruiz. »

Dolores s'empressa de fermer la porte pour éviter que le vent froid ne pénètre dans l'appartement, qui n'était pas chauffé. En ces temps de guerre, il était difficile de trouver du charbon dans les grandes villes. Même la nourriture s'y faisait rare. Les républicains détenaient les grandes villes et les industries, alors que les franquistes, qui s'étaient rendus maîtres des campagnes, et donc des cultures et de l'élevage, recouraient à une stratégie moyenâgeuse mais néanmoins payante : affamer l'ennemi en l'empêchant de se ravitailler.

Carmen avait entendu dire que les habitants de Madrid commençaient à souffrir du froid. La capitale, encaissée dans une cuvette, connaissait des hivers rudes et, plus isolée que les autres villes côtières restées républicaines, elle était mal approvisionnée en matières premières. Toutefois, Carmen ne s'inquiétait pas trop pour sa sœur, car son beau-frère, employé comme charpentier à la RENFE (la compagnie espagnole des chemins de fer), pouvait se procurer de la poudre de charbon, utilisée par les locomotives, qu'il ramenait chez lui dans de petits sacs. Conchita mélangeait cette poudre à de l'eau pour en faire des boulettes, qu'elle faisait sécher et qu'elle utilisait par la suite comme combustible dans sa cuisinière au charbon, autant pour le chauffage que pour la cuisine. Au moment les plus rudes de la guerre, lorsque les Madrilènes en viendraient à brûler leurs meubles pour se chauffer,

Conchita et Francisco parviendraient, eux, à échanger leurs boulettes de charbon contre des aliments et des vêtements.

Pour Carmen et José, qui n'avaient pas la possibilité de recourir au troc, les températures à Alicante étaient heureusement plus clémentes, et ils parvinrent à résister au froid avec leurs maigres moyens.

Dolores se remettait tranquillement de ses émotions. Les petits s'étaient endormis dans son lit, près d'elle. Elle se remémorait le jour où Carmen avait sonné à sa porte, quêtant du lait pour son fils Rafael, ce jeune homme qui, aujourd'hui, prenait soin de sa mère. Rien n'avait vraiment changé depuis les dix dernières années. Toujours la même misère, sauf qu'aujourd'hui elle s'affichait au grand jour, ne pouvant plus se taire, mais la réponse ne s'était pas fait attendre. Les armes avaient répondu aux larmes. En ces heures sombres, les pauvres mouraient plus vite, c'est tout. Luis avait répondu à l'appel au tout début du conflit et, dès le mois d'août, il était parti se battre sur le front. Malgré ses poumons qui crachaient le sang, malgré ses pleurs à elle, il était allé retrouver ses camarades de la CNT.

« Je préfère mourir un fusil dans les mains et offrir un avenir aux enfants d'Espagne plutôt que de continuer à me cacher ici, comme un lâche, le temps qu'il me reste à vivre. Je me meurs, Dolores. Laisse-moi redevenir un homme avant. Laisse-moi partir ! Je t'en conjure. » Elle avait cédé. Par amour. Par respect pour l'homme qu'il avait été.

Il était parti se battre avec les siens, à Barcelone. C'était il y a presque un an et demi. À part la seule et unique missive qu'elle reçut un mois après son départ, elle n'avait aucune nouvelle de lui. Dans sa lettre, il ne dévoilait pas le lieu où sa compagnie bivouaquait. Aucune allusion à sa santé non plus. Quelques mots d'amour et un hymne à la cause républicaine. Les seuls détails sur la vie quotidienne du camp se résumaient au manque de sous-vêtements, mais c'était pour mieux taire le reste. Il donnait l'impression d'être en villégiature tellement le ton était léger, badin même, une lettre épurée de toute allusion aux tourments des combats. Bien sûr, c'était un leurre, Dolorès le savait bien.

Depuis, c'était le silence, et son absence se faisait de plus en plus sentir. Ses démarches pour savoir ce qu'il était devenu n'avaient rien donné. Illettrée, elle s'était fait lire la lettre jusqu'à la connaître par cœur et, pour n'en oublier aucun mot, elle se la récitait plusieurs fois par jour. Pour se rapprocher de lui, elle s'était mise au service des compagnons. Elle consacrait toutes ces soirées à la confection de sous-vêtements pour les soldats de l'armée républicaine, espérant que Luis les porterait un jour.

Elle effleura tendrement les cheveux du petit Eugenio et se dit que Luis avait raison de continuer à se battre au nom de la jeunesse espagnole. Elle caressa son ventre desséché, avec nostalgie, partagée entre le regret de ne pas avoir porté un fils et le soulagement de savoir que ce dernier ne serait pas orphelin, car la mort de Luis, à chaque jour qui s'écoulait, devenait de plus en plus une certitude.

Dehors, Rafael était pressé de rejoindre sa mère mais la peur d'affronter ce grand inconnu qu'est l'accouchement ralentissait ses pas. Sans vouloir se l'avouer, il espérait que son père soit déjà à son chevet. Il n'était plus qu'un petit garçon craintif devant la peur de perdre sa mère. Aussi fut-il soulagé de le trouver à la maison, affairé auprès de sa femme. Il retourna s'asseoir sur le perron de la porte, songeant au trajet qui les avait menés de Cordoba à Alicante.

*****

Mélangé à la cohorte des fuyards, Rafael fuyait à nouveau, avec toute sa famille, cette ville qu'il aurait tellement voulu découvrir. Cordoba, la ville de sa naissance, la ville de ses ancêtres. Elle avait été violée et souillée par ces « fils de pute » de franquistes qui en avaient pris possession dans la haine et la violence. Elle avait été défigurée et continuait à grimacer de douleur. Ses artères étaient jonchées de cadavres, elle vomissait dans les rues un flot d'humains pliant l'échine, les traits figés par la peur. Il se sentait inutile, trop jeune pour la défendre, trop vieux pour l'aimer d'un amour inconditionnel. Même les hommes les plus robustes prenaient la fuite !

Leur périple avait duré un mois. Les deux premiers jours, ils avaient marché comme les autres et avec les autres. Quand ils comprirent qu'ils ne pourraient plus continuer longtemps à ce rythme, ils s'arrêtèrent dans un village et laissèrent le flot des miséreux s'éloigner. Trop nombreux, trop égarés, trop pitoyables, ces fugitifs intimidaient la population rurale. Les villages n'étaient pas organisés pour aider autant de gueux. Personne ne s'arrêtait non plus pour les faire monter dans une charrette ou un camion. Par indifférence, par inimitié ou parce qu'ils auraient été contraints de faire un choix. Ils ne pouvaient pas tous les embarquer. Il leur aurait fallu départager parmi ces visages hagards, ces enfants affamés et ces femmes implorantes, lesquels prendre à bord. Et si, une fois leur véhicule immobilisé, le désespoir poussait ces misérables à les spolier de leurs biens ? Peut-être même se trouvait-il parmi eux de dangereux miliciens en fuite ? Confortés par toutes ces bonnes raisons et bien d'autres encore, ils appuyaient sur l'accélérateur ou lançaient leurs chevaux au galop, frôlant dangereusement ces pauvres âmes pour lesquelles, pendant quelques instants, ils avaient eu de la commisération. Les plus fortunés des fuyards s'étaient eux aussi écartés des plus démunis pour chercher un moyen de transport qui allait les conduire vers une grande métropole, Madrid, Barcelone ou Valence.

Les Martin de la Torre, éloignés de la cohorte des exilés, reprenaient figure humaine aux yeux des autres. Ils trouvèrent plus facilement des charrettes dans lesquelles monter et des camions qui les prirent volontiers à l'arrière. Certains fermiers généreux leur offraient souvent de quoi se nourrir : de la charcuterie, du pain et des pommes de terre. Étrangement, Rafael ne se souvenait pas d'avoir eu faim durant cet exode, tandis qu'ici, à Alicante, la nourriture manquait cruellement.

Ils étaient restés cinq jours dans un village collectivisé par des anarchistes qu'on appelait aussi des communistes libertaires[58]. Dans cette bourgade, la collectivisation avait débuté bien avant que la guerre civile n'éclate. Les entreprises privées avaient été réquisitionnées par un comité révolutionnaire qui assurait la production et la distribution auprès de la population. Le troc était devenu la seule monnaie d'échange. La nourriture était distribuée selon les besoins de chacun et les rations étaient minutieusement inscrites dans des registres. Il avait été établi, par contre, que les biens confisqués ne seraient répertoriés nulle part puisque, la propriété privée n'étant pas reconnue, il aurait été antinomique de les consigner dans un livre. Les clôtures, derniers symboles de la propriété privée, avaient disparu. Le temps semblait s'être suspendu dans ce village, échappant par miracle à la folie meurtrière qui ensanglantait le pays entier.

Pour José, ils étaient parvenus au paradis. On les avait accueillis, hébergés dans une ancienne bergerie et nourris. En contrepartie, José avait été assigné à l'usine d'engrais et Carmen rapiéçait des vêtements qu'un membre permanent du comité, une vieille femme de soixante-quinze ans, lui apportait chaque matin. Un instituteur faisait l'école aux plus jeunes dans un local de la mairie. Il n'y avait personne pour les plus grands et Rafael fut dirigé lui aussi vers l'usine d'engrais. Il se sentait enfin devenir un homme. Leur longue marche était finie.

Mais le cinquième jour, ils s'en étaient allés à nouveau sur les routes en direction d'Alicante. Rafael ne comprenait pas ce qui avait poussé ses parents à quitter ce que José avait appelé « un paradis ». Ils y avaient mangé à leur faim, avaient

---

58. Sans lien avec les communistes de l'URSS.

été logés, avaient travaillé honorablement! Pas de cadavres dans les rues ni de hurlements ni de bombardements. Aucun garde civil. On ne lisait pas la peur dans les yeux des passants. Confronté à ses questions pressantes, son père avait fini par lui répondre : «Je n'aime pas me faire dire ce que je dois faire. C'est clair?»

C'était clair! Tout en restant incompréhensible. Et ce qui était le plus étrange, c'est que sa mère avait acquiescé à la réponse de José. Tous deux semblaient ne pas aimer se faire dire ce qu'ils devaient faire! Rafael tourna et retourna la phrase dans tous les sens, mais elle restait toujours aussi hermétique.

Une semaine plus tard, ils avaient enfin rejoint Alicante, où Dolores Munoz Ruiz les avait reçus à bras ouverts et les avait hébergés, le temps qu'ils se trouvent un logement dans les environs. Son père avait rapidement retrouvé ses anciens compagnons et ses vieilles habitudes. Il avait échappé aux combats sur le front, car il était soutien de famille. Alors il s'activait le plus possible à servir la cause en assistant aux comités de la CNT et en intégrant les milices armées qui arpentaient les rues de la ville. Rafael voulait lui aussi rejoindre la milice. José avait refusé.

Et la ritournelle de la faim de recommencer...

*****

Il entendit soudain sa mère étouffer un cri de douleur qui le sortit de sa torpeur, mais ce cri lui fut insupportable et il se mit à courir jusque chez Dolores.

38

LA NAISSANCE DE MA MÈRE

Le 30 janvier 1975
Bonjour, Jo,

Ça va être hyperdégoûtant ce que je vais écrire, puisque je vais parler de la naissance de ma mère. Ce n'est pas que j'y tienne absolument, mais en décidant de t'écrire, je me suis promis que je ne ferais aucune censure sur la vie de la ma grand-mère. L'oubli de ses souvenirs s'en charge déjà bien assez. Et si je m'y mets, moi aussi, il ne restera plus rien à raconter.

Cette histoire a débuté avec la naissance de Stéphanie, ma petite cousine, la fille de ma cousine Ghyslaine qui est la fille de ma tante Carmen, elle-même la fille de l'Abuela. Tu suis ?

Bon, je continue.

Stéphanie, la fille de ma cousine Ghyslaine donc, est née il y a quelques jours. Elle est l'arrière-petite-fille de l'Abuela. On était réunis à la clinique pour admirer le chef-d'œuvre. Un petit bébé étonnamment chevelu pour son âge, une sorte de ouistiti ridé qui somnolait dans les bras de sa mère. Quand une femme accouche chez nous, les pieds-noirs espagnoles pratiquent toutes en cœur le « moikangé » :

« Moi, quand j'ai accouché...

— Moi, quand j'ai mis au monde...

— Moi, quand j'ai perdu mes eaux... »

Toutes les mères sortent soudain d'une torpeur dans laquelle on ignorait qu'elles étaient et elles se mettent à raconter leurs accouchements. On les connaît par cœur. Et on a beau leur répéter qu'on les connaît, elles continuent à les rabâcher pour être sûres, au cas où...

La naissance de ma mère, celle-là, je ne l'avais pas encore entendue.
Un oubli ? Ou bien une distraction de ma part quand l'Abuela en
a parlé ? Je ne sais pas, mais cette fois-ci j'ai bien prêté mon oreille
gauche, la plus attentive... j'en suis sûre, vu que c'est celle que je
dresse instinctivement quand quelque chose m'intéresse. L'autre, elle
ne sert à rien. Juste à rendre symétrique mon visage ou à entendre
ce que je n'ai pas envie d'écouter.

Quand elle a su que Ghyslaine, sa petite-fille, avait eu une césa-
rienne pour mettre au monde le ouistiti, l'Abuela a eu cette remarque
qui m'a mis la puce à l'oreille, la gauche.

«*Heureusement que* cuando j'ai *accouché de* tu madre, yé *pas*
eu besoin de una *césarienne*[59].

— *Pourquoi ?*

— Porque yé *accouché à la* casa. Sin medico.

— *Tu as accouché chez toi, sans médecin ? À l'époque, c'étaient*
les sages-femmes qui accouchaient, c'est ça ?

— No. Porque *c'était la* guerra. Tu abuelo *n'a pas trouvé*
el medico[60]. *C'est lui qui m'a accouchée.* »

Je n'en revenais pas. Mon grand-père a accouché l'Abuela ! Et
moi qui étais persuadée qu'il n'était qu'un bon à rien. Il lui a sauvé
la vie. Finalement, elle a raison ma grand-mère quand elle rabâche
qu'il y a toujours du bon à tirer de quelqu'un.

Elle m'a expliqué que c'était un jour de Noël, pendant la guerre.
Imagine-toi qu'il a fallu que ma mère pointe son nez ce jour-là. Rien
d'étonnant. Fallait bien qu'elle se fasse remarquer. Mon grand-père a
cherché le médecin partout, mais il est resté introuvable. Parti au front
ou au chaud avec sa famille, ou encore coincé à l'hôpital. Il paraît
qu'il est resté supercalme et qu'il l'a accouchée comme s'il plâtrait un
mur, presque en sifflotant. Elle est restée tellement surprise qu'elle lui
a demandé s'il avait déjà fait ça : mettre au monde un bébé. Il l'a

---

59. Heureusement que lorsque j'ai accouché de ta mère, je n'ai pas eu
    besoin d'une césarienne.
60. Non. Parce que c'était la guerre. Ton grand-père n'a pas trouvé le
    médecin.

envoyée sur les roses et c'est de cette façon, tandis que ma grand-mère se faisait engueuler, que ma mère est venue au monde. Elle aurait dû appeler le bébé Rosa au lieu de Violeta, mais elle devait avoir ses raisons. Ensuite, elle m'a raconté de quelle manière il s'y était pris pour couper le cordon ombilical. Là, c'était le coup fatal ! Je me suis mise à écouter de l'oreille droite. Je savais que l'histoire se terminait bien de toute façon !

39

25 décembre 1937 : Alicante

Elle tenait la petite Violeta dans ses bras. José avait débarbouillé la nouveau-née, l'avait langée et habillée avant de la mettre dans les bras de Carmen. Il pleurait de joie. Elle n'avait pas eu souvent l'occasion de le voir si heureux.

Comme lors de ses autres accouchements, elle avait la sensation du devoir accompli. Chaque nouvelle vie l'emplissait d'une fierté sans nom. À quarante ans et avec cette guerre qui s'éternisait, elle pressentait que Violeta serait son dernier enfant. Elle respira profondément. La pièce était encore imbibée d'une odeur âcre. De ces mêmes effluves qui s'exhalent des champs de bataille : une odeur de sang, de matière fécale et de sueur. Elle trouva étrange cette comparaison en cet instant, alors qu'elle venait de donner la vie et que tout aurait dû lui sembler magique. Sans doute l'influence de cette guerre, elle-même impuissante devant la vie qu'elle ne parvenait pas à éradiquer, car la vie finit toujours par trouver son chemin. La vie, la mort : deux rivales unies pour l'éternité, chacune devant son existence à l'autre.

Aujourd'hui, elle respirait cette absurdité à pleins poumons et pourtant, elle se sentait presque sereine. Depuis plusieurs années, elle s'efforçait de s'épanouir dans cette vie qui était la sienne, consciente qu'elle devait s'en satisfaire. Elle était reconnaissante à Dieu de lui avoir permis d'avoir des enfants qui lui apportaient une joie quotidienne. Emportée par cet élan de gratitude, elle se trouva chanceuse d'avoir épousé José parce qu'il ne l'avait pas abandonnée aujourd'hui.

Elle remercia Dieu pour sa mansuétude : la venue de ce bébé, le jour de Noël, ne pouvait être qu'un don du ciel, un signe du Seigneur. Elle ferma les yeux et s'assoupit, sa petite fille blottie contre elle et José veillant à ses côtés. On n'était pas loin de l'image d'Épinal.

40

25 mai 1938 : Alicante

Elle se leva à l'aube car elle voulait être sûre d'être de retour avant que les enfants se réveillent, même si Carmencita, du haut de ses huit ans, était déjà capable de s'occuper des benjamins. Depuis la veille, José et Rafael s'affairaient à consolider les défenses au nord de la ville. Avec de la chance, ils seraient de retour dans peu de temps. Mais la chance devenait une denrée rare. Pour preuve, pas plus tard que la semaine précédente, elle avait perdu son emploi. La manufacture de chaussures où elle travaillait avait été bombardée de nuit par l'aviation allemande et, au matin, les employés n'avaient trouvé qu'un amas de ruines encore fumantes. Bombarder une usine de souliers ! Pourquoi ? Une nouvelle stratégie des franquistes ? Déchausser ses ennemis ? Huit travailleurs de nuit avaient été tués. Huit familles plongées dans le deuil et cinquante autres sans revenus. Ces drames devenaient si fréquents que la compassion et la désolation s'effaçaient devant la nécessité de survivre.

Ce matin-là, personne ne s'éternisa devant les gravats. Hormis une femme, une vieille à la recherche de son mari qui fouillait sous les décombres, sans s'apercevoir que ses mains étaient atrocement brûlées. Il faisait partie des huit employés de nuit. À la vue de cette femme qui ne cessait d'appeler son homme « Alejandro » avec tendresse, entre deux sanglots, un malaise s'empara des quelques personnes encore présentes sur les lieux. Carmen, qui d'ordinaire s'effaçait devant le malheur des autres, ne pouvait plus laisser cette femme chercher en vain un corps aimé dans les ruines. Sa passivité l'aurait rendue complice de cette guerre qui laissait derrière elle des zombies plus insoutenables aux yeux des survivants que les disparus.

Pendant la nuit, les huit cadavres avaient été retirés de sous les débris. On les avait soigneusement alignés les uns près des autres dans un souci naïf, presque puéril, d'ordonner la mort pour la rendre plus digne et acceptable. Carmen prit délicatement la vieille femme par le bras et l'emmena auprès des victimes. Les corps mutilés étaient recouverts d'une bâche sur laquelle on avait déposé une pancarte où s'étalaient, en lettres noires, huit noms en majuscules. La vieille femme leva des yeux implorants vers Carmen et, d'une voix aussi douce que lorsqu'elle appelait son mari, lui demanda : « Qu'est-ce qui est écrit, Madame ? »

Ses mains tremblantes agrippaient la pancarte comme une bouée de secours, comme le dernier lien qui la rattachait encore à lui, à ce prénom si longtemps chéri qu'elle devinait inscrit sur le morceau de carton sale et découpé à la hâte.

« Désolé, madame Ruiz. Alejandro est mort. Je ne vous conseille pas de regarder. Il est presque... méconnaissable. » Carmen n'avait pas remarqué le directeur de l'usine, qui se tenait derrière elles et qui venait de parler. Rien ne le différenciait des autres badauds. Même lassitude, mêmes poings serrés le long du corps, même regard trouble.

Le hurlement de la vieille lui glaça le sang. Une douleur ancestrale, issue des profondeurs de l'âme humaine. Personne ne put la retenir quand elle se jeta sur la bâche qu'elle arracha brusquement, avec une force insoupçonnée chez cette femme si menue. L'exhibition impudique des huit hommes, dépourvus de toute humanité tant ils étaient déchiquetés, déclencha un haut-le-cœur chez Carmen. Elle se sauva, la main sur la bouche. Essoufflée et honteuse, elle n'arrêta sa course que lorsque l'usine fut hors de vue. Qu'allait devenir la pauvre madame Ruiz ? Au souvenir de ces corps déchiquetés, les nausées la reprirent et elle se libéra contre un mur, à l'abri des regards.

Depuis ce triste épisode de l'usine, Carmen arpentait les rues à la recherche d'un travail. Quand elle se trouvait à bout de force, elle tendait la main pour un sou ou une orange. Une ouvrière avec qui elle avait travaillé lui montra comment frire des pelures de pommes de terre. Carmen fut surprise de les trouver délicieuses. Que la vie est donc pleine de ressources ! Et le soir venu – elle ne pouvait se résoudre à fouiller les poubelles de jour –, elle partait à la recherche des épluchures qui apaiseraient la faim des siens quelque temps. Les ordures n'étaient plus synonymes de déchets, elles devenaient simplement une bonne façon de calmer un appétit qu'ils n'avaient plus les moyens de satisfaire au grand jour. Voilà tout !

Ce matin du 25 mai 1938, elle ignorait encore que le pire était à venir sur ce marché central d'Abastros où, douze ans plus tôt, elle était venue grappiller pour la première fois des fruits et des légumes trop abîmés pour la consommation. Depuis, les gens étaient devenus moins regardants, et ce qui, par le passé, ne pouvait se vendre s'arrachait aujourd'hui à prix d'or ; jusqu'aux pommes à moitié pourries qui se négociaient ! Elle pouvait passer des heures à chercher et ne trouver que des tubercules germés. Mais elle ne repartait jamais les mains vides. Elle s'en était fait un point d'honneur. Elle savait que si ce jour arrivait, elle sombrerait dans une profonde prostration dont elle ne se relèverait pas.

Elle enviait les ménagères qui flânaient parmi les étals à la recherche du fruit ou du légume parfait. Elle, aussitôt son marché terminé – des carottes flétries et un navet providentiellement tombé d'un panier –, s'en retourna chez elle, retrouver ses petits.

*****

Il était onze heures dix exactement. Elle préparait une pauvre soupe, grâce aux maigres tubercules qu'elle avait glanés un peu plus tôt, enrichie d'un mince filet d'huile d'olive. Tout en remerciant Dieu d'avoir encore épargné à sa famille la désolation d'une assiette vide, elle s'activait devant les fourneaux, avec dans ses bras la petite dernière agrippée à son sein en train de se repaître du bon lait maternel. Le soleil brillait déjà très haut dans le ciel, prêt à illuminer le drame qui allait bientôt se dérouler. Un rayon entra par la fenêtre et irradia la pièce où Carmencita et Eugenio jouaient avec des noyaux d'abricot. Violeta, assouvie, gazouillait contre la poitrine de sa mère. Les ingrédients du bonheur étaient réunis pour l'inciter à pousser sa chansonnette. Un flamenco nostalgique s'éleva, d'abord timide puis de plus en plus puissant. Une musique née dans son Andalousie natale qui chante la souffrance, gorgée de nostalgie et d'espoir.

Elle se laissait bercer au rythme de sa propre voix quand ce qui semblait être un ronronnement de moteur d'avion attira son attention. Elle s'arrêta de chanter et tendit l'oreille. Le bruit s'amplifiait. Il n'y avait plus de doute. C'étaient bien des avions. Elle s'approcha immédiatement d'Eugenio, mit le bébé dans les bras de Carmencita, prit Eugenio dans les siens et fit signe à sa fille aînée de se tenir prête à descendre dans la cave de l'immeuble. La fillette comprit aussitôt ; elle ne s'habituait pas aux alertes contre les attaques aériennes et, lorsque les sirènes se mettaient à hurler, elle devait faire un effort surhumain pour ne pas se mettre à hurler elle aussi. Une bonne minute s'écoula. Toujours pas de sirènes. Aucune raison de s'inquiéter dans ce cas, ces avions étaient des leurs. Carmen remit Eugenio par terre et, avant qu'elle n'ait eu le temps de se redresser, une déflagration retentit, assez violente pour faire éclater la vitre de la cuisine. C'était à n'y rien comprendre. Elle se précipita au sous-sol avec les enfants.

Les bombes se succédaient sans relâche. Tous les locataires

de l'immeuble se réfugiaient dans la cave à la moindre alerte, mais ce matin-là, Carmen n'y trouva qu'un couple âgé, les autres occupants étant au travail. Le vieil homme tendit aux enfants un vieux morceau de sucre qu'il extirpa de la poche de son pantalon. Carmen s'en saisit en le remerciant, partagea le sucre en deux et donna les morceaux à Eugenio et Carmencita. La vieille femme, debout dans un coin de la cave, les yeux rivés sur ses chaussures, répétait sans cesse : « Je ne comprends pas. Il doit y avoir une erreur. Les sirènes n'ont pas sonné. Les sirènes n'ont pas sonné.

— Ou peut-être qu'on se fait canarder par les nôtres. Le monde est rendu tellement absurde ! » répondit son mari en passant son bras autour de ses épaules.

Les enfants étaient aux anges, ça faisait tellement longtemps qu'ils n'avaient pas mangé de vrai sucre.

Trente minutes et quatre-vingt-dix bombes plus tard, ils purent enfin sortir de la cave. Elle enjoignit Carmencita de rester dans la cuisine et de garder son frère et sa sœur. Elle allait essayer de glaner des informations pour comprendre ce qui venait de se passer.

Dehors, le silence qui succédait immanquablement au pilonnage intensif n'était pas rassurant pour autant. La rue semblait calfeutrée, les bruits assourdis comme après le passage d'une tornade. C'était le silence de l'incrédulité, celui qui précède les cris de désespoir quand la réalité s'impose à nouveau, implacable. Progressivement, la ville reprenait vie en pleurant ses morts. Carmen n'eut pas besoin de poser de questions. Les gens parlaient d'eux-mêmes ! Une urgence vitale de partager. Une catharsis pour reprendre souffle.

« C'est le marché central. Mon Dieu, quelle horreur !

— Il y a des centaines de morts, des milliers de blessés.

— Ces salopards de fascistes. C'étaient des avions italiens[61]. Des S-79 Savoia.

---

61. Mussolini, tout comme Hitler, soutenait l'effort de guerre de Franco.

— Des enfants... des enfants...

— Déchiquetés, des bras, des jambes...

— Non. Ce n'est pas possible. Que des civils! Assassins... ce n'est pas une guerre, c'est une boucherie.

— Et nos maudits canons qui sont trop obsolètes pour fonctionner et nous défendre.

— Les sirènes n'ont pas sonné! Pourquoi, hein?

— Ils nous ont abandonnés.

— On n'... »

Et les gens de pleurer, de crier, de jurer. Les bras levés au ciel, les poings vengeurs. Les regards désemparés heurtaient d'autres regards tout aussi troublés. Les crises de nerfs des femmes et des hommes... Carmen eut un frisson. Quelques heures seulement la séparaient de ces bombes. Elle aurait pu faire partie des victimes. Les enfants auraient été seuls à la maison...

« Des torrents de sang dévalent la Rambla de Mendez Nunez jusqu'au port! » Les yeux exorbités, l'homme qui venait de parler agrippait Carmen par les épaules et cherchait dans ses yeux un antalgique qui le soulagerait de cette vision d'apocalypse. Elle en avait assez entendu. Elle repoussa brutalement l'homme qui s'accrochait encore à elle et rentra chez elle, loin du désordre et de la démence de la rue. Elle ne voulait plus rien entendre, ni voir, ni encore moins comprendre.

Elle tentait encore de rassurer les enfants quand quelqu'un sonna à la porte. C'était Dolores. Elle se tenait debout devant elle, le visage et les bras ensanglantés. Elle respirait bruyamment et se tenait la poitrine à deux mains. Sur ses joues, les larmes avaient nettoyé le sang en laissant derrière elles de fines rigoles blanches. Un air de clown triste assorti à la tragédie du dehors. Des yeux fixes qui traversaient Carmen avec la précision d'une épée.

« Mon Dieu! Dolores. Mais vous êtes blessée! Vous étiez là-bas? Au marché? » Dolores ne répondait pas, le regard absent, coincé quelque part parmi les décombres et les corps.

Carmen l'allongea sur son lit avec délicatesse. Dolores avait toujours incarné à ses yeux la force tranquille de la femme, celle chez qui on se réfugie pour être consolée, celle qui trouve les mots apaisants et de chez qui on repart réconciliée avec la vie. À présent, Dolores n'était plus qu'une vieille femme fragile, venue à son tour chercher réconfort chez une autre. À cinquante ans, elle paraissait soudain en avoir vingt de plus. Pendant un instant, Carmen vit en elle la femme éplorée d'Alejandro. Les enfants pleuraient, ils étaient terrorisés. Elle se mit à la soigner et à la nettoyer de son sang. Mais elle ne trouva aucune plaie. Dolores n'avait rien. Elle n'était pas blessée. Le sang sur elle n'était pas le sien.

41

FLAMENCO

Le 5 février 1975
Bon matin Jo,

Cette nuit, j'ai rêvé d'une danseuse de flamenco. Sûrement parce qu'hier soir, on a regardé, à la télé, Manitas de Plata qui m'a cassé les oreilles et m'a empêchée de dormir. Et que je te gratte la guitare et que je te chante en pleurant, comme si j'avais perdu mon père et ma mère confondus. C'est vrai, quoi ! Les chanteurs de flamenco ont l'air de chialer tout le temps comme s'ils étaient désespérés de la vie.

En me réveillant, j'ai pensé aux vacances qu'on a passées, il y a quatre ou cinq ans, en Andalousie, la province où est née l'Abuela. Aller en Espagne en vacances ! On y va, mais en silence, sans faire de bruit, parce que ça marque mal d'aller en vacances en Espagne. Les riches, eux, ils partent au ski ou en Amérique. C'est plus distingué. On peut s'en vanter ! Mais l'Espagne, la Grèce ou l'Italie... même si on rigole bien là-bas avec nos cousins, c'est la honte ! C'est pour ça que, lorsqu'on se retrouve à l'école en septembre, on évite de parler des vacances puisqu'on est presque tous allés dans un de ces trois pays. Sauf les Arabes qui, eux, sont partis encore plus loin dans la honte, en Algérie ou au Maroc. Alors, à la rentrée des classes, on se tourne vers un Mohamed ou une Fatima pour lui demander comment se sont passées ses vacances.

Bon, il faut que j'arrête de faire des détours si je veux écrire ce que je veux dire en premier. Je disais donc qu'on était allés dans une taverne, une sorte de grotte, à Malaga. On n'était pas censés y aller jusqu'à ce que ma grand-mère voie la pancarte. On y voyait

234

dessinée une Gitane qui dansait le flamenco, les bras levés avec des castagnettes au bout des doigts. On a tout de suite compris que la soirée allait se terminer là. Le flamenco, c'est la musique de jeunesse de ma grand-mère ! Ça se chante et ça se danse – pareil que dans la chanson de Cloclo. On est restés longtemps enfermés là-dedans. Je ne sais pas combien de temps. À l'époque je ne savais pas lire l'heure. Et puis, à quoi cela m'aurait servi ? Je n'avais pas de montre ! Par contre, je savais déjà lire dans les yeux de l'Abuela. Ce n'était pas difficile ! On y voyait un feu d'artifice, ses yeux gris pétillaient de toutes les couleurs. On avait aussi l'impression qu'elle chantait en play-back tellement que ses lèvres remuaient. J'ai eu peur – comme l'autre fois – qu'elle se mette à danser sur la table avec la Gitane. Mais je m'inquiétais pour rien. Elle est restée sagement assise et elle a continué à chanter et à danser en sourdine. J'aimerais l'entendre chanter pour de vrai une fois. Mais, comme tu sais, sa voix s'est cassée en dedans d'elle, quand mon oncle Raphaël est parti à la guerre. Pourtant, elle avait juré qu'elle se remettrait à chanter si elle le revoyait. Faut croire que quand on se retient aussi longtemps, on n'en a plus envie !

Au bout de la troisième chanson, je me suis endormie dans les bras de l'Abuela, qui ne s'est pas aperçue que je m'étais blottie contre elle.

42

12 mars 1939 : Alicante

L'armée de Franco gagnait sur tous les fronts. Barcelone était tombée le 15 janvier. Le président Azana démissionna le 28 février. Les derniers républicains espagnols, épuisés par trois ans de guerre civile et poignardés dans le dos par leurs voisins – la France et le Royaume-Uni avaient reconnu le gouvernement de Franco quelques mois plus tôt –, affluaient vers les derniers ports encore aux mains des leurs : Valence, Alicante, Murcia...

L'exode massif des populations fuyant devant les fascistes avait commencé dès janvier 1939, après la chute de Barcelone. Les colonnes des fugitifs étaient la cible des avions qui les bombardaient sans répit, sans égard pour les femmes, les enfants et les vieillards. Près d'un demi-million d'Espagnols s'étaient amassés à la frontière des Pyrénées. Affamés, crasseux, épuisés et amaigris, les os glacés par un hiver 1939 particulièrement rude, démunis, sans espoir et souvent sans famille, ils étaient la défaite ! Ils s'étaient battus pour un idéal et contre une dictature, persuadés d'avoir le monde de leur côté. Mais le monde avait détourné le regard pour mieux prévenir une nouvelle guerre, sans se rendre compte qu'elle avait déjà germé ici. La marée humaine, agglutinée à la frontière et effrayée par la mort qui la talonnait, ne pouvait être contenue très longtemps par l'armée française. Daladier n'eut d'autre choix que d'ouvrir les frontières pour accueillir cette masse de réfugiés, dont la tragédie n'était qu'une pâle répétition de ce que l'Europe entière allait vivre quelques mois plus tard.

Après la chute de Barcelone, les derniers bastions républicains ne tardèrent pas à tomber à leur tour. Au cours des derniers jours, l'Espagne s'était même offert le luxe d'une guerre civile dans la guerre civile. Chez les républicains, le schisme entre communistes et anarchistes n'avait cessé de s'élargir depuis le début des hostilités et avait fini par atteindre son paroxysme dans une lutte fratricide pour prendre le pouvoir. Les communistes, parce qu'ils refusaient de se rendre. Les anarchistes, dans l'espoir d'une négociation de paix. Ces dissensions au sein des républicains firent des centaines de morts après un combat féroce au cœur de Madrid. Cette goutte de sang dans l'hémorragie ibérique répandit une lumière crue sur les raisons de la défaite face aux fascistes qui, eux, restaient fortement soudés dans la haine et dans la peur de l'autre.

Les républicains, divisés depuis le début des hostilités, avaient perdu la guerre avant même qu'elle n'éclate. Ils étaient pourtant les seuls en Europe à avoir pris les armes contre la dictature, les seuls à avoir dit «non» sans compromis. Les seuls! Tout n'était à présent qu'une question de jours avant que Franco ne puisse, sans crainte, desserrer les mains autour du cou de la République qu'il était en train d'étrangler et qui vivait ses derniers soubresauts.

*****

L'après-midi tirait à sa fin. Au port d'Alicante, Carmen, José et leurs quatre enfants se tenaient au milieu d'une foule qui s'empressait sur le quai et qui ne cessait de grossir d'heure en heure. Tous avaient les yeux tournés vers le large dans l'espoir de voir des bateaux venir leur porter secours. Quelques chalutiers et un cargo anglais attendaient, amarrés au quai. Le cargo marchand s'appelait le *Ronwyn* et déchargeait encore des sacs de farine.

237

« Pepe. Que se passe-t-il ? Pourquoi il y a-t-il si peu de bateaux ? Qu'est-ce qu'on va faire ? J'ai peur.

— Je sais, moi aussi. »

Il ne l'avait pas habitué à lui avouer ainsi son inquiétude. Cela ne fit qu'accroître la sienne.

« Reste là avec les enfants, je vais aller parler aux membres d'équipage. »

Elle le vit s'approcher d'un matelot. Ils échangèrent quelques paroles, l'homme regarda une liste qu'il avait extirpée de sa poche et hocha la tête en signe de refus. José, furieux, s'éloigna du bateau et fit signe à Carmen de s'approcher.

La tension sur le port était à son maximum. On entendait des histoires d'horreur dans presque chaque bouche : « Les nationalistes ont pour ordre de ne pas faire de quartier... » « Ils massacrent ceux qui ont collaboré d'une manière ou d'une autre avec le gouvernement déchu... » « Les Maures violent nos femmes et nos filles... » Les pleurs des enfants et des femmes se mêlaient à la colère et au désespoir des hommes. Le paysage chaotique du port d'Alicante accentuait la névrose de la foule. Tout n'était que désolation. Les bombardements successifs et la mitraille avaient ravagé les lieux dans le seul but d'endiguer la fuite des républicains récalcitrants. De nombreux hangars avaient été rasés ou arboraient des trous béants témoignant de la violence des salves. Partout, des murs effondrés et noircis par des incendies fumaient encore. Des bâtiments en ciment éventrés se répandaient sur toute la longueur du quai. D'immenses grues s'étaient couchées sous la violence des tirs, et des bateaux coulés par l'ennemi laissaient encore voir leur proue comme un refus obstiné de disparaître dans les eaux froides du port. Devant ces navires désormais inutiles, les fuyards se sentaient de plus en plus perdus, acculés dans un recoin de l'Espagne. L'instinct de survie prit le dessus sur leur civilité ; certains pratiquèrent le « chacun pour soi » en toute impunité.

Des querelles éclatèrent près du *Ronwyn*, qui avait fini de décharger et débutait l'embarquement en commençant par les femmes et les enfants. La passerelle, une simple planche beaucoup trop inclinée, était bondée de monde. Des cris se firent soudain entendre, suivis de bruits de corps tombant à l'eau. Plusieurs matelots faisaient maintenant barrage au bas de la passerelle. Seuls les gens inscrits sur la liste et détenant un visa pouvaient monter.

« Je croyais que tu avais acheté les billets ? »

Carmen était fébrile. Depuis plusieurs semaines déjà, l'ennemi avait lancé une forte offensive et ne cessait de bombarder la ville. Les sirènes retentissaient à présent plusieurs fois par jour, déclenchant la panique au sein d'une population de plus en plus désespérée.

« Bien sûr que je les ai achetés. Ils m'ont coûté plus de trois cent pesetas. Mais je n'ai pas pu avoir les visas et ils ne veulent pas nous laisser monter à bord, même si nos noms figurent sur leur putain de liste. »

Elle ressentit un pincement au cœur en entendant son mari s'approprier le mérite d'avoir défrayé les billets. Cet argent, il le devait à Dolores.

*****

Peu de temps après le bombardement du marché, Dolores avait basculé progressivement dans une douce folie, inventant un monde où elle faisait revivre son compagnon de toute une vie, une manière de fuir l'autophagie d'une Espagne qui se mourait. Au début, Carmen avait bien essayé de la sortir de cet état d'aliénation, qu'elle croyait passager. En vain. Jour après jour, elle la vit dépérir dans une démence qui la rendait si émouvante qu'elle finit par la laisser vivre cette vie où la souffrance n'avait plus sa place. Lorsque les choses allaient encore plus mal que d'habitude, il lui arrivait même de l'envier. Dolores mettait la table pour son Luis, racontait à Carmen combien ils avaient profité tous les deux de la belle journée de la veille en se baladant à travers la ville, tricotait des chandails qui tiendraient Luis au chaud l'hiver prochain. Elle ne voyait plus les visages apeurés dans la rue, n'entendait pas les sirènes qui jetaient dans les caves des milliers d'hommes et de femmes toujours plus désemparés et écoutait encore moins les nouvelles alarmantes que les radios diffusaient sans relâche.

Aussi, quand Dolores lui remit en mains propres les pesetas qui serviraient à payer leurs billets d'embarcation, Carmen resta interloquée. « Dolores, d'où sortez-vous ces billets ? »

Depuis que la folie adoucissait ses nuits, Dolores avait de plus en plus de mal à trouver sa pitance, vivotant d'un travail à l'autre avec, dans l'intermède, de longues semaines d'errance à travers les rues de la ville sans savoir ce qu'elle cherchait ni comprendre pourquoi elle ressentait une faim lancinante. Carmen essayait de l'aider du mieux qu'elle pouvait ; elle n'avait pas oublié le litre de lait si généreusement offert. Les temps étaient durs. Son aide se résumait à partager les détritus trouvés sur les marchés ou dans les décombres encore fumants des maisons bombardées.

« C'est pour toi. Prends l'argent et partez loin d'ici. Loin de cet enfer.

— Où avez-vous trouvé cet argent, Dolores ?

— J'ai vendu les vieux bijoux de ma mère.

— Je ne peux pas l'accepter. Tenez, Dolores. Vous en avez besoin pour survivre. »

La vieille femme semblait avoir subitement retrouvé sa lucidité. Elle refusa de reprendre les billets que lui tendait Carmen.

« Luis ne reviendra plus. Un de ses compagnons est venu m'annoncer sa mort hier. Tu sais qu'il a été tué depuis presque trois ans ? Personne n'a cru bon de me le dire avant. C'est bête, hein ? Toutes ces années à penser qu'il reviendrait. Je ne sais même pas où il est enterré... »

Elle s'arrêta, l'air absent, un sourire flottant sur les lèvres.

Son regard des derniers mois était revenu. Un regard qui contemplait la vie comme on contemple un écran de cinéma, en spectateur distrait et rêveur. Elle poussa gentiment Carmen hors de chez elle. «Maintenant, laisse-moi, Carmencita. Il faut que je prépare le déjeuner pour mon Luis.»

Carmen savait que les assiettes resteraient vides. Ce matin, elle n'avait rien pu lui apporter. Elle serrait les billets de Dolores qui lui démangeaient les doigts et décida de lui acheter des vivres non périssables. Ensuite, elle réfléchirait à ce qu'elle allait bien pouvoir faire de cet argent. En déambulant dans la rue à la recherche d'une épicerie ouverte, les mots de son amie résonnaient à ses oreilles: «Partez loin d'ici». Carmen savait que beaucoup de républicains avaient déjà fui par les Pyrénées. Mais il était trop tard pour eux car ils étaient désormais bloqués ici à Alicante. Restait la fuite par la mer. Pepe lui avait déjà laissé entendre que c'était la seule solution. Jusqu'à aujourd'hui, ils n'avaient pas l'argent nécessaire pour acheter les billets. C'était leur jour de chance. Oui, mais comment accepter l'argent de son amie qui perdait la raison? À moins de l'emmener avec eux? Oui, voilà la solution. Dieu ne les avait pas oubliés. Elle reprenait espoir quand, soudain, les sirènes se mirent à retentir. Tous les yeux se levèrent instinctivement vers le ciel chargé de nuages.

Elle s'engouffra dans le soubassement de l'immeuble le plus proche et remercia ce même ciel, parcouru par les avions ennemis, de ne pas avoir avec elle les enfants, qu'elle avait laissés à Pepe. Le bombardement fut plus long que d'habitude. Les franquistes redoublaient d'effort pour en finir au plus vite. Au bruit assourdissant qui les contraignit à se couvrir les oreilles, Carmen et ses compagnons d'infortune qui se terraient avec elle dans la cave en déduisirent que l'obus était tombé tout près. Puis ce fut le silence des sirènes, la vie qui sortait à nouveau de sous terre.

Une fois dehors, elle constata l'ampleur des dégâts. Autour de l'immeuble où elle avait trouvé refuge, il ne restait que des ruines d'où s'élevaient des cris et des gémissements. Moribonds et blessés mêlaient leurs voix sous les décombres. Des survivants sortaient de sous les ruines, dégageant d'un semblable mouvement les gravats et les morceaux de cadavres qui leur barraient la sortie. L'immeuble qu'elle venait de quitter avant que les sirènes ne retentissent et où vivait Dolores n'était plus !

Depuis la tragédie du marché, son amie ne descendait plus à la cave ; elle n'entendait plus les alertes. Carmen savait qu'elle gisait quelque part sous les décombres. Elle espérait seulement que Dolores était morte en pensant à Luis qui n'allait pas tarder à rentrer pour le déjeuner. Ensuite, elle fit ce que les habitants de la ville faisaient après une attaque aérienne : elle se mit à courir vers les siens, priant de toutes ses forces pour que les bombes les aient épargnés. Ses prières furent exaucées. Elle remercia Dieu de sa grande miséricorde et José, les dents serrés, lui dit aussitôt de fermer sa gueule et de ne plus prononcer le nom de cet enfoiré de fasciste.

Le lendemain, Carmen partit aux nouvelles. Dolores figurait bien sur la liste des victimes du bombardement de la veille. Elle respecta ses dernières volontés en remettant, le jour même, l'argent à José pour qu'il achète les billets qui allaient les délivrer de cette géhenne. La mer était leur seule planche de salut. Cette Méditerranée qui l'effrayait tant ! Trop grande, trop liquide, trop bleue, trop démontée les jours de grands vents. La fuite sur cet élément bardé de superlatifs la terrifiait. Pourtant, c'était leur seule chance, car elle savait qu'elle ne pourrait plus longtemps encore trouver le courage d'affronter la nuit avec la peur persistante au creux du ventre. Personne ne peut être torturé à l'infini sans souhaiter un jour en finir avec cette vie.

*****

Déjà trois heures qu'ils avaient réussi à embarquer à bord du *Ronwyn*. José, échaudé par sa première tentative, n'avait pas renoncé aussi facilement. Leur survie dépendait de son obstination et cela, il en avait à revendre. Carmen n'en avait jamais douté et avait confiance. Il s'était présenté à nouveau devant la passerelle avec ses billets, ses passeports et la famille au grand complet, bien décidé à prendre place sur le cargo. Le matelot, un jeune garçon pas tellement plus âgé que Rafael, intimidé par la foule grossissante qui atteignait le millier de personnes et par la voix assurée de José, les avait laissés passer quand, sommé de présenter les visas, José lui avait répondu : « Regarde, mon garçon. Voilà les passeports et nos billets. Les visas sont enfouis dans les valises. Tu vois la foule derrière nous ? Tu penses vraiment que ton capitaine serait content de nous voir tout bloquer en nous mettant à fouiller dans nos valises ? Tu me crois assez crétin pour avoir dépensé autant d'argent sans avoir les visas ? »

Ils étaient à présent plus de six cents, serrés dans ce bâtiment anglais de moyen tonnage, propriété de la Swansea. À ce qu'on disait, c'était la Fédération socialiste d'Alicante qui avait fait appel à ce bateau pour évacuer dans l'urgence des centaines de républicains socialistes qui seraient vraisemblablement exécutés s'ils tombaient dans les mains des nationalistes. José l'avait appris de la bouche d'un cénétiste, dont le beau-frère socialiste figurait sur la liste des prochains évacués. Il eut l'image de rats fuyant le navire. Il avait deviné que Franco était en train de gagner la guerre, les événements se précipitaient plus vite qu'il ne l'aurait cru. Il devait d'abord penser aux siens. Il avait beaucoup donné à la cause ouvrière. À présent, il était fatigué. Il ne sacrifierait pas sa famille à une cause perdue. Les leaders eux-mêmes fuyaient l'Espagne. Ils lutteraient mieux à l'abri et en vie. La guerre s'exportait, voilà tout ! Conforté par cette idée, José s'était débrouillé pour se procurer des billets qui leur permettraient de s'éloigner du danger imminent qui les guettait. Il les avait achetés d'un républicain, membre de la FAI, qui avait reçu l'ordre de son syndicat de ne pas fuir, persuadé qu'une paix honorable pour tous les partis allait être signée. L'homme avait préféré y croire que d'abandonner toute une vie derrière lui.

Une fois à bord, et avant d'être conduits dans la soute, les Martin de la Torre s'étaient accotés au bastingage d'où ils avaient assisté, non sans surprise, à l'arrivée dans le port d'une délégation du Front populaire qui voulait dissuader les passagers d'embarquer, leur arguant que ce voyage ne leur offrait aucune garantie et que la paix était proche. Les mandataires de la délégation parvinrent à convaincre certains républicains ; les autres secouaient leur tête restée baissée et continuaient à avancer comme des condamnés à mort préférant marcher vers la guillotine plutôt que de se faire lyncher par la foule. Ce qu'ils allaient trouver de l'autre côté ne pouvait pas être pire que ce qu'ils étaient sûrs de subir ici, s'ils tombaient entre les mains ennemies. Tout le monde avait entendu ces terribles rumeurs qui ne cessaient de s'amplifier : le viol des femmes, la castration des hommes, les amputations, les mutilations, les prisonniers qu'on brûlait...

43

LE SUICIDE DE MON GRAND-PÈRE

Le 11 février 1975
Bonjour, Jo,

Le ciel est plutôt moche dehors. Il va sûrement pleuvoir. Un bon temps pour faire ses devoirs ou pour mourir (mon frère me dirait que c'est la même chose). Je trouve que c'est du gaspillage de mourir quand le soleil brille. Mon grand-père devait partager mon avis, il a préféré décéder par une après-midi de pluie. Il y a huit ans aujourd'hui ! Ça tombe bien, c'est justement aujourd'hui que je vais te parler de son suicide.

Et oui, il s'est suicidé ! Bon, on évite ce mot chez nous. On dit plutôt qu'il est tombé du balcon. Quand tu creuses un peu, on finit par te dire qu'on croit qu'il a peut-être eu un malaise et qu'il est tombé. En réalité, personne ne serait non plus étonné qu'il ait mit fin à sa vie. Les derniers temps, il perdait la boule, le papy... il a accusé mon père de l'avoir poussé lorsqu'on l'a transporté à l'hôpital où il a fini par rendre l'âme qu'on lui avait prêtée (dont il n'avait pas pris grand soin, soit dit en passant). C'est pourquoi je penche volontiers pour la thèse du suicide par folie. Mon père est bien incapable de faire du mal à une mouche... surtout quand il se trouve au travail, et que la mouche en question bourdonne dans sa maison à plusieurs kilomètres !

Mon grand-père se trouvait ce jour-là sur le balcon, probablement parce qu'il était obligé de s'y cacher pour fumer. On lui avait interdit la cigarette, car il n'avait pas une bonne santé et, pour fumer, il faut être en santé ! En plus, il était cardiaque et il lui manquait la moitié de l'estomac. Il y en a qui disent que c'est à cause du camp de concentration Suzonni en Algérie. Il y en a qui disent rien. « Suzonni »… je trouve que c'est plutôt un beau nom, ça ne sonne pas camp de concentration. C'est un nom qui sent bon l'Italie et l'huile d'olive. Mais il ne faut pas s'y fier. Paraît que là-bas, c'était le bagne : ils (les réfugiés espagnols) travaillaient comme des nègres en plein cagnard, ils buvaient de l'eau polluée et la bouffe était dégueulasse. Tout le monde était malade, beaucoup mouraient. Pas mon grand-père. Il a préféré survivre pour mieux se jeter d'un balcon presque trente ans plus tard. Faut être dérangé pour faire ce genre de truc, non ? Ou peut-être que là-bas, il a aussi attrapé mal au cerveau. La totale, quoi ! Il n'est pas mort dans le camp, mais c'était indépendant de sa volonté. Je crois qu'il n'a pas eu le choix. Des fois, la vie c'est plus fort que la mort.

Bref, en revenant d'Algérie, il a habité avec l'Abuela chez mes parents, plus de cinq ans, avant d'en avoir marre et de partir par la fenêtre. Moi, je ne me rappelle pas. J'avais deux ans et demi. Mon seul souvenir, ce sont les bouts de papier pliés en quatre qu'il coinçait dans la porte de la salle à manger pour m'empêcher de rentrer quand il s'installait là pour lire son journal. Je le dérangeais à ce qu'il disait. Ben oui… et toi, mon vieux, tu savais bien que, dans la salle à manger, tu étais en fait dans ma chambre. Bon, il est mort ! Tant mieux, je ne l'aimais pas. Tu l'as compris.

44

12 mars 1939 : Alicante

À la nuit tombée, le *Ronwyn* leva enfin l'ancre et sortit du port, tous feux éteints, pour ne pas être repéré. Des bâtiments ennemis avaient été dépêchés dans la ferme intention de prévenir la fuite des républicains. Le bateau emportait plus de trois cents hommes et autant de femmes et d'enfants.

Les passagers occupaient le bateau au grand complet. D'aucuns se tenaient sur le pont pendant que d'autres investissaient la soute. Dans la cale, Carmen était assise par terre en compagnie des autres passagers et tenait dans ses bras le bébé qu'elle avait mis au sein pour calmer ses cris. Elle couvrit de son châle le nourrisson et sa poitrine pour se cacher des regards indiscrets des hommes. Mais elle s'aperçut assez vite que la plupart d'entre eux avaient la tête baissée par lassitude, honte ou tristesse. Elle en vit même pleurer sans retenue. La vue de ces hommes sans défense l'émouvait davantage encore que les hurlements qu'elle avait si souvent entendus après les bombardements. Leurs larmes, plus que leur sang, signaient la défaite ! Ce qui restait de leur vie se trouvait enfermé dans la seule valise qu'ils avaient eu le droit d'emporter et qu'ils serreraient contre eux, comme elle serrait son enfant. Certains vomissaient. En particulier les vieux qui, gênés, essayaient de nettoyer leur vomi comme ils pouvaient, cherchant en vain une aide auprès des hommes d'équipage. D'autres, accroupis, se tenaient la tête entre les mains et se balançaient en gémissant, comme pour essayer de garder en eux une démence capable de contaminer d'autres malheureux.

La frénésie du départ s'était atténuée. Les passagers s'assoupissaient, bercés par le tangage du navire. Des murmures s'élevaient encore çà et là. Les conversations se limitaient à deux personnes et se faisaient à voix basse par respect des dormeurs. José s'entretenait avec un de ses camarades du syndicat qu'il venait de retrouver. Carmen frissonnait. La température était plus fraîche qu'à l'habitude en ce mois de mars. Rafael et les petits dormaient, blottis les uns contre les autres, sous une maigre couverture qu'elle avait enfouie à la hâte dans sa valise avant de partir. Les plaintes qui fusaient un peu partout étaient en majorité celles des femmes; les hommes se contentant d'acquiescer de la tête. Elles laissaient tout derrière elles: famille et amis. Elles fuyaient leur propre pays, elles avaient tout perdu, il ne leur restait que les larmes pour pleurer...

Carmen réprima un rictus de dépit. Qu'avait-elle perdu, elle, si ce n'est son éventail? Ruinée, dès l'enfance, par les siens, ses propres oncles, elle n'avait plus aucun bien matériel à protéger depuis longtemps déjà! Pour elle, la lutte fratricide avait commencé bien avant que la guerre civile ne la propage à la grandeur du pays. Allait-elle revoir sa sœur dont elle n'avait plus de nouvelles depuis deux ans? Elle aurait aimé pleurer. Cela l'eût soulagée. Mais elle n'en avait plus la force, il ne lui restait que l'envie, et c'était insuffisant. La tombe de son fils Pepito lui traversa l'esprit. Là encore, elle eût été soulagée de pouvoir verser quelques larmes. Elle partageait toutefois l'inquiétude des autres passagers quand ils se demandaient où les emmenait le navire. José lui avait laissé entendre qu'il mettait le cap vers l'Amérique. Des noms de pays circulaient: le Mexique, le Chili, la République Dominicaine...

La tension de la journée se relâchait peu à peu. Carmen s'assoupit avec Violeta dans ses bras qui s'était endormie, repue. Elle s'imaginait ces contrées lointaines où la peur du lendemain n'existait pas, où les maisons n'étaient pas bâties pour être détruites, où les enfants allaient à l'école sans craindre d'être ensevelis sous des ruines, où le voisin n'était pas un ennemi. Et puis là-bas, ils parlaient espagnol. Ils se sentiraient encore un peu chez eux. Elle se laissa ensuite engloutir par un sommeil tourmenté, devenu chronique au fil des dernières années. Depuis les débuts de la guerre civile, ses nuits n'étaient que le prolongement de ses journées teintées par l'angoisse, l'épouvante et le désespoir.

Elle devait dormir déjà depuis deux bonnes heures quand le silence des moteurs la réveilla. Le ronronnement rassurant avait brusquement cessé, tirant les passagers de leur torpeur. «Que se passe-t-il? Pourquoi sommes-nous arrêtés?» Les questions, d'abord timides, s'amplifièrent et parcoururent la cale comme une traînée de poudre. Et inévitablement, elles trouvèrent des réponses, car la nature a horreur du vide: «Pour ne pas se faire repérer par les sous-marins allemands.» «On nous renvoie en Espagne.» «L'équipage a quitté le bateau en nous abandonnant.» «...»

Des pleurs d'enfants, encore gorgés de sommeil, se firent entendre. La panique s'amplifiait au rythme des suppositions. Des passagers tentèrent de gagner le pont. Ils furent arrêtés par les membres de l'équipage – ils n'avaient donc pas quitté le bateau – qui les sommèrent de rester à l'abri dans la soute. Un des réfugiés s'improvisa porte-parole du groupe. «On veut avoir des explications sur ce qui se passe. On a payé nos billets et on a des droits!»

Après quelques minutes d'agitation, où chacun y allait de ses revendications, l'officier en second imposa le silence: «Un navire nous a interceptés et nous ordonne de le suivre. Le capitaine n'est pas disposé à obéir à ses ordres. Il essaie d'entrer en contact avec une escadre anglaise qui patrouille non loin d'ici. Je vous demande de rester calmes. La bonne nouvelle, c'est que ce navire n'a pas encore déclenché les hostilités. Je m'engage à vous tenir au courant dès que j'aurai d'autres informations. J'espère que nous allons continuer notre route vers Oran, tel que prévu.»

«Oran? interrogea Carmen en se tournant vers José. Je croyais qu'on allait en Amérique.

— Moi aussi. Reste là, je reviens.»

L'inquiétude venait de laisser place à une joie qu'elle avait du mal à contenir. Oran! L'Algérie! Un bout de France. Elle savait que beaucoup d'Espagnols y habitaient. Non seulement elle allait y retrouver les siens, mais elle avait l'impression de se rapprocher de son petit Pepito. Et puis c'était moins loin que l'Amérique. Les Français ne l'effrayaient pas. C'étaient des gens ordinaires qui leur ressemblaient finalement. Alors que les Américains, elle ne les connaissait pas.

Lorsque José revint près d'elle, il lui confirma qu'Oran était en effet leur destination. «Arrivé à Oran, le capitaine doit attendre l'autorisation du gouvernement pour mettre le cap sur le Mexique. On m'a dit qu'il était Maltais. Ce doit être un brave type.»

José avait des convictions bien arrêtées, et surtout bien particulières, concernant la bonté humaine. Au sommet de la pyramide, parmi les peuples qu'il estimait le plus, on trouvait bien sûr les Espagnols – et bien sûr par Espagnols, il fallait entendre républicains – et ensuite, pêle-mêle, tous les autres peuples latins. Au bas de la pyramide fourmillaient les Russes, les Gitans, les Maures, les Noirs et l'autre moitié du peuple espagnol. Aussi, en apprenant qu'Oran était leur port d'accueil, il savait qu'il débarquait au bas de sa pyramide! Il n'ignorait pas que la plupart des Espagnols installés à Oran soutenaient Franco et que si Alger était un département français, il n'en restait pas moins habité par des Arabes musulmans, un peuple historiquement haï par les Andalous, aussi incroyants soient-ils.

Une altercation entre deux réfugiés les sortit de leurs réflexions. Une banale histoire de jalousie. L'un des deux hommes avait surpris l'autre en train de faire du plat à sa femme. «Quand est-ce que les hommes arrêteront de se battre?» marmotta Carmen, pour qui la violence devenait de plus en plus insupportable. Les deux hommes allaient en venir aux mains lorsque les moteurs se remirent en marche. Un étrange silence s'installa. Personne n'osait plus faire de prédictions. Était-ce bon signe ou pas ?

Ils ne savaient pas encore que le capitaine avait reçu l'ordre du commandant de la flotte anglaise de continuer sa route sans obéir au navire ennemi, qui continua à coller le *Ronwyn* quelque temps avant d'abandonner. Les passagers en furent avisés par le capitaine en personne au milieu de la nuit, lorsqu'il sut son navire hors de danger. Pendant ce temps, les réfugiés avaient patienté, se résignant à un destin qui leur échappait et sur lequel ils n'avaient plus de contrôle. Certains parmi eux avaient bien pensé fomenter une mutinerie. Ils furent refroidis par la majorité silencieuse qui les regardait avec une telle lassitude et un tel abattement qu'ils renoncèrent rapidement à ce projet ridicule : soubresaut de moribonds à la recherche d'un peu d'oxygène pour prolonger leur misérable vie.

Le lendemain, les côtes de l'Afrique furent enfin visibles. L'équipage autorisa les passagers à monter sur le pont par groupes restreints. Carmen put enfin apercevoir sa future patrie : une chaîne de montagnes brumeuses qui se dessinait au loin. L'air marin lui fit du bien après cette nuit éprouvante dans la cale. Elle prit plusieurs inspirations et se sentit presque bien. José lui fichait la paix, les matelots avaient distribué le matin du pain et des boîtes de sardines, les enfants avaient trouvé des camarades de jeu et Rafael, une petite amie qui lui faisait oublier qu'il avait un père à tuer.

En après-midi, le navire arriva enfin en rade d'Oran par une mer agitée, un fort vent d'Est s'étant levé subrepticement. Le service de remorquage monta à bord et fit jeter l'ancre avec la consigne formelle de ne pas essayer d'accoster. La mer était de plus en plus démontée. Le roulis du bateau, désormais prisonnier des flots, rendait les passagers malades. Carmen, que les nausées obligeaient à rester couchée, entendait – sans pouvoir les aider – Eugenio et Carmencita avoir des haut-le-cœur pendant que José traînait, désœuvré, sur le bateau avec Violeta dans les bras. Quant à Rafael, il se cachait de sa petite amie afin qu'elle ne le voie pas dégurgiter, ce qui, à seize ans, constitue la pire des humiliations.

C'est ce moment – où ils étaient les plus faibles et les plus diminués, baignant dans leurs vomissures ou celles de leur voisin – que les autorités françaises choisirent pour monter à bord et retirer leurs passeports aux passagers. Carmen faisait des efforts presque inhumains pour ne pas vomir, car après les bombes, c'était la chose qu'elle appréhendait le plus au monde. Aussi s'empressa-t-elle de fermer les yeux quand elle vit les gendarmes s'approcher d'elle. Surtout ne pas desserrer les lèvres. José obtempéra et remit les passeports aux autorités, trop épuisé lui aussi pour argumenter. Les Français semblaient dégoûtés par la vision qui s'offrait à eux, et personne sur le bateau n'aurait eu l'idée de les en blâmer. Carmen se sentait honteuse d'elle-même et de ses compatriotes, honteuse de la première image qu'ils donnaient à voir à ceux qui étaient venus les accueillir. Ce sentiment fut toutefois aussi fugace qu'intense, car les nausées reprirent leur plein droit dans ses pensées et dans son estomac.

Les autorités d'Oran les réapprovisionnèrent en vivres. Le capitaine ne reçut pas l'autorisation de débarquer et, à minuit, le bateau mit le cap à l'Est vers Tenès, près d'Alger, deux cents kilomètres plus loin. La tempête redoubla de force et ballotta le navire, qui ruait comme un cheval sauvage désireux de projeter au loin son indésirable cavalier. «Personne ne veut de nous. Pas même notre propre mer.» L'homme avait parlé en français pour faire le jeu de mot et les familiers de la langue de Molière esquissèrent un sourire. Les Espagnols possèdent un sens de la dérision très aiguisé, surtout dans les moments dramatiques. Ils eurent le loisir de continuer à exercer leur ironie car le mauvais temps se prolongea toute la journée du 14 mars.

Ils jeûnaient depuis quarante-huit heures déjà. Ils ne pouvaient garder les aliments plus de dix minutes. Seule la petite Violeta semblait ne s'apercevoir de rien et continuait à s'abreuver au sein de sa mère, dans la plus parfaite insouciance. Carmen était si souffrante que même la vue de sa fille en train de téter la rendait malade. Dans un de ses rares moments de répit, elle se remémora le jour où elle vit la mer à Alicante et sa crainte d'avoir à monter sur un de ces bateaux qui tanguaient au large, comme si elle avait pressenti alors ce qui l'attendait. Elle croyait aux prémonitions, sans y accorder une importance exagérée, car il lui était difficile de séparer l'intuition de la peur, et elle attendait que les événements se produisent pour les différencier.

Le 14 mars, ils longèrent la côte algérienne, d'où ils pouvaient apercevoir les montagnes arides derrière lesquelles se dressaient des sommets enneigés. Tout le long, des villages aux maisons très blanches ressemblaient à des lanternes éclairant la côte en plein jour. À minuit, ils aperçurent enfin les lumières de Tenès. Ils devraient rester encore en rade jusqu'au lendemain matin.

Le 15 mars, le *Ronwyn* put finalement entrer dans le port, qui était occupé par des gendarmes et des troupes coloniales sénégalaises arborant fièrement leurs uniformes gris et leurs casques rutilants.

Dans la soute souillée et sur le pont, les réfugiés, pâles et l'estomac encore barbouillé par deux jours de cauchemar sur des flots déchaînés, tentaient de faire bonne figure et de reprendre visage humain.

La ville leur apparut plutôt accueillante, située dans un cadre verdoyant qui contrastait avec l'aridité du paysage côtier qu'ils avaient pu voir jusque-là. L'équipage pria les femmes et les enfants de se rendre sur la passerelle. Ils débarqueraient en premier. Cette annonce provoqua un tumulte au sein des passagers. D'aucuns refusaient de se séparer, des femmes s'agrippaient au bras de leur mari, de leur fils, de leur père. Des hommes serraient leurs enfants contre eux. La prémonition de Carmen ressurgit dans ce vacarme. Un bruit se mit soudain à circuler qu'on allait renvoyer les hommes en Espagne. C'était la mort assurée ! Ils étaient les plus engagés des combattants, presque tous des miliciens, des soldats de l'armée républicaine et quelques brigadistes[62] qui avaient refusé de partir en 1938 avec les autres. Tous avaient attendu de sentir sur la nuque la froideur de la lame franquiste avant de se résigner à fuir. Ils étaient tout ce qui restait de la République ! Leur départ avait signé la fin du Front populaire qui avait propagé tant d'espoir à travers tout le pays.

« Les autorités françaises m'ont assuré que les hommes débarqueront après les femmes et les enfants. Si on n'obtempère pas, on reprend aussitôt la mer ! » Le capitaine inspirait confiance aux Espagnols. Et puis reprendre la mer était au-dessus de leurs forces. N'écoutant cette fois-ci que son pressentiment, Carmen prit Rafael par le bras et lui demanda de ne pas s'éloigner d'elle.

« Mais, maman, je suis un homme. Je dois rester.

— Écoute ta mère », intervint José.

Il aurait bien aimé défier son père devant tout le monde. Mais les nausées et la fatigue du voyage eurent raison de son obstination. Il prit Eugenio dans ses bras et suivit docilement sa mère. Il se disait qu'il allait aussi revoir sa nouvelle amie du bateau, et cette idée le mit plutôt de bonne humeur.

Une fois à quai, ils furent emmenés dans des hangars où on leur fit passer une inspection sanitaire. Des infirmières et des médecins s'affairaient auprès d'eux, assistés par des Espagnoles installées dans le pays depuis plus de dix ans et qui s'étaient portées volontaires pour les accueillir. Les enfants

---

62. Membres des Brigades internationales (cf. note 56).

et les femmes furent ensuite vaccinés. On leur distribua des vivres avant de les conduire aux autocars qui les achemineraient jusqu'à Carnot, à quatre-vingt-cinq kilomètres de Tenès.

Les hommes étaient restés sur le bateau et, malgré leurs questions et leurs supplications, les femmes ne purent être informées de leur sort. Comme les autres, Carmen essaya de se renseigner, sans plus de succès. Pourtant, elle ne percevait aucune hostilité de la part des Français ni des autres habitants. Bien au contraire, tout ce monde lui semblait avenant et soucieux de leur bien-être. Ses enfants et elle-même étaient propres, nourris et en bonne santé. Il y avait bien longtemps qu'elle n'avait éprouvé cette sensation de plénitude et, tout bien considéré, peut-être jamais... sauf quand elle était petite, à Cordoba.

Dans les hangars, les trois cents femmes et enfants, exilés en terre étrangère, unis par la même souffrance et le même espoir mutilé. Leur fuite prenait fin ici. Carmen se sentit soudain apaisée, les muscles détendus, l'estomac libéré du nœud douloureux qui l'enserrait depuis des années. La peur s'était atténuée. La France, en leur offrant un asile politique, venait de leur sauver la vie. Le reste lui était égal. Elle se jurait d'être reconnaissante envers ce pays jusqu'à la fin. Pour avoir recueilli ses enfants lorsqu'ils avaient faim et froid, elle vouerait à ce pays une fidélité qu'elle ne remettrait jamais en question. Elle était une femme simple, sans éducation, avec des croyances et des convictions qu'elle devait, pour certaines d'entre elles, au docteur Lopez quand il lui répétait : « Carmen, suis toujours ton instinct. Il te sauvera. Le reste, ce qu'on appelle les grandes idées, est un luxe que l'Espagne ne pourra bientôt plus s'offrir. »

45

Mars-avril 1939 : Camp Carnot – Algérie

À Carnot, les femmes et les enfants furent installés à la hâte dans des baraquements de bois, une baraque par famille. Le camp, surveillé par des Sénégalais, paraissait dans son ensemble en bonne condition. Carmen apprendrait plus tard que ces cahutes avaient été érigées en logements à la suite du tremblement de terre de 1934. Voilà qui expliquait l'état convenable des infrastructures du camp. L'endroit se rapprochait ainsi davantage d'un camp d'hébergement que d'un camp de concentration, comme ceux qui avaient éclos dans l'urgence en France et en Afrique du Nord, devant l'arrivée massive des républicains.

Le camp Carnot, destiné au début à accueillir les femmes et les enfants, deviendrait progressivement un lieu de regroupement familial. Ces camps familiaux étaient moins répandus que les autres, car les républicains, qui avaient fui depuis les ports du Levant, étaient majoritairement des hommes : politiciens, soldats, miliciens. Tous avaient lutté jusqu'à leurs dernières limites et avaient souvent dû abandonner les leurs sur le quai, dans l'espoir de les revoir un jour prochain. Carmen était soulagée que José n'ait pas suivi leur exemple. Au fond, son homme était soit moins impliqué dans le mouvement anarchiste qu'il le prétendait, soit plus attaché à ses enfants qu'elle le croyait. Dans les deux cas, elle y trouvait son compte, car survivre seule à Alicante avec quatre enfants aurait été sans doute la dernière bataille qu'elle aurait eu la force de livrer, épuisée par une vie de misère et trois ans de guerre civile qui l'avait confrontée à la pauvreté la plus hideuse, celle de l'âme humaine.

Les premiers temps passés dans le camp furent, pour Carmen et les enfants, des moments de sérénité inespérés. Ils se remirent rapidement du pénible voyage en mer et prirent possession de l'espace qu'on leur avait attribué. Deux fois par jour, des indigènes passaient, en criant à tue-tête « *Rancho ! Rancho !* », sur une charrette chargée de gros chaudrons, et distribuaient une soupe qui se résumait à de modestes bouts de viande plongés dans une eau tiède où flottaient des morceaux de carottes. Un vrai repas aux yeux de Carmen ! Certains réfugiés se plaignaient de la saleté de l'eau. Une eau saumâtre distribuée avec parcimonie, car c'était une denrée rare. Les maigres rations de nourriture ne rassasiaient personne, les plus démunis restant souvent sur leur faim. Pour ceux qui possédaient de l'argent ou des objets de valeur, la situation s'avérait moins précaire : ils pouvaient se procurer de la nourriture supplémentaire. Le troc était monnaie courante dans le camp. Sans ressources, Carmen et les enfants devaient se contenter de la tambouille que l'armée française leur offrait. Ils étaient logés et nourris ! Ils n'en revenaient pas. Personne, excepté Dolores, n'en avait fait autant pour eux en Espagne lorsque leur estomac criait famine. Bien sûr, ils ne mangeaient pas à satiété à tous les repas et des rations supplémentaires n'auraient pas nui, mais Carmen ne craignait plus que ses enfants meurent de faim. Alors, quand elle entendait certains se plaindre de leur condition, elle ne se sentait pas fière d'être Espagnole. Et pour pallier le manque de reconnaissance de ces Espagnols « sans éducation » – elle les qualifiait ainsi –, elle n'oubliait pas de remercier chaleureusement chaque fois qu'on lui offrait quelque chose, peu importe quoi : eau, soupe, couverture, bassine...

Au début, les réfugiés dormaient sur de simples paillasses, des sacs de couchage rembourrés de paille, décriés là encore par une poignée d'insatisfaits. Rien de tout cela n'était nouveau pour Carmen. Elle comprit soudain qu'au sein de ce camp, les différences sociales subsistaient et que, s'ils avaient été unis autour d'une cause commune, ils n'en restaient pas moins ce qu'ils avaient toujours été : des avocats, des instituteurs, des médecins, des maçons, des ouvriers, des paysans... des instruits, des analphabètes, des riches, des pauvres... Pour les uns, ce camp pouvait être en effet un cauchemar ; pour d'autres, il était la poursuite d'une vie misérable ; et pour certains, il était même une amélioration de leur quotidien.

Vingt jours s'étaient écoulés et Carmen était toujours sans nouvelles de son mari, à l'instar des autres femmes qui avaient voyagé avec elle sur le *Ronwyn*. Entre-temps, d'autres Espagnoles étaient venues grossir le nombre des réfugiés, qui s'élevait maintenant à quatre cents. Les dernières arrivées apportaient avec elles des nouvelles terribles d'Espagne. Les franquistes, aidés par l'armée de Mussolini, s'étaient emparés d'Alicante et avaient massacré des milliers de républicains. On racontait qu'une centaine d'entre eux avaient préféré se suicider que de tomber entre leurs mains. Franco était maître du pays. La République était perdue. Ils étaient les grands vaincus. Le moral dans le camp était au plus bas. Chacune d'entre elles avait un nom sur lequel se recueillir, un homme ou une femme qui avait donné sa vie pour une cause perdue. La France ayant reconnu la légitimité de Franco, les réfugiées craignaient de plus en plus un retour forcé vers l'Espagne.

46

Mars-avril 1939 : Caserne Berthezène – Algérie

Sur le *Ronwyn,* les hommes inquiets de leur sort s'étaient agglutinés sur le pont et regardaient les femmes et les enfants qui débarquaient. Des mains s'agitaient. Plusieurs craignaient de ne plus revoir leur famille avant longtemps. D'autres inspectaient les lieux à la recherche d'une brèche pour s'évader, mais les Sénégalais et les gendarmes surveillaient le bateau avec une vigilance soutenue, ôtant aux passagers tout espoir de se faufiler sur le quai.

Une fois les femmes et les enfants hors de portée de vue, ils regagnèrent leur place sans parler, lassés par autant d'incertitude et brisés par des sentiments contradictoires qui les déchiraient depuis qu'ils avaient mis le pied sur le navire : lâches d'avoir fui devant l'ennemi ; lâches d'avoir abandonné les leurs sur le quai à Alicante. À cette culpabilité déchirante venait s'ajouter une sourde colère contre un pays frère qui ne voulait pas d'eux et qui les ballottait de port en port, leur donnant l'impression de n'être que de vulgaires marchandises. Ils méditaient chacun pour soi, perdus dans leurs ressentiments qui fragilisaient un peu plus leurs esprits tourmentés, quand ils virent des personnes du corps médical monter à bord du navire pour les vacciner. L'espoir renaissait ! On ne prendrait pas une telle précaution si l'intention était de les renvoyer en Espagne. Ils allaient pouvoir rester. Retrouver leur famille. Refaire une nouvelle vie. Reprendre des forces et continuer le combat. Chacun y allait de ses rêves et la bonne humeur prit soudain le dessus. Ils riaient, plaisantaient, pleuraient de joie.

José exultait parmi ces hommes, heureux lui aussi d'arrêter sa course. Il ignorait encore que, pour lui, le pire était à venir. Il se laissa fouiller docilement par les gendarmes qui réquisitionnèrent toutes les armes avant de les autoriser à descendre. Pas un juron ni un signe d'impatience de sa part. À quai, on leur offrit un festin de roi : café, pain, gruyère et sardines, et on les monta à bord d'un camion pour les conduire à la caserne Berthezène à Orléansville, à une cinquantaine de kilomètres de Ténès. José y séjourna presque un mois avant d'être transféré à son tour au camp Carnot en compagnie d'une dizaine de ses compagnons.

Il ne dirait pas grand-chose à Carmen sur cette caserne de passage, si ce n'est que la nourriture y était meilleure qu'à Carnot, mais que l'intendance et les bâtiments étaient déplorables. Ses camarades de détention par contre ne se faisaient pas prier pour faire des confidences, à la limite de la prolixité. Ils dormaient à l'étroit dans une écurie à même le sol, entassés les uns sur les autres. Les nuits étaient glaciales, les latrines dégoûtantes, de la paille en guise de couchage, une bassine pour dix hommes servant à la fois à l'hygiène corporelle et au lavage du linge et de la vaisselle, une eau infecte. Des réfugiés osèrent formuler l'impensable : « Il aurait mieux valu mourir là-bas, chez nous, en Espagne. » Les hommes baissaient les yeux. Les femmes se regardaient, un sourire imperceptible aux lèvres qui signifiait que leurs enfants, ici, avaient peut-être une chance.

La vie à Carnot s'organisait en une véritable petite communauté, avec ses règlements et ses violations. Des affinités et des rivalités se nouaient. Des altruistes de cœur ou de doctrine côtoyaient des égoïstes de nature ou de circonstance. Tout ce que la nature avait pu engendrer dans sa folie ou sa raison n'avait d'autre choix que de se coudoyer sans pouvoir s'éviter. Les anciennes discordes politiques renaissaient. La trêve entre eux n'avait été que de courte durée, l'espace d'une fuite. Première leçon du camp pour Carmen : vivre en paix n'était décidément pas dans la nature de l'homme, c'était un effort de tous les instants, une hypocrisie salutaire.

Le matin, on faisait l'appel dans le camp. Tout le monde devait se réunir devant le poste de garde et saluer le drapeau français. Un tissu bleu, blanc, rouge flottait au-dessus des têtes des réfugiés, mais ils n'y portaient pas vraiment attention. Les plus nostalgiques avaient colorié sur un bout de papier les couleurs rouge et jaune du drapeau espagnol qu'ils serraient dans leur poche. Les plus ultras dissimulaient eux aussi leur couleur : un A contenu dans un cercle sur fond noir ou la faucille et le marteau sur fond rouge. Les autres fermaient tout bonnement les yeux. Ensuite, les militaires assignaient aux adultes les tâches qu'ils devaient accomplir au cours de la journée. En général, elles consistaient à la réfection et l'entretien des baraquements et à des travaux de terrassement dans le camp.

Au début, les baraques étaient vides, dépourvues de tout ameublement, et les valises remplaçaient les commodes. Et puis un jour, on fournit aux réfugiés de modestes meubles blancs qui améliorèrent leur quotidien et leur donnèrent le sentiment d'être plus respectés. Carmen passait ses journées à frotter et ranger l'intérieur de son logis ; la propreté était le seul orgueil qui lui restait.

À l'entrée du camp se dressait une guérite où des sentinelles se relayaient nuit et jour. Nul ne pouvait sortir sans une autorisation spéciale. Seuls ceux qui avaient de la parenté en Algérie, prête à les héberger, pouvaient quitter le camp, ainsi que ceux qui parvenaient à trouver du travail – ceux-là avaient mis à profit leur jour de sortie pour chercher un patron qui voulait bien s'encombrer d'un réfugié. Et il y en avait ! Des partisans de leur cause ou des Espagnols d'origine. Grâce à ces échappées à l'extérieur du camp, les réfugiés parvinrent à se faire une idée de l'accueil auquel ils auraient droit une fois libres... si la chance leur souriait. Leurs témoignages étaient contradictoires sans pour autant être faux. Ils passaient tous pour des « rouges », sans discernement, et le peuple français les accueillait en héros ou en ennemis. Toutefois, depuis l'exode massif de 1939 et le pacte germano-soviétique, les Français étaient de moins en moins nombreux à trouver ces républicains sympathiques, et s'il n'en tenait qu'à eux, ils les auraient volontiers renvoyés dans leur pays d'origine. Mais il s'en trouvait encore qui soutenaient leur cause et leur offraient leur soutien.

Les rares fois où José avait eu la permission de sortir, il était revenu bredouille, prétextant que personne n'avait voulu de lui. Carmen était sceptique. Sa meilleure arme était la patience. Ici, ils étaient à l'abri, rien ne pressait.

Un matin, ils eurent la désagréable surprise de voir pénétrer dans le camp trois nationalistes espagnols venus jusqu'à eux pour les convaincre de rentrer en Espagne. Ils étaient sous la protection de Sénégalais armés. Les trois hommes firent mine de ne pas voir les internés, les poings serrés, cracher par terre, et de ne pas entendre les insultes que leur lançaient ces hommes qui n'auraient pas hésité à leur faire la peau, sans la présence des soldats pour les protéger. La France, en guerre contre l'Allemagne depuis septembre, voulait à tout prix se débarrasser de ces réfugiés, devenus un fardeau économique trop lourd. Et un retour de ces exilés en Espagne demeurait pour elle une option acceptable et ce, malgré la « Loi de responsabilités politiques » promulguée par Franco en février 1939 qui menaçait « tous les antifascistes âgés de plus de quatorze ans en 1934 ». Cependant, ce matin-là, les franquistes repartirent bredouilles.

Pendant tout le temps où les nationalistes, confortablement installés dans la cour, intoxiquaient les réfugiés avec leur propagande, Carmen était restée cachée dans le baraquement avec Carmencita et Violeta. Elle avait couru s'y réfugier dès qu'elle avait compris à qui elle avait affaire, laissant José et Rafael braver les ennemis d'hier avec d'autres têtes fortes. Elle ne pouvait calmer le léger tremblement de ses mains qui peignaient ses longs cheveux raides, qu'elle remontait toujours en chignon dès son réveil. Hormis quelques rares cheveux blancs, ils avaient conservé une noirceur de jais et mettaient en valeur la blancheur laiteuse de sa peau. Ce geste répétitif avait les vertus d'un onguent et apaisait ses angoisses. Elle ne comprenait pas la présence de ces hommes ici, elle qui se croyait en sécurité! Qu'est-ce qui leur avait pris de faire entrer les loups dans la bergerie? Les nuits suivantes, cette image ne cesserait de la hanter.

Après le départ des envoyés de Franco, l'atmosphère dans le camp ne fut plus la même. L'ennemi y était entré, l'ennemi en était ressorti, mais son passage avait causé la stupeur et ravivé les peurs.

47

Août 1942 : Maison-Carrée – Alger

Le mois d'août était particulièrement chaud en cette année 1942. Carmen se rendait au bureau de poste afin de percevoir les allocations militaires de soutien de famille. Elle était accompagnée de Julia Rios, qu'elle remercia une fois de plus pour sa gentillesse, comme elle le faisait tous les mois depuis juin 1940. Pour que la mairie accepte de lui délivrer les allocations, il avait fallu qu'elle trouve quelqu'un à qui donner procuration et qui veuille bien signer à sa place. Madame Rios, une Espagnole du quartier, installée dans le pays depuis plusieurs années, s'était proposée pour être cette personne.

Depuis qu'ils avaient été libérés du camp Carnot, il y a deux ans, Carmen encaissait régulièrement les allocations que le ministère de la Santé publique lui versait, parce que José s'était engagé dans le huitième Régiment de travailleurs étrangers. Cet argent était loin d'être suffisant pour lui procurer une aisance financière, à laquelle elle avait de toute façon renoncé depuis bien longtemps. Mais en y ajoutant ses revenus de femme de ménage, cela lui permettait de nourrir sa famille et de payer le modeste logement – une chambre et une cuisine – que l'administration lui avait trouvé dans un quartier de Maison-Carrée à Alger.

En 1940, un an après leur internement au camp Carnot, les réfugiés s'étaient mis à ressentir les symptômes que tous les prisonniers finissent pas développer tôt au tard. La famille Martin de la Torre n'y avait pas échappé. Il ne se passait plus un jour sans qu'ils ne regardent la clôture et rêvent des grands espaces dont on les privait. Cependant, l'enceinte n'était pas entièrement sécurisée : il existait des ouvertures et les escapades hors du camp n'étaient pas rares. Les jeunes en particulier ne perdaient pas une occasion d'aller s'amuser dans la campagne et se rafraîchir dans l'oued voisin. Rafael aussi en profitait pour aller chaparder des fruits et les ramener aux siens. Bien sûr, il prétendait qu'on les lui avait donnés. Et la plupart des parents fermaient les yeux devant ces équipées bien innocentes qui brisaient leur quotidien.

Comme les autres, Carmen rêvait de liberté. Pourtant, elle était effrayée à l'idée de ne plus vivre dans le camp qui les protégeait depuis leur arrivée dans cette Afrique qui lui était totalement inconnue. Les premiers temps, elle appréhendait de se trouver face aux Sénégalais qui gardaient le camp. La noirceur de ces hommes contrastait trop dans un pays si blanc. Quant aux indigènes, ceux qui leur servaient la nourriture, ils lui rappelaient les Maures marocains que Franco avait utilisés et, forcément, ils l'intimidaient aussi. À Alger, les Espagnols représentaient une minorité parmi les Européens, à la différence d'Oran. Ce qui signifiait qu'une fois hors du camp, elle devrait à nouveau baragouiner un français qu'elle avait du mal à maîtriser. Ici au moins, elle se sentait chez elle ; tout le monde parlait sa langue. Qu'avait-elle à faire de cette liberté ? Mais alors pourquoi vouloir sortir à tout prix ? Qu'on lui dise qu'elle était libre et elle resterait ici, dans le camp, bien sagement.

La liberté, à la fois souhaitée et redoutée, arriva par une belle journée de printemps, en mai 1940. Elle revêtit les traits d'un agent du gouvernement français et d'un officier de l'armée venus dans le camp faire une proposition inattendue aux hommes aptes à travailler âgés entre vingt et quarante-huit ans et qui n'étaient toujours pas parvenus à trouver un travail à la ville ou aux champs : « Les réfugiés qui acceptent de s'enrôler dans l'armée au sein d'une Compagnie de travailleurs étrangers pourront quitter le camp et leur famille bénéficiera d'un logement à Alger. »

José signa sur-le-champ, ignorant qu'il serait transféré dans le camp Suzzoni à Boghar dans le Sud saharien – l'un des plus terribles camps de concentration français – pour y construire des routes.

Il venait de libérer sa femme et ses enfants, qui furent déplacés à Maison-Carrée, en banlieue d'Alger, leur épargnant ainsi de revivre le calvaire de l'été 1939. Le camp étant dépourvu d'ombrage et sans aucune protection contre les vents du Sud, la chaleur s'était, cette année-là, propagée dans le camp comme une épidémie de fièvre.

José passa deux années éprouvantes dans le camp Suzzoni où il fut chef maçon, assigné à la construction de routes près de Khenchela. Deux ans de répit pour Carmen, qui percevait les allocations, bien à l'abri de ses colères. À de rares occasions, il bénéficia de permissions d'un jour ou deux, qu'il passa auprès des siens, trop éreinté et heureux pour montrer des signes d'irascibilité.

Carmen se souviendrait longtemps de la première permission qu'il obtint. C'était le 27 août 1940. En réalité, il ne s'agissait pas d'une permission mais d'un ordre de mission qui l'amenait à Alger. Le lieutenant Chabas, le commandant du camp Suzzoni, lui avait délivré une autorisation pour escorter dix travailleurs espagnols malades à l'hôpital Mustapha d'Alger, avec l'obligation d'être de retour au camp le 29 août à vingt et une heures, tel que spécifié sur le modeste bout de papier que José allait conserver jusqu'à sa mort (comme une preuve aussi irréfutable que les tatouages des juifs d'Auschwitz, pensait-il). Les malheureux qu'il devait transporter étaient atteints soit de dysenterie, soit de paludisme. Le trajet en camion ne fut qu'une longue complainte au milieu d'une immense étendue de sable et de roches, dont la monotonie n'était interrompue que par les apparitions subites de

Touaregs à la silhouette noire et furtive. Le paysage capricieux, façonné au gré du vent, se mouvait dans un silence funeste. José et les malades qu'il accompagnait n'étaient pas encore parvenus à apprivoiser cette région, soumis qu'ils étaient à des journées de travail de treize heures dans des conditions extrêmes avant de pouvoir regagner leur camp, comme des prisonniers du désert.

Lorsqu'il eut terminé sa mission, il fit un détour par chez lui, un chez-lui qu'il ne connaissait pas encore. Il ne fit aucun commentaire sur les lieux. Cette fois-là, il parla peu, regarda intensément les petits comme pour graver leur image dans sa mémoire et les laissa se chamailler sans les réprimander. Il posa quelques questions à Rafael, qui fut presque heureux de lui répondre. Depuis le départ de son père, investi du rôle de chef de famille et aidant sa mère à subvenir aux besoins de son frère et de ses sœurs, il était devenu un homme. C'était presque un vieillard qu'il avait devant lui. À quarante-six ans, son père en paraissait plus de soixante-dix. Il lui faisait presque pitié et, l'espace de quelques heures, il se surprit à aimer cet homme qui, pour les siens, était parti peiner au bout du désert. Carmen se fit la même réflexion en le regardant dévorer le plat frugal qu'elle lui avait servi, et qu'il trouvait si copieux. Il était amaigri, les traits fatigués, la peau brûlée par le soleil meurtrier du Sahara qui grille les corps sans les réchauffer. Sa voix aussi avait perdu de sa vigueur. Il voulait tout savoir, mais à petites doses ; trop de mots l'épuisaient. Il ne réfutait ni n'argumentait, tout au plus émettait-il un son guttural qui signifiait qu'il entendait bien quand on lui disait que son aîné était apprenti chez un mécanicien, qu'Eugenio allait à l'école du quartier, que Carmen travaillait comme « employée de maison ». À cette dernière nouvelle, il haussa les sourcils, l'air interrogateur. Il ne comprenait pas ces termes qui désignaient pudiquement une femme de ménage. En d'autre temps, il se serait révolté et aurait obligé sa femme à dire « femme de ménage », pour bien montrer qu'elle n'avait pas à avoir honte de sa condition. Mais ce soir-là, il ne dit rien. Il acquiesçait à tout, jusqu'à ce que le sujet tombe sur Violeta et Carmencita.

« Carmencita passe ses journées à garder Violeta quand je travaille. Elle a déjà dix ans et elle n'a été à l'école que quelques mois au camp Carnot. Il faudrait l'inscrire à l'école du quartier et pour Violeta, je vais me débrouiller. Je ferai ce que je faisais avec Rafael, je l'emmènerai avec moi au travail.

— Pas question. »

Il avait soudain retrouvé son ton autoritaire : « Les filles n'ont aucune raison de s'instruire. Elle fera ce que les autres filles d'ouvriers font. Elle se mariera et s'occupera de son chez-soi et de sa marmaille. Pas besoin d'aller à l'école pour travailler à l'usine ou faire des ménages. »

Elle était sur le point de lui répondre que les mœurs changeaient, que les filles... et puis elle se tut. À quoi bon ? Ce n'était pas elle qui parviendrait à le convaincre. Elle n'avait pas les mots qu'il fallait pour accomplir ce miracle, ni en français ni en espagnol. Elle se débrouillerait seule pour inscrire la petite dans une école et elle le mettrait devant le fait accompli.

José repartit tôt le lendemain, soucieux de ne pas arriver après le couvre-feu de vingt et une heures, tel qu'écrit sur son ordre de mission. Carmen avait perçu pour la première fois sur son visage une crainte qu'elle ne lui connaissait pas : la peur du châtiment. Elle lirait cette peur à chacune de ses permissions. Quelque chose se disloquait en lui. Morceau par morceau. Le camp Suzzoni se chargeait, jour après jour, de briser la révolte qui l'avait toujours animé. Orphelin de père, il était devenu très jeune soutien de famille auprès de sa mère et de ses deux sœurs et, à ce titre, il avait été exempté du service militaire. Non seulement l'obéissance aux ordres n'était pas inscrite dans ses gènes, mais les hasards de la vie ne lui avaient pas donné l'occasion d'apprendre à se soumettre. Au camp Carnot, il n'avait été, là encore, qu'un civil qu'on avait interné et, sans crainte des soldats, il avait continué à se montrer effronté. À Suzzoni par contre, les réfugiés avaient les mêmes privilèges que les prisonniers de droit commun, c'est-à-dire aucun. Il y avait vu des hommes se faire fouetter au sang ou se faire tabasser avec des barres de fer, et d'autres être privés de nourriture et d'eau pendant plusieurs jours. Les violences corporelles à l'encontre des hommes n'étaient pas une exception. Il avait acquis la certitude que si l'enfer existait, le camp Suzzoni en était une fidèle réplique. José comprit vite que sa légendaire impétuosité lui serait funeste. Et son impudence s'effrita un peu plus à chaque coup de pioche.

48

LA DERNIÈRE COPINE D'ABUELA

Le 10 mars 1975
Bonjour, Jo,

Triste nouvelle. La meilleure amie de ma grand-mère est morte. C'est un chauffard qui l'a décidé.
« Elle est muerta como una perra *! Écrasée. »*
Morte comme une chienne. Écrasée. Pour l'Abuela, personne ne mérite de mourir comme un animal (à part cet hijo de puta *de Franco, bien sûr, mais lui ça ne compte pas).*
Presque dix ans qu'elles étaient copines toutes les deux, depuis qu'on habite le Castellas. C'était la grand-mère de ma copine Josie, l'autre fille de ma classe. Pas étonnant que j'entende pleurer en stéréo, à l'école et à la maison. Nos deux grands-mères fréquentaient le même club du troisième âge dans notre cité, où elles jouaient au loto. Il y a trois jours, elle traversait la grande route devant chez nous, exactement comme font tous les petits vieux qui se respectent. Bien sur le passage piéton, au feu rouge. La voiture l'a fauchée en pleine vieillesse. Elle est morte sans le savoir. Elle est peut-être en train de croire qu'elle traverse encore la route et elle doit trouver le temps long !
Tu sais ce qu'elle m'a dit, l'Abuela, lorsqu'elle a appris sa mort ?
« C'est la dernière amie de toute ma vie. »
Elle s'est mise à sangloter comme une petite enfant. Elle a le don de me faire pleurer avec ses phrases qui ne veulent rien dire. Et moi, bêtement, je lui ai dit ; « Mais non, tu t'en feras d'autres. »
J'avais complètement oublié qu'elle avait plus de soixante-dix-sept ans. Elle est périmée ! Elle a dépassé l'âge de se faire de nouvelles

amies. C'est pas pour rien qu'on dit « de sept à soixante-dix-sept ans ». Même le journal de Tintin insiste là-dessus : « Le journal des jeunes de sept à soixante-dix-sept ans ». Avant et après, t'es comme un peu mort. Tu existes, mais sans trop exagérer.

« No ! No ! Hija mía. Se acabó[63]. »

Elle, elle n'avait pas oublié son âge.

Maintenant, elle n'a plus envie d'aller jouer au loto. Elle dit que ce n'est plus pareil sans elle. Si elle ne se décide pas à changer d'avis, je vais devoir me sacrifier et l'accompagner au club. On appelle ça faire une bonne action, me disait Josie quand elle y accompagnait elle aussi sa grand-mère. Je me souviens encore quand j'y suis allée la première fois ! Je n'avais jamais vu autant de cheveux blancs et de cannes réunis au même endroit. C'est plus bruyant qu'une garderie. Faut voir la fierté dans les yeux des petits vieux qui sont accompagnés de leur petit-fils ou leur petite-fille ! Et les autres viennent en clopinant nous saluer et nous montrer leur dentier qu'ils prennent pour leur plus beau sourire. Les petites vieilles nous embrassent, nous les petits jeunes (comme elles disent), nous prennent le visage entre leurs mains ridées et tremblantes, nous disent qu'on est magnifiques, se tournent vers l'aïeul ou l'aïeule qu'on accompagne pour le ou la féliciter (on ne sait pas de quoi !). Les petits vieux, eux, essaient de faire moins âgés. Ils rentrent leur ventre, oublient la canne sur la chaise pour venir nous voir, se font engueuler par leur femme. On a vraiment l'impression d'être quelqu'un d'important.

Et dire qu'il existe, là dehors, quelque part en liberté, un tueur de petits vieux qui vient de rajeunir la moyenne d'âge de la population.

---

63. Non ! Non ! Ma fille. C'est fini.

49

Janvier 1943 : Alger

Carmen finissait de remplir le seau. Il n'y avait pas l'eau courante dans la maison Müller qu'elle occupait sur la rue Maginot à Maison-Carrée. Elle devait aller la récupérer au robinet relégué à l'extérieur, dans la cour commune aux trois autres familles qui logeaient dans la maison. Parmi celles-ci, il y avait deux familles arabes : Fatma et Mohamed, un couple sans enfant légèrement plus jeune que Carmen et José, et Kadoudja, une musulmane qui vivait seule. Le propriétaire français, monsieur Müller, occupait le dernier logement avec sa compagne, une femme obèse que tout le monde appelait madame Jean (sans doute son nom de jeune fille puisqu'ils n'étaient pas mariés).

Une nuit d'encre baignait la ville et en effaçait les contours, comme pour la diluer davantage. L'eau s'écoulait doucement en un filet ténu, Carmen regardait le ciel étoilé d'Alger. Le firmament scintillait timidement et le mince croissant de lune envoyait une lumière diffuse pour ne pas éclairer trop crûment la terre africaine. C'est à travers cette semi-obscurité qu'elle le vit. Il se tenait devant la porte de la cuisine, dans un uniforme de soldat qui le rendait plus grand, plus beau, plus homme. Rafael s'avança vers sa mère et, sans un mot, prit le seau d'eau qu'il rapporta à la maison. Elle le suivit comme un automate, le cœur battait dans ses tempes ; elle tremblotait. Elle devinait... et chacune de ses expirations meurtrissait son cœur. Dans la cuisine, elle saisit la lampe à pétrole et l'approcha de son fils pour mieux le voir. Il était vêtu d'un uniforme neuf de l'armée britannique.

« Mère. Je me suis engagé dans l'armée anglaise. Je pars ce soir rejoindre mon bataillon à Alger. Je suis venu vous dire au revoir, à vous, maman.

— Pourquoi ? Pourquoi, mon fils ?

— Je ne supporte plus de le voir vous manquer de respect, mère. Je vais finir par le tuer un de ces jours. Et vous le savez ! Je préfère partir loin d'ici. »

Rafael avait continué à vouvoyer sa mère, contrairement aux autres enfants plus jeunes qui avaient adopté le tutoiement des petits Français.

« Tu ne vas pas lui dire au revoir à lui ?

— Non. »

Il la serra contre lui, comme à Peyriac-Minervois, quand il lui avait lu la lettre de sa tante Conchita. Carmen le regarda s'éloigner, frêle silhouette d'un enfant de dix-neuf ans.

Pourtant, elle avait bien cru que tout serait encore possible lorsque, à la fin de l'année 1942, José était revenu vivre à la maison, libéré du camp Suzzoni grâce aux Américains et aux Britanniques, ceux-là mêmes qui maintenant lui enlevaient son fils.

Ils avaient débarqué le 8 novembre 1942 sur les côtes algériennes et marocaines, porteurs de liberté et d'espoir, du moins pour les Français qui ne se reconnaissaient pas dans le gouvernement de Vichy. Pour les autres, les nombreux pro-allemands, ceux qui pouvaient lever le bras en salut nazi sans frissonner, ce débarquement était une provocation. Mais dans son ensemble, la population algérienne accueillit ces soldats chaleureusement.

C'était un dimanche, il était trois heures trente du matin. Personne à Alger ne soupçonnait que le premier débarquement allié de la guerre était en train de s'opérer chez eux, passant à l'Histoire sous le nom d'*Opération Torch*. Carmen n'apprit ce qui s'était passé que le lendemain. On parlait de deux contre-torpilleurs britanniques coulés dans le port par l'armée française. Les soldats américains et anglais avaient envahi Alger discrètement. Elle n'aperçut des uniformes que tard dans la soirée.

Elle n'était sortie d'une guerre que pour rentrer dans une autre, avait fui le franquisme pour mieux tomber dans le nazisme. Elle trouvait que cette guerre était une drôle de guerre. Personne en Algérie ne se battait. José, engagé dans l'armée française, maniait une pioche au lieu d'un fusil, et les fascistes, bien que vainqueurs, restaient invisibles. Bien sûr, les sirènes retentissaient quand l'aviation alliée survolait la ville et la population algéroise s'étirait en de longues files devant les magasins, des tickets de rationnement à la main, mais aucun cadavre ne jonchait le sol ; personne ne fuyait, la peur tatouée dans le regard. C'est vrai qu'on ne mangeait pas toujours à sa faim. Il était souvent arrivé à Carmen et Rafael de sauter un repas pour mieux nourrir les plus jeunes. Mais ils avaient connu bien pire en Espagne. Aussi, lorsqu'elle apprit que les Américains et les Anglais étaient venus les aider, elle ne ressentit pas tout de suite l'excitation de la libération. Rafael, lui, était fébrile et lui avait expliqué que c'était le premier recul du fascisme.

« Mama, si les Alliés gagnent la guerre contre Hitler, ils vont peut-être pousser leur armée jusqu'en Espagne et éliminer ce fils de pute de Franco. On va peut-être pouvoir rentrer chez nous. » Il était resté le plus Espagnol de ses enfants, malgré une exceptionnelle maîtrise de la langue française. Toutes ces années, il n'avait cessé de rêver de son pays. Il était convaincu qu'ils étaient en transit en Algérie et qu'ils retourneraient chez eux prochainement. Le débarquement en Algérie le confortait dans cette croyance que sa mère ne partageait pas. L'Espagne éveillait à présent en elle davantage de crainte que d'amour, mais la joie de son fils faisait plaisir à voir. Elle se laissa gagner par son euphorie.

Le lendemain du débarquement, en fin d'après-midi, l'aviation allemande effectua son premier raid aérien au-dessus d'Alger. Quelques bombes furent lâchées. Tous se terraient chez eux. Les souvenirs d'Alicante et de ses ruines, que Carmen avait réussi à ensevelir loin dans sa mémoire, refirent surface avec une intensité aiguë. Elle regardait Violeta qui jouait avec sa poupée de chiffon, inconsciente du danger, tandis qu'Eugenio et Carmencita, qui avaient connu l'exode de 1939, se blottissaient, effrayés, dans ses bras. Elle aurait tant souhaité que Violeta, la petite dernière, ne connaisse rien de la guerre. Sa mère Antonia avait subi la malédiction de voir ses enfants fauchés en pleine jeunesse. Carmen était persuadée que sa croix à elle était d'endurer des guerres qui pursuivaient inlassablement sa famille, comme des prédatrices.

Deux semaines plus tard, José fut libéré du camp et revint à la maison, blafard, épuisé par deux ans de privations et de conditions proches de celles du bagne. Les premiers temps, il resta allongé sur son matelas, les yeux grands ouverts, ne se levant que pour manger. Puis, tout doucement, il se remit à sortir et à se promener dans la ville, à trouver le chemin des bars et des copains. Et bien sûr, avec son retour à la vie, revint sa brutalité, qu'il exerçait sur sa femme et les enfants, sur Rafael surtout, devenu la cible principale de ses colères. Les premières semaines furent les pires. Sans travail, il restait confiné chez lui à attendre sa femme, toujours partie de bonne heure le matin faire des ménages chez les colons aisés de Maison-Carrée. Il se morfondait jusqu'au retour de Carmen et de Rafael, et il laissait ensuite pleuvoir sur eux le trop plein de sa rancœur contenue durant deux ans. Fort heureusement, il trouva rapidement un emploi dans une papeterie, grâce au contremaître qui était le gendre d'un milicien interné avec lui à Suzzoni. Sans parler à proprement de sérénité, un certain apaisement s'installa dans la maison. Mais le risque d'une crise majeure demeurait toujours latent.

Carmen continua à regarder son fils Rafael jusqu'à ce qu'il disparaisse, englouti par la noirceur de la nuit. Elle resta sur

50

1943 – 1947 : Algérie

Le 8 mai 1945. Une date de tous les espoirs. Une date de toutes les désillusions. Victoire des Alliés sur l'Allemagne nazie. Mise au grand jour des camps de la mort.

Le 8 mai 1945. Les habitants de Constantine défilaient dans les rues et fêtaient la fin de la guerre. Un drapeau vert et blanc surgit de la foule, une demande de reconnaissance timide mais ferme. La légitimité du peuple algérien d'exister pleinement, de sortir de l'ombre et de s'afficher en plein soleil. Le jeune homme fier qui tenait l'étendard fut abattu. La foule en colère libéra les instincts primaires et sanguinaires qui se cachaient en son sein. Cent trois Français, innocents manifestants venus célébrer la paix, furent massacrés. Hommes émasculés, femmes amputées des seins et violées par dizaines. La répression sanglante de l'armée française se solda par la mort de milliers de malheureux civils arabes.

Le 8 mai 1945. Constantine. On a célébré la fin des horreurs dans la haine. Un antagonisme insupportable. Abject. Un siècle schizophrène. Un monde malade qui ne cesse de se mutiler. Une folie meurtrière et contagieuse qui infeste l'homme depuis ses origines. On la croit un instant éradiquée, comme la variole, et elle réapparaît là où on l'attend le moins.

Le 8 mai 1945. Constantine, pour Carmen, c'était quelque part en Algérie. Pas assez loin pour ne pas l'inquiéter. Pas assez proche pour l'épouvanter. La sauvagerie des hommes accompagnait sa vie depuis trop longtemps pour l'étonner encore. Et puis ça finissait toujours par passer, c'était une question de temps.

Il s'était écoulé plus de deux ans depuis que Rafael avait quitté les côtes de l'Afrique sur un bateau allié. Elle avait passé ces deux longues années à attendre une lettre, à attendre qu'un gendarme sonne à sa porte, à l'attendre, lui. Elle avait tremblé à chaque fois qu'elle avait cru que... elle avait soupiré ensuite, rassurée ou déçue.

Et les années s'étaient succédé avec leur part de joies et de déceptions, qui s'équilibraient avec justesse et lui procuraient une vie presque harmonieuse. Même l'absence de son fils ne parvenait pas à tout déstabiliser, car à l'autre bout de la balance se trouvait l'espoir... l'espoir que cette absence un jour n'en soit plus une.

José avait conservé son emploi à la fabrique de carton. Les camps lui avaient appris la discipline. Désormais, il passait ses journées à l'usine et se comportait en bon ouvrier obéissant. Dehors, l'homme redressait la tête, bombait le torse et rentrait chez lui revêtu de son autorité naturelle. Les corrections qu'il administrait à ses enfants n'en faisaient pas des enfants battus. Les coups n'étaient en général distribués que lorsqu'ils désobéissaient. Ces derniers s'y étaient accoutumés comme d'une chose normale, car ils partageaient cette éducation sévère avec la plupart des gamins du quartier. Quant à sa femme, s'il lui arrivait encore d'être violent avec elle, il se montrait plus discret, échaudé par le départ de son aîné, dont il devinait le motif.

Avant que Rafael ne parte, Carmen lui avait demandé de lui écrire. Il avait juré. Et dès le lendemain de son départ, elle se fit une promesse. Elle apprendrait à lire. Plus question de devoir chercher quelqu'un qui lui fasse la lecture. Les premiers mois, aidée de madame Rios, elle s'appliqua à essayer de déchiffrer les lettres. À quarante-six ans, ses efforts l'éreintaient davantage que les pénibles heures de ménage. Peu douée pour les activités intellectuelles en général et les langues en particulier, elle progressait lentement. Au bout d'un an, elle pouvait lire un peu dans les deux langues. Assez pour déchiffrer des mots et donner un sens à quelques phrases. Mais aucune lettre de Rafael.

Après le 8 mai 1945, elle entama des démarches auprès de la Croix-Rouge afin de retrouver son fils. On lui dit qu'on allait s'en occuper, que les demandes étaient innombrables. Trop de monde avait disparu. Des civils, des militaires, des femmes, des hommes, des enfants, des juifs, des Espagnols, des Français, des... L'humanité entière semblait avoir été engloutie dans la guerre. On lui dit qu'il fallait qu'elle patiente. Ah ça, elle savait faire ! Elle attendit, attendit, attendit. La vie, heureusement, se chargeait de la faire patienter avec Carmencita, Eugenio et Violeta, qui occupaient tout son temps, une fois de retour au foyer, après ses longues heures de travail.

Les saisons succédèrent aux saisons. José ne parlait plus de revenir en Espagne. Franco n'avait pas été chassé par les Alliés comme beaucoup l'avait espéré. D'ailleurs, José avait renoncé à la politique. Il lisait les journaux qu'il refermait en maugréant et partait pêcher au bord de la mer ou jouer à la pétanque.

Carmen nourrissait un regret : ne pas avoir su profiter de l'absence de José, enfermé au camp Suzzoni, pour inscrire Carmencita à l'école. Elle avait bien tenté de le faire, mais sans succès. Elle était femme, réfugiée, analphabète, pauvre, seule et incapable de s'exprimer correctement en français. Toutes des raisons valables pour ne pas se faire entendre. On lui avait rétorqué qu'il n'y avait pas de place, qu'il fallait patienter – encore patienter – et qu'on allait inscrire la fillette sur une liste d'attente. Revendiquer ses droits, crier et s'obstiner, ce n'était pas dans ses habitudes. Elle y renonça. Carmencita continua donc de rester à la maison et de prendre soin de son frère et de sa sœur. Carmen devait bien s'avouer que cela faisait malgré tout son affaire, car elle pouvait continuer à travailler et faire des ménages l'esprit tranquille et la conscience en paix. Après tout, ce n'était pas comme si elle n'avait pas essayé. Et puis, lorsque José revint, l'idée de scolariser Carmencita mourut de sa belle mort. L'enfant, qui devenait une jeune fille, fut placée dans une manufacture de bouchons de liège que Carmen intégrerait plus tard, en tant qu'ouvrière, elle aussi.

Eugenio eut plus de chance. José avait pris la précaution en effet de l'inscrire à l'école avant de rejoindre le camp Suzzoni. Dans son cas, la question ne se posait pas. C'était un garçon. Toutefois, à la grande surprise de Carmen, il inscrirait également Violeta à l'école dès 1943, une manière de régler leur problème de garde sans doute, puisque tous travaillaient une bonne partie de la journée.

À la sortie des classes, Eugenio et Violeta regagnaient seuls la maison, où les voisins les surveillaient jusqu'à l'arrivée des parents. En réalité, c'était principalement madame Jean et Fatma qui acceptaient de «jeter un coup d'œil sur les petits pour s'assurer qu'ils ne fassent pas trop de bêtises». Elles étaient les seules à rester au foyer et à ne pas travailler, à la différence de Mohamed et monsieur Müller, sans oublier la vieille fille Kadoudja qui, de toute façon, n'aurait pas accepté de s'occuper des petits. Elle détestait les moujingues – comme elle les appelait – sous quelque apparence que ce soit: garçon, fille, musulman ou chrétien.

Fatma, à l'opposé de Kadoudja, adorait les bambins qui le lui rendaient bien, l'aidant à porter ses commissions dès qu'ils l'apercevaient chargée de paniers au bout de la rue. Carmencita, Eugenio et Violeta en avaient fait leur mère de substitut. Il leur arrivait fréquemment de courir se cacher derrière ses jupes pour esquiver les gifles de leur père. Et Fatma, dans son désir de les protéger, pouvait recevoir à l'occasion un coup malencontreux qui ne lui était pas destiné. Elle n'en prit jamais ombrage.

Carmencita, douce et plutôt réservée, passait la majeure partie de ses temps libres à se pomponner, abhorrant les travaux domestiques. Rafael absent, elle utilisait sans vergogne son pouvoir d'aînée dans la nouvelle fratrie pour convaincre les plus petits de faire les corvées à sa place. Si, au début, elle remporta de francs succès, son ascendant tendit à s'étioler avec les années. Violeta et Eugenio échappaient fréquemment à sa surveillance et s'ensuivait invariablement une correction paternelle, comme la fois où ils enfermèrent, une après-midi durant, la malheureuse madame Jean dans le poulailler. Ils chapardaient à l'occasion des nèfles dans les cours voisines et des pastèques que les Arabes transportaient dans des paniers en osier sur leurs bourricots. Ils prenaient bien soin toutefois de se cacher pour manger leurs larcins. Ils savaient que si leurs bêtises finissaient par faire sourire, le vol, aussi minime soit-il, aurait affecté leur mère.

Eugenio et Violeta traînaient souvent en compagnie d'enfants arabes qui fréquentaient la même école publique et habitaient le quartier. Fatima, Salina, Zoubir... En classe, ils étaient tous logés à la même enseigne : les Algérois d'origine française, les autres Algérois européens et les Arabes. Tous à apprendre l'histoire « de nos ancêtres les Gaulois ». Il arrivait que les petits immigrés et les petits Arabes se regardent et pouffent de rire sur leur banc d'école quand l'instituteur leur enseignait un bout d'histoire de France. Ils ne riaient pas trop longtemps et pas trop fort pour éviter la règle qui s'abattait, sans pitié, sur les doigts des élèves turbulents. Certains instituteurs semblaient davantage relever du ministère de la Défense que de celui de l'Éducation. Ils s'étaient donné la double mission d'instruire et d'éduquer la jeunesse dans le respect de la République française. Coincés entre les autorités professorales et parentales, la rue se révélait être un lieu de liberté et de plaisir pour tous les enfants du quartier, Violeta et Eugenio n'étant pas en reste. Les jeux se limitaient le plus souvent aux osselets (avec des noyaux d'abricot) et aux charrettes à roulement[64], qui leur valurent de nombreuses réprimandes de la part de leur père. Eugenio ne comptait plus le nombre de corrections reçues chaque fois qu'il revenait en sang à la maison après avoir déboulé la côte sans pouvoir s'arrêter, les freins n'entrant pas dans la composition de leur carriole artisanale. Violeta, si elle échappait en général aux raclées, se voyait quand même infliger de bonnes fessées, dont une mémorable lorsqu'elle apparut devant son père la mine déconfite, dans sa robe du dimanche en loque. Elle était un vrai « garçon manqué » qui embarquait à la moindre occasion sur les charrettes à roulement pour montrer aux garçons qu'elle était aussi capable qu'eux. Au début, José et Carmen n'aimaient pas beaucoup les voir jouer avec les indigènes. Finalement, ils s'habituèrent à supporter leur présence et, bientôt, ils parvinrent à différencier les bons Arabes des mauvais, comme ils le faisaient avec les Européens.

---

64. Genre de boîte à savon rudimentaire, faite d'une simple planche sous laquelle sont fixées de petites roues.

51

FEU À IBIZA

Le 30 juin 1975
Salut Jo,

Ouf! Hier j'ai eu chaud. Tu as failli passer au feu, toi aussi, et un journal intime qui flambe, c'est comme se brûler un bout de cervelle. Si on prend la peine d'écrire nos souvenirs, c'est bien parce qu'on sait qu'on va les oublier. En plus, j'ai remarqué qu'une fois à l'abri sur le papier, on les oublie encore plus vite (sûrement parce qu'on sait qu'on peut les retrouver). Je devrais utiliser un calque et t'écrire en double. Comme ça, tu aurais un jumeau que je rangerais ailleurs, pour être sûre de ne pas perdre mes souvenirs si une catastrophe arrivait vraiment.

Quatre jours déjà qu'on est à Ibiza. C'est une île des Baléares perdue en Méditerranée où mon oncle Pierrot, ma tante Carmen et leur fille Marlène ont décidé de venir s'installer. Je trouve bizarre de vouloir vivre sur une île. Quand j'étais toute petite, je croyais que les îles avaient été dessinées sur les cartes pour permettre aux bateaux de faire escale. Il n'y a pas longtemps encore, j'avais peur de venir ici. Je n'aime pas trop les îles. Elles ressemblent à des étrons qui flottent sur l'eau. Une fois débarquée à Ibiza, j'étais persuadée que j'allais suffoquer avec autant d'eau autour de moi. L'impression d'être debout sur une bouée en plein océan. Eh bien non! L'île est bien trop grande pour voir la mer à trois cent soixante degrés. Je n'avais pas pensé à ce détail. Une chance que ceux qui ont dessiné les îles y ont pensé, eux! Bon, je fais encore des détours. Revenons à mes moutons.

Mes parents n'en revenaient pas quand ils (mon oncle, ma tante et ma cousine) ont annoncé qu'ils quittaient Marseille pour partir là-bas, enfin ici. Moi, je ne comprenais pas pourquoi tout le monde avait l'air consterné, comme si on leur avait annoncé une maladie incurable.

«Pourquoi ? Mais enfin avec quel argent vont-ils vivre là-bas ? Oh et puis, tu es trop jeune pour comprendre. Allez, finis ton assiette.

— Je n'ai plus faim.

— Finis ton assiette, je te dis. Dire qu'il y a des enfants en Afrique qui meurent de faim !»

Jamais vu le rapport entre les deux. Je mange et d'un coup les petits Africains ont le ventre plein aussi ? Cette réflexion à haute voix m'a valu un bon coup de savate... sur les fesses. Toujours sur les fesses. La fierté de ma mère. Depuis, je nourris un petit Africain tous les jours en finissant docilement mon plat et en fermant ma grande gueule.

Je crois que la famille les trouve barjos parce qu'ils quittent un pays sans y être obligés. Et déménager de cette manière, c'est pas vraiment normal ni naturel chez nous. Ça fait même peur. Chez nous, quand on part d'un pays, c'est obligatoirement en catastrophe, les bombes aux fesses.

Moi, je les admire. Ils sont allés vivre à la campagne, dans une ferme, loin de la grande ville. Cette année, ma mère a décidé de m'y envoyer passer mes vacances d'été avec ma grand-mère. Deux mois, loin de mon HLM ! En toute liberté, en pleine campagne... sans mur de béton. C'est sûr que mon appartement ne va pas me manquer. J'adore aller chez ma tante. Elle est cool. Excentrique, c'est vrai, mais supercool.

Mais hier, j'ai eu chaud. On était en train de brûler des ordures dehors dans le champ quand c'est arrivé. Mon oncle était au travail et on était juste nous, les filles : l'Abuela, ma tante Carmen, ma cousine Marlène et moi. Et, tout à coup, on a vu une boule de feu sauter et aller s'installer plus loin. On aurait dit que les autres flammes l'avaient sortie du groupe avec un coup de pied dans les *fesses. Elles ont continué comme ça à virer d'autres boules de feu. Au début, on arrivait à les éteindre avec le pied et, ensuite, on a perdu le contrôle. Le champ s'est mis à flamber. C'était inquiétant et génial. Tu connais ma fascination pour le feu. Dès que je peux brûler une allumette... Là, j'étais servie sur un plateau royal. Mais, je ne suis pas idiote et j'ai tout de suite vu que la maison était trop proche. Je ne pouvais pas continuer à rester plantée là, à regarder valser les flammes sans rien faire. Ma tante n'a pas l'eau courante. Il faut la tirer du puits qui se trouve dans la cour. Je t'avais dit qu'elle était excentrique. Marlène m'a demandé de sortir les seaux d'eau, mais je n'allais pas assez vite. Je n'ai aucune force et je remontais les seaux du puits à moitié vides. Ma grand-mère a pris le relais vite fait, et ça allait drôlement plus vite du coup (tu te souviens lorsque je t'ai parlé de la force qu'elle avait dans les mains, rapport au linge qu'elle devait essorer quand elle était gamine ?) Au bout de quelques heures, on a réussi à tout éteindre. Ensuite, on riait comme des folles. C'était nerveux, je crois. L'Abuela a fini par dire, après avoir retrouvé son souffle : «Yé crois qu'on a fait una bêtise. Pierrot nos va a* grondar cuando *il va* révénir. »*

C'est sûr qu'on avait fait une bêtise et que mon oncle Pierrot allait nous engueuler à son retour, mais on ne comprenait pas pourquoi le feu s'était mis à frétiller dans tous les sens, comme un poisson hors de son aquarium. Ma tante – qui est bizarre – a tout de suite pensé aux esprits. Ma cousine Marlène – qui n'a pas la langue dans sa poche – lui a demandé d'arrêter ses conneries qui faisaient peur à la petite (moi) et à mémé (l'Abuela). Et puis mon oncle Pierrot est revenu.

«Il est fou, Pedro, il aurait pu mettre le feu à l'île. Pas une bonne idée de brûler les champs à cette saison ! »

Pedro, c'est le proprio. J'ai cru comprendre que dans les campagnes à Ibiza, on brûle les champs pour faire de la meilleure terre et... je n'ai rien compris au reste. Et, ni une ni deux, on est reparties à rire jusqu'à ce que mon oncle s'énerve et nous dise d'arrêter de nous foutre de sa gueule.

Finalement les vacances commencent bien. J'adore me lever très tôt le matin quand tout le monde dort. Je sors sans faire de bruit. La porte n'est même pas fermée à clé. Ça change des six verrous qu'on a chez nous à Marseille (quatre sur notre porte d'entrée et deux sur la porte de l'immeuble) et qui nous font perdre au moins dix minutes juste pour sortir et rentrer. Le matin, ça sent le neuf. C'est vraiment dans l'air que ça se passe. Comme si, ici, la nuit nettoyait le jour, en cachette dans son ombre.

Et puis j'adore me promener en liberté. Personne qui me surveille, personne qui essaye de m'embarquer avec lui dans une voiture quand je me rends à l'école. Même pas peur : pas de caves, pas d'hommes bizarres, pas d'autos suspectes. Bref ici, pas besoin de courir pour arriver chez soi ou à l'école. Juste les oiseaux, les arbres, le vent et le soleil.

Ce matin, je me promenais légère sous les amandiers en me disant que moi aussi un jour je foutrai le camp loin de ma cité… lorsque je l'ai aperçu au loin. C'était un garçon de mon âge. Il était pieds nus et il ramassait des amandes dans les arbres et au sol. Il les fourrait dans ses poches. Cette espèce de… était en train de voler ! Les amandiers appartiennent à Pedro et seuls mon oncle et ma tante ont le droit de ramasser leurs fruits. Je me suis mise à courir vers lui en criant : «Arrête. Arrête tout de suite. Je vais t'en mettre une, tu vas voir. »

Je venais de commettre deux erreurs : une, je venais de parler en français et deux, je ne m'étais jamais battue de toute ma vie, sauf avec Frédéric, qui s'était laissé faire. J'ai ralenti subitement ma course, pas très fière devant mon manque de courage. Heureusement que le gamin a pris les jambes à son cou. Tellement vite d'ailleurs qu'il en a trébuché et embrassé le sol avant de se relever d'un bond et de se remettre à courir comme un évadé de l'asile psychiatrique – il faisait des moulinets avec les bras comme pour mieux garder l'équilibre.

J'étais choquée ! Scandalisée ! Dans mon quartier en béton, là-bas, à Marseille, ce genre de truc arrive souvent et c'est presque normal, on n'y porte plus attention. Mais ici, au milieu des oiseaux et des arbres, je trouve que ça bousille le décor.

Je suis vite rentrée à la maison pour raconter ce que j'avais vu à ma tante et à l'Abuela. Elles allaient se mettre à déjeuner. La mouna était déjà coupée en tranches et elle attendait de se faire tremper dans le café. La mouna, c'est une sorte de brioche espagnole que les pieds-noirs fabriquent à Pâques uniquement et qu'ils vont manger en pique-niquant dans la forêt, toute la smala réunie. Mais, je t'ai déjà dit que ma tante est excentrique. Elle, elle en cuisine n'importe quand dans l'année!

J'ai déblatéré ce que j'avais sur le cœur avant de me servir un morceau de mouna. *C'est dire à quel point j'étais gonflée à bloc pour ne pas m'empiffrer tout de suite! Tout le monde sait que la* mouna *et moi, ça ne fait qu'un... ou qu'une? J'en rajoutais un peu pour faire mousser: j'avais failli attraper le garçon qui ne m'avait semée que parce que j'étais tombée et qu'il avait enfourché un vélo et avait déguerpi.*

« Un vélo? Ah! Je suis surprise que le petit Antonio ait un vélo, me répondit ma tante. »

Aïe! le vélo était de trop. Vite, il fallait que j'essaie de faire oublier le vélo: « Antonio? Tu le connais?

— Oui, c'est le benjamin d'une famille de huit qui vit plus haut sur la colline. Ce sont des gens très pauvres. Le père est malade, et la mère essaie de se débrouiller comme elle peut, peuchère.

— Mais il n'a pas le droit de nous voler quand même!

— Il rapine juste des amandes. Il ne fait de mal à personne. »

Je me suis tournée vers l'Abuela. Il me fallait trouver quelqu'un qui me supporte dans mon indignation: « Tu m'as toujours répété que, toi, tu n'avais jamais volé, même quand tu avais faim, non?

— Sí. Sí hija mía. Mais des fois el hambre *te fait faire des mauvaises choses. Tu né puedes pas comprendre. Tú, no has tenido nunca hambre[65]. »*

Je ne pouvais pas comprendre: je ne connaissais pas la faim! Et voilà, ça recommençait!

---

65. Oui. Oui, ma fille. Mais des fois, la faim te fait faire des mauvaises choses. Tu ne peux pas comprendre. Toi, tu n'as jamais eu faim.

52

1948 – 1952 : Algérie

Ce fut une période difficile pour José, qui se trouva amputé de la moitié de son estomac, conséquence probable des camps, selon le médecin. Diagnostiqué également cardiaque dans la foulée, il cessa de travailler à temps plein et se contenta de menus travaux, obligeant ainsi Carmen à cumuler plusieurs emplois. La semaine, elle était couturière au moulin de l'Harrach et fabriquait des sacs – elle y ferait admettre Violeta comme ouvrière, à ses quatorze ans. En attendant, la fillette aidait sa mère, les fins de semaine, en faisant des ménages chez les colons français et à l'église de Maison-Carrée. Tous les enfants travaillaient à présent. Carmencita, à l'usine de bouchons de liège et Eugenio, chez Caterpillar, où il avait trouvé un emploi de mécanicien. Ils habitaient encore tous la maison Müller et ils furent soulagés d'avoir un peu plus de place lorsque Carmencita se maria à dix-neuf ans à un divorcé de dix ans son aîné, avec deux jeunes fils à sa charge. Maraîcher, il louait la terre et la ferme qui s'y rattachait à un riche colon français. Une dizaine d'ouvriers marocains travaillaient pour lui ; Carmencita était assurée de ne manquer de rien et de pouvoir s'occuper de ses futurs enfants sans avoir à travailler à l'extérieur. Carmen et José en étaient heureux. Ni la différence d'âge ni le divorce de Pierrot ni ses garçons ne semblaient être un problème pour eux. José fut même soulagé de ne pas avoir à mettre les pieds à l'église lors de la cérémonie.

La veille du mariage, Carmencita était rentrée toute joyeuse chez ses parents, l'esprit dans les préparatifs du lendemain. Elle ne vit pas venir la gifle bien appliquée que son père lui donna en criant : « Tant que tu vivras sous mon toit, tu te comporteras comme une fille honnête. Je ne veux pas que mes filles se maquillent. Je n'ai pas élevé des putes. C'est compris ? » Les larmes plein les yeux, Carmencita acquiesça. Quelle idiote ! Elle avait oublié d'enlever son vernis à ongle avant de réintégrer la maison familiale. D'habitude, elle n'oubliait pas. Cette gifle, administrée à quelques heures du mariage, lui laissa longtemps un arrière-goût amer.

Un an plus tard, en décembre 1950, naquit Ghyslaine, la première petite-fille du couple Martin de la Torre. Pour Carmen, ce fut une renaissance. Devenir grand-mère, c'est un peu avoir une deuxième chance de faire les choses différemment ou, à tout le moins, de vivre les choses autrement. Elle pouvait bercer la petite Ghyslaine sans avoir l'estomac noué, à se demander comment elle allait la nourrir demain ou la protéger des bombes. Elle tenait enfin une enfant dans ses bras avec sérénité. Ainsi, c'est de cette manière que sa propre mère l'avait aimée ? Avec cette quiétude imbibée d'espoir et de rêves, sans peur du lendemain ? Elle, elle avait aimé les siens dans l'urgence. Elle les avait aimés en craignant, à chaque instant, que le malheur s'abatte sur eux. Longtemps, elle avait redouté la malédiction qui pesait sur sa famille ; la misère et les guerres n'avaient fait que renforcer son appréhension. La mort de Pepito l'avait rendue plus fragile encore, car elle était convaincue que lorsque la mort s'introduit une fois dans un foyer, elle y prend goût et revient y roder tôt au tard. Même quand tout allait bien, elle pressait ses enfants contre sa poitrine avec le désespoir d'une mère qui craint qu'on les lui enlève. Dans ces moments-là, elle devenait comme un animal effrayé qui fige devant les phares d'une voiture.

Ghyslaine, si menue et si petite encore, incarnait à ses yeux l'espoir d'une nouvelle génération qui naissait dans un monde encore malade et faible, mais en rémission.

À quatorze ans, Violeta eut une illumination. Elle frottait le plancher de l'église, tandis que sa mère s'affairait à nettoyer les bancs, quand elle ressentit ce qu'elle croyait être l'appel de la foi. Elle se mit aussitôt en tête de vouloir être baptisée, étant la seule dans la fratrie à avoir échappé à l'eau bénite. L'année de sa naissance, son père était dans ce qu'on pourrait appeler le pic de son aversion envers le catholicisme, et il aurait préféré tuer la nouveau-née qu'il venait lui-même de mettre au monde plutôt que de la voir dans les mains d'un curé. Depuis, quatorze ans s'étaient écoulés et son inimitié envers la religion avait fini par s'atténuer, sans néanmoins disparaître. L'Algérie française avait développé, à l'instar de la métropole, une forte tendance à la laïcité. José ne sentait plus le pouvoir oppressant de la religion ni le danger qu'elle avait représenté à ses yeux. Elle restait un irritant tout au plus. Lorsque Carmen lui avait annoncé qu'elle allait faire le ménage d'une église avec Violeta, il eut encore bien entendu le réflexe du vieil anarchiste qui sommeillait en lui. Il s'y opposa avec véhémence et déclama : « Si vous entrez au service de ce bâtard de curé, je vous tue toutes les deux.

— Eh bien, fais-le tout de suite parce qu'on va quand même y aller. Tu ne peux plus travailler et on a besoin de cet argent. »

Depuis que Carmencita était mariée, Carmen tenait tête à José de plus en plus souvent. Elle se disait qu'elle pourrait toujours aller se réfugier chez sa fille si les choses tournaient mal. Sa maison était assez spacieuse pour accueillir tout le monde. Et puis José vieillissait et il cognait moins dur. Les coups s'estompaient en nombre et en force.

Elle avait bien deviné qu'elle aurait gain de cause et qu'il finirait par accepter de les voir astiquer l'église du quartier.

Elle eut raison. Mais, quand un soir au dîner, Violeta confia – d'un ton aussi anodin que lorsqu'elle demandait à son père de lui passer le sel – qu'elle voulait se faire baptiser, José faillit s'étouffer avec la soupe.

« Pas question. Je savais que je ne devais pas vous laisser aller là-bas. Qu'est-ce qu'il vous a mis dans la tête, à toutes les deux, cet enfoiré de curé ? » Il n'avait pas perdu l'habitude de rendre Carmen responsable, sinon complice, de ce qu'il considérait être les mauvais coups de leur progéniture.

Violeta ne craignait pas beaucoup son père. Elle était la dernière, celle qu'il avait mise au monde, celle qui s'obstinait aussi fort que lui et, pour toutes ces raisons, il était moins sévère avec elle. Elle parvenait souvent à ses fins, au grand dam d'Eugenio et de Carmencita. Aussi, quand il s'opposa à son baptême, elle savait que ce n'était qu'une question de temps. Au bout de six mois de relances, il finit en effet par céder devant sa détermination, proche du harcèlement. Il était épuisé, à court d'arguments et d'autorité.

L'année 1952 s'achevait sur trois événements majeurs : le mariage de Carmencita, la naissance de Ghyslaine et le baptême de Violeta.

Franco était toujours au pouvoir, plus personne ne parlait de le destituer. Il appartenait au paysage politique, reconnu par toutes les grandes puissances du monde. Depuis plus de dix ans, il avait exécuté froidement dans les prisons espagnoles plusieurs dizaines de milliers d'opposants à son régime. Des chiffres qui, plus tard, indigneraient. L'heure n'était pas encore à la compassion entre les peuples ; trop d'entre eux essayaient de cicatriser leurs propres blessures.

Aucune nouvelle de Rafael non plus. De longues années s'étaient passées depuis qu'il avait juré à sa mère de lui écrire. Des années interminables à le maintenir vivant auprès de son frère et de ses sœurs, pour qu'ils n'oublient pas ce grand frère, parti faire la guerre au loin avec les Anglais.

À son départ, Violeta n'avait que quatre ans et le souvenir de ce frère lointain se résumait à ce soir, autour d'une table, où elle pleurait parce qu'elle avait encore faim et qu'il lui avait tendu sa propre assiette avec un sourire réconfortant qui voulait dire : « Tout va bien aller, petite sœur. »

53

NOSTALGIE DE L'ALGÉRIE

Le 2 août 1975
Bonjour, Jo,

Hier soir, je me suis vraiment bidonnée en entendant les histoires qui se racontaient sur l'Algérie. On avait fabriqué un beau feu dehors et on a fait cuire des merguez – cette fois-ci on a fait gaffe à ne pas mettre le feu à l'île. L'odeur de ces saucisses a eu un effet instantané. L'Algérie a débarqué à Ibiza à coups de « tu te souviens quand... », jusqu'à ce que je m'endorme complètement épuisée, après un plasticage.

Je les connaissais presque toutes, ces anecdotes, mais elles ne m'avaient jamais fait autant rire. Dès que c'est ma mère ou mon père qui les raconte, je les trouve nulles. Je ne sais pas pourquoi. Peut-être parce que l'Algérie : ras-le-bol! Là-bas, tout était mieux qu'ici en France. Même leurs Arabes. Là-bas, ils étaient plus sympas, plus gentils, moins voleurs et patin-couffin. Mais hier, ils ont raconté ces histoires comme s'ils vivaient encore là-bas, à Alger. Tu sais... sans nostalgie, sans cette putain de larme qui brille au coin de l'œil des « pieds-noirs qui ont tout perdu et qui sont partis une main devant, une main derrière ». Quand ils se mettent à chialer comme ça, nous, les patos, on se sent de trop. On ne peut pas être pied-noir si on n'est pas né du bon côté de la Méditerranée et on ne peut pas être un « bon pied-noir » si on n'a pas pris le bateau en catastrophe pour traverser la mer. C'est une question de logistique. Il n'y a pas à discuter.
Hier soir, les histoires par contre n'ont fait pleurer personne, sauf quand on attrapait des crises de fou rire. Et il y en a eu beaucoup.

C'est l'Abuela qui a débuté le bal en racontant les bêtises que ma cousine Marlène faisait quand elle était enfant.

C'était une vraie peste. Une fois, elle avait disparu. Tout le monde avait ratissé la ferme. Les ouvriers marocains qui travaillaient pour son père avaient drainé tous les bassins, persuadés qu'ils la retrouveraient noyée. Eh ben non, elle avait juste eu l'envie de se prendre pour un lapin le temps d'une matinée, bien cachée au fond d'une cage. Une autre fois, jalouse que sa sœur ait reçu un vélo flambant neuf à son anniversaire, elle avait mis le cadeau derrière un tracteur qui l'avait aplati comme une crêpe en reculant. Pas question que sa sœur ait un vélo et pas elle. Une autre fois encore, elle avait décidé, histoire de passer le temps, de dégonfler les pneus des tracteurs. Et ça n'en finissait plus. Alors, un matin, son père exaspéré l'a attachée à la place du chien, avec une gamelle d'eau devant elle. Et, malgré ses six ans, elle a eu le culot de balancer l'eau de la gamelle à la face de son père, ce qui lui a valu de rester attachée plus longtemps. Je te dis que mon oncle Pierrot n'était pas commode plus jeune. Ma grand-mère n'a pas aimé ce souvenir-là et, quinze ans après, elle a encore engueulé son gendre pour cet acte qu'elle qualifie toujours aujourd'hui de barbare. Moi j'étais pliée en deux. Ça ne pouvait pas être si grave puisque ma cousine et son tortionnaire étaient assis côte à côte et qu'ils se marraient encore de cet épisode.

Ensuite, ce fut le tour de ma mère. Le portrait craché de sa nièce Marlène, physiquement, mais aussi pour leur sens artistique d'inventer de nouvelles conneries. La plus drôle, c'est quand elle a cousu les manches des manteaux de ses collègues à l'usine. Il paraît qu'il fallait les voir essayer de mettre leur manteau sans comprendre pourquoi ils ne parvenaient pas à glisser leur bras dans la manche.

Après, j'ai cru, à tort, qu'ils allaient se mettre à être sérieux quand ils se sont mis à parler des « événements ». C'est de cette façon qu'ils appelaient la guerre d'Algérie avant de partir en France. Des événements ! C'est beaucoup plus tard qu'ils ont découvert la vérité. Pendant ce temps, eux, ils croyaient que chaque bombe et chaque mort était un simple événement. Alors du coup, ils n'en avaient pas peur. C'est vrai quoi ! Tu imagines si on te dit : « La guerre est déclarée entre les Algériens et les Français » ? Tu te figures tout de suite les pires horreurs. Mais, si on te dit : « L'événement est déclaré entre les Algériens et les Français », tu vois que dalle ou tu t'imagines même qu'il va y avoir une sorte de fête de la fraternité.

Bref, quand ils se sont mis à raconter les événements, ils ont parlé d'un plastic sur lequel leur voiture avait sauté. À l'intérieur, mon oncle Pierrot, ma tante Carmen, ma mère, mon frère, mes deux cousines et ma grand-mère. Il devait y avoir de grandes voitures en Algérie parce qu'elles sont toujours pleines à craquer à chaque histoire. La voiture a été projetée quelques mètres plus loin. Miracle ! Tout le monde semblait sain et sauf, jusqu'à ce que ma tante Carmen se mette à hurler. Elle avait la jambe en sang... au bout d'un moment elle s'est arrêtée de crier ; elle ne s'entendait pas avoir mal. Et pour cause, elle n'avait absolument rien. Enfin, une légère égratignure, mais les collants en nylon qu'elle portait se sont imbibés des minuscules gouttes de sang et, du coup, on avait l'impression que sa jambe au grand complet était en sang. Quand les personnes qui l'entouraient ont compris, ils se sont moqués d'elle. Quinze ans plus tard, on en rit encore.

Après, ils ont continué sur la lancée des plastics, pendant que, moi, je m'endormais au coin du feu, des rires plein la tête. J'avais eu droit à une suite d'événements heureux !

54

1953 – 1957 : Algérie

25 avril 1953. Venue au monde de Marlène, la petite sœur de Ghyslaine. La deuxième naissance sur le sol d'Algérie. Les descendants de Carmen prospéraient et peuplaient cette nouvelle terre d'accueil. Dorénavant, ils prendraient racine ici, sur ce continent africain où elle-même finirait sa vie. Elle en était sûre. La naissance de cette deuxième petite-fille venait d'éveiller ce lot de certitudes dont elle avait besoin pour mieux continuer à vieillir, entourée des siens au milieu d'un million d'Européens et de neuf millions d'Arabes. Un brassage de langues, d'accents, de cultures et de religions qui baignait dans une atmosphère irréaliste, dominée par des voix timbrées, aux consonances orientales marquées, et des senteurs d'épices à chaque coin de rue. Elle croisait des femmes voilées, d'autres en pantalons, des burnous, des casquettes, des mosquées, des églises, des synagogues ; un décor kitsch dans lequel elle évoluait, inaperçue. Si, au début, cette population hétéroclite avait décontenancé Carmen, elle avait tôt fait de la rassurer, car elle ne se sentait plus vraiment étrangère parmi elle. On la désignait sous le vocable d'« Européenne », ce qui l'assimilait sans équivoque aux Algériens non musulmans. Elle avait l'impression d'être plus Française, ici, en sol algérien, que lorsqu'elle habitait la France dans l'Aude.

En cette belle journée printanière, elle s'agenouilla, ramassa une poignée de terre sablonneuse et la mélangea à la terre franco-hispanique, toujours confinée dans son vieux foulard en tissu ramené d'Alicante en 1939. Elle mariait ainsi les trois pays qui avaient vu naître ses descendants et elle rangea la mixture au fond d'un placard, par habitude de tout garder.

1ᵉʳ novembre 1954. L'Algérie vécut une série d'attentats visant des bâtiments français. Huit soldats et civils français tués. Ces attaques furent revendiquées par le FLN[66], dont personne n'avait encore entendu parler jusqu'alors. Son pendant, l'ALN[67], avait distribué des tracts à la population arabe où on pouvait lire :

> *Peuple algérien, [...] pense un peu à ta situation humiliante de colonisé [...]. Nous t'appelons à secouer ta résignation et à relever la tête pour reconquérir ta liberté au prix de ton sang [...]. Se désintéresser de la lutte est un crime [...]. Vive l'armée de libération. Vive l'Algérie indépendante.*

C'était le début d'une guerre qui allait durer huit ans et qui se terminerait par l'indépendance de l'Algérie. En cette journée de novembre 1954, aucun Européen d'Algérie n'aurait pu l'imaginer. Ce n'était pas la première fois que les Arabes faisaient parler d'eux et revendiquaient leur détachement de la France. L'armée finirait par leur faire entendre raison comme à chaque fois, et la vie continuerait pleine de soleil et d'anisette.

Carmen n'était pas plus inquiète cette fois-ci qu'en 1945, lors de la tuerie à Constantine, qui fut plus barbare et sanguinaire. Mais pourquoi Eugenio, Carmencita et Pierrot n'arrêtaient-ils pas de commenter l'événement ? Elle se disait que c'était sans doute un feu de paille, que la jeunesse

---

66. Front de Libération Nationale.
67. Armée de Libération Nationale.

avait tendance à se monter la tête pour pas grand-chose, que d'ici quelques semaines tout serait rentré dans l'ordre. Ces dernières années, malgré le départ de Rafael, elle se sentait plus apaisée. Elle avait cessé de courir pour se mettre à l'abri. Elle avait troqué ses sourires pour des rires plus fréquents, plus francs.

Puis, mai 1955 arriva et elle sentit que l'air devenait à nouveau moins respirable. Oh! au début, l'impression était ténue. Elle s'apercevait bien que les gens murmuraient plus que de coutume, que les regards se faisaient plus furtifs et les mots incisifs. Arabes et Européens se jaugeaient après des décennies d'incompréhension et de mépris silencieux. Aujourd'hui, la dissonance s'installait jour après jour et deviendrait bientôt insoutenable. Et entre le silence et la dissonance, il n'y aurait aucune place pour les mots, ceux capables d'oblitérer le passé pour mieux polir le futur.

Les bottes des militaires font le même bruit quel que soit le sol qu'elles heurtent. Les premiers parachutistes français, venus de la métropole, avaient débarqué cette année-là et une inquiétude familière visitait de nouveau Carmen quand elle entendait certaines nouvelles. Des nouvelles qui s'étalaient de plus en plus souvent dans les journaux. José, lui, lisait la presse quand elle était trop alarmiste. Lui aussi se questionnait sur la tournure que prenaient les événements. Il n'aimait pas ce qu'il voyait. Le pays se militarisait à la vitesse des attentats perpétrés par ce FLN que les Algériens et les Français découvraient chaque jour un peu plus présent. Les massacres de Philippeville, avec cent vingt-trois Français tués et mutilés, dont plusieurs Arabes modérés, laissèrent un goût amer de déjà-vu chez Carmen.

«Ils se tuent entre eux. Les Arabes se tuent entre eux. Comme pendant la guerre civile en Espagne.

— Mais non. La plupart des Arabes ne sont pas Français, maman, et l'Algérie est française. Ça ne peut donc pas être une guerre civile, lui répondit Eugenio, exaspéré.

— Nous non plus, nous ne sommes pas Français. Enfin...
sauf toi et Carmencita. Et pourtant, les Arabes nous regardent de la même manière qu'ils regardent les Français. Bon,
nous, on est Espagnols, mais eux, s'ils ne sont pas Français,
où est leur pays ? »

Bien sûr, personne ne lui répondit. Ayant l'habitude de
vivre sans réponses, elle n'y porta pas attention.

Cette année-là, Eugenio eut vingt et un ans et fut appelé
sous les drapeaux français pour effectuer ses deux ans de service militaire. Quand elle le vit revêtu de l'uniforme, elle lui
sourit, lui dit combien elle était fière de lui et sortit en vitesse
faire les courses. Un besoin urgent de safran pour cuisiner la
paëlla. Elle arpenta toute la matinée le marché à la recherche
de l'indispensable épice, qu'elle ne cherchait pas, bien sûr.
Un vieux réflexe pour se retrouver en un lieu qui savait la
rassurer. Elle s'arrêtait devant les étals, palpait les fruits et les
légumes, les reposait délicatement, pour bien les disposer.
Quand le marché fut rangé à son goût, elle retourna chez
elle s'activer aux fourneaux. Eugenio était parti retrouver ses
copains et fêter son départ. Le repas préparé, elle s'attaqua
au ménage. Elle frottait encore le sol quand Eugenio rentra,
bien après minuit. Il ne lui restait plus que quelques heures
avant de rejoindre son bataillon, le dix-neuvième régiment,
à la caserne d'Hussen Dey. Il n'était pas vraiment surpris de
la trouver à genoux, en blouse, pieds nus et tenant dans sa
main une brosse à récurer. Ses yeux étaient rougis par les
pleurs de toute une après-midi.

« Maman ! Tu n'es pas encore couchée ?

— Je vais y aller. Je vais y aller, mon fils. »

Il la tranquillisa, lui dit qu'il restait en Algérie, qu'il lui
donnerait des nouvelles très souvent, qu'il ne risquait rien,
que tous les jeunes Français sans exception étaient obligés
de faire leur service militaire, qu'elle ne devait plus s'inquiéter autant, qu'elle devait s'occuper d'elle à présent... Les

mots la soûlaient et l'apaisaient un peu. Mais elle n'était pas dupe. Elle savait que des militaires mouraient tous les jours en Algérie. Qu'Eugenio ne la prenne pas pour une idiote ! Ils le disaient à la radio, celle qu'elle avait installée sur une petite table basse au-dessus d'un joli napperon qu'elle avait crocheté. Elle l'avait aussi entendu de la bouche des militaires eux-mêmes, quand elle se rendait chez Pierrot et Carmencita. Leur ferme était devenue le QG des soldats depuis quelque temps et il lui était impossible de les éviter quand elle allait leur rendre visite.

La première fois qu'elle les avait vus, ils étaient dans la cour et jouaient avec Marlène et Ghyslaine. Elle avait figé devant ce spectacle. C'était l'effet que faisaient sur elle les uniformes militaires. Son poil se hérissait et un léger tremblement la saisissait. La même réaction qu'à la vue d'une blatte. Et là, ils se trouvaient chez sa fille ! En train de s'amuser avec ses petites-filles ! De sa main, elle frotta sa blouse et ôta la poussière qui s'y était accumulée en chemin – elle devait parcourir plusieurs kilomètres à pied sur un chemin poussiéreux avant d'arriver à la ferme –, arrangea son chignon et avança vers eux, comme si c'était la chose la plus naturelle qui soit. Surtout cacher sa crainte. Les hommes ressemblent aux chiens, ils sentent la peur chez les autres, se répétait-elle en s'approchant d'eux. Au bout de quelques semaines, elle s'habitua à leur présence. C'étaient de braves garçons, ils étaient les fils d'une pauvre mère assise dans une cuisine, attendant le passage du facteur. Elle se surprenait à les regarder avec affection et ils le lui rendaient bien, redoublant d'attentions et de prévenance envers elle. L'uniforme restait son ennemi. Pas les hommes qui le revêtaient.

Ce soir, Eugenio se tenait à ses côtés. Il voulait sans doute la rassurer. Elle avait bien de la chance d'avoir des enfants bien attentionnés. Alors, pourquoi Rafael ne donnait-il pas

55

1962 : Alger

Juin 1962 : port d'Alger

En ce mois de juin 1962, l'indépendance de l'Algérie était imminente. C'était la débandade chez les pieds-noirs. Beaucoup d'Européens avaient déjà fui le pays pour la France en laissant derrière eux leurs biens aux mains des Algériens. Partout on pouvait lire ou entendre le slogan « La valise ou le cercueil ». Et malgré cette menace, ils étaient encore nombreux à avoir reculé l'échéance pour fuir. L'espoir de voir l'OAS[68] triompher, les Français de la métropole changer d'avis, De Gaulle revenir sur sa décision ? Ils n'en savaient rien. Ils étaient restés, peut-être parce qu'ils ne savaient pas où aller, peut-être parce qu'inconsciemment ils avaient choisi le cercueil et voulaient être inhumés dans le cimetière aux côtés des leurs, peut-être parce que la haine de l'autre était plus forte que l'amour de leur propre vie ?

Depuis trois jours Violeta faisait le pied de grue au port pour se procurer des billets de bateau, et toujours rien ! Le quai était bondé de pieds-noirs, agglutinés face à la mer qui les porterait loin d'ici, loin d'une tragédie dont ils ne connaissaient pas encore l'ampleur, loin de leur pays. De l'autre côté,

---

68. Organisation armée secrète : organisation française politico-militaire clandestine partisane qui s'opposait par tous les moyens à la politique d'autodétermination mise en place par le général De Gaulle à partir de la fin de l'année 1959.

la métropole, la mère-patrie que la plupart n'avaient jamais vue. Un billet pour l'inconnu. Voilà ce qu'ils étaient venus chercher. Dans la journée, la chaleur était insupportable. Ils cuisaient, assis ou allongés sur le béton ou sur des chaises pliantes, ou encore adossés sur des murs qui soutenaient leur orgueil vacillant.

Violeta sentait monter en elle la colère plus que la lassitude. Elle aurait coûte que coûte les billets qui permettraient à la famille de s'échapper de cet enfer. C'était peut-être leur dernière chance de s'enfuir. Autour d'elle, la tension était palpable, à couper au couteau. On voyait des familles entières qui pressaient contre elles des valises gonflées comme des boîtes de conserve avariées. Elles avaient dit adieu à leur Algérie tant aimée et avaient déjà le regard vide de ceux qui ont tout perdu. Certains, comme Violeta, étaient venus seuls, en éclaireurs. On entendait des vieux gémir et des femmes pleurer, par intermittence. Une course à relais pour mieux reprendre leur souffle. Des hommes essuyaient furtivement leurs larmes. Surtout ne pas montrer de faiblesse. D'autres fanfaronnaient, insultaient à bonne distance les Arabes, « ces sales melons qui ont mis le pays à feu et à sang et qui vont regretter les Français... » Les autres se taisaient. Ils n'auraient pas supporté d'entendre des aveux, car leurs lèvres cherchaient encore à embrasser cette terre qui se refusait à eux, leurs mains s'agrippaient de toutes leurs forces à la porte qui claquait sur leurs doigts, leur cœur et l'Orient battaient à l'unisson, tandis qu'on les mariait de force à une France inconnue.

Violeta se sentait soulagée de ne pas attendre avec sa famille au milieu de ces gens qui transpiraient de chagrin. Le plus dur, c'était le soir, quand ils s'installaient du mieux qu'ils pouvaient pour dormir quelques heures avant d'affronter à nouveau les chaleurs du jour. La nuit, la détresse leur apparaissait en pleine lumière, dévêtue des apparats des faux espoirs. Serrés les uns près des autres, ils erraient seuls, perdus dans un labyrinthe de regrets, la poitrine oppressée par l'incertitude du lendemain.

La famille avait décidé de quitter l'Algérie en deux groupes distincts. Les premiers à partir seraient Violeta, ses deux parents et les enfants – son fils Serge âgé de trois ans et ses deux nièces, Marlène et Ghyslaine. Les autres : sa sœur, son beau-frère et Robert, son mari, prendraient un bateau un autre jour – en espérant qu'il y en ait encore. Ils devaient d'abord essayer de sauver la vaisselle et les meubles, au sens littéral car c'était les seuls biens qu'ils possédaient.

Carmen et José s'étaient réfugiés chez leur fille Carmencita en attendant que Violeta revienne avec les billets. Toute la famille attendait le grand départ. Il manquait Eugenio, parti l'année précédente avec sa femme et leur fils Bruno. Un ami – un soldat français avec lequel il avait construit des routes dans l'Aurès lorsqu'ils effectuaient tous deux leur service militaire – lui avait trouvé un emploi à Bordeaux. Il avait perdu l'espoir plus rapidement que ses compatriotes et avait abandonné sa terre d'adoption bien avant les autres. Et bien sûr, on l'avait jugé. Ses amis, peut-être même des membres de sa propre famille. Un lâche, un dégonflé qui fuit devant l'ennemi. Mais en ce mois de juin 1962, plus personne ne le traitait de couard. Il avait compris plus vite que les autres, c'est tout.

Carmen était assise dans un fauteuil près de la fenêtre. Elle guettait le retour de Violeta et elle s'inquiétait de sa longue absence. Son gendre Robert la rassurait pourtant tous les jours en lui rapportant de ses nouvelles. Il allait la voir fréquemment pour s'assurer que tout allait bien et dans l'espoir qu'elle ait enfin pu se procurer les billets tant convoités. Il s'en voulait de ne pas avoir quitté le pays plus tôt.

Carmen surveillait Serge, le premier né de Violeta, qui jouait à ses pieds. Il était né trois ans auparavant, l'année où elle avait pris sa retraite. Bien entendu, elle s'était proposée pour le garder pendant que Violeta travaillait au moulin de l'Harrach. Pour éviter aussi de se retrouver seule trop longtemps avec José, qui ne sortait plus guère de chez lui. Si au début de sa retraite il avait passé ses journées à pêcher et à jouer à la pétanque, il en était tout autrement depuis les trois dernières années, où il faillit perdre la vie par deux fois.

La première fois, c'était au boulodrome, à trois coins de rue de chez lui. Ce jour-là, le FLN avait mitraillé des terrains de boules, et José s'était retrouvé sous la mitraille. Quand son gendre, Robert, était allé le chercher, il errait parmi les cadavres, dont quelques-uns avaient été ses amis ; il tenait son éternelle casquette à la main, par politesse. Il resta prostré plusieurs jours, sans parler. Quand il retrouva l'usage de la parole, il ne s'étendit pas sur ce qui s'était passé, conservant de cette tragédie une absence de souvenir dont on ignorait si elle était volontaire ou non. Depuis quelque temps déjà, sa mémoire se perforait sans douleur et sans bruit. Et lorsque, quelques mois plus tard, les Fellaghas[69] prirent pour cible le marché de Maison-Carrée et qu'une balle lui effleura la tempe, le laissant sonné, il perdit le goût des sorties. Carmen le surprit un après-midi, sa canne à pêche en bandoulière, tenant à la main le seau en métal blanc dans lequel il rapportait d'ordinaire ses prises. Immobile devant la porte d'entrée, il sursauta en la voyant devant lui, comme une apparition inusitée en ces lieux. Ils ne dirent pas un mot. Il alla ranger son attirail en soupirant et en marmonnant des paroles d'un autre temps, des mots ressurgis d'un passé sans frontières, aux couleurs de l'innommable.

Tout en surveillant son petit-fils, Carmen ne cessait de jeter des coups d'œil par la fenêtre, inquiète de ce qu'elle pourrait apercevoir. Depuis quelques semaines, Fatma la mettait en garde contre des actions du FLN dont elle avait vent par son frère, un chef fellagha de la commune de Tizi Ouzou, non loin d'Alger.

---

69. Indépendantistes algériens (1954 à 1962).

Trois jours auparavant, alors qu'elle s'affairait à mettre dans sa valise les maigres effets personnels qu'elle apportait avec elle chez sa fille avant de prendre le large, elle entendit cogner à la porte. José, le canif ouvert dans la main, demanda qui était là. Au nom de Fatma, il ouvrit la porte. Malgré leur peur du FLN, Carmen et José avaient conservé l'amitié des Arabes qui les avaient accueillis à bras ouverts, vingt ans plus tôt, comme Fatma et son mari. Elle venait les avertir : « Est-ce que vous allez chez Carmencita cette après-midi ?

— Oui, Fatma. On allait vous dire adieu, à toi et ton mari avant de partir.

— Je sais. *Aï mama*. Quel malheur. Pourquoi ? Pourquoi on en est arrivé là ?

— On peut te retourner la question à toi aussi, Fatma », lui répondit José qui tentait de contrôler sa colère.

Elle hocha la tête en essuyant une larme et prit Carmen dans ses bras. Elle aurait tellement aimé embrasser les enfants une dernière fois. « Ses » enfants, comme elle avait l'habitude de les appeler.

José s'éloigna pour contenir son courroux. Il ne voulait pas partir. Surtout ne pas reprendre le bateau. Traverser la mer pour aller Dieu sait où encore. Trouver une même misère, une même souffrance sous d'autres cieux. Il avait déjà donné pour changer le monde. Il se trouvait trop vieux. Et surtout, il ne comprenait plus rien. Fatma et Mohamed, des Arabes, des ennemis, leurs voisins, qui juraient de l'indépendance mais qui les aimaient autant que s'ils étaient de leur propre famille, et qui n'avaient pas hésité à mettre leur vie en péril lorsqu'un commando du FLN était venu chez eux pour les exécuter. Cette fois-là, Mohamed s'était mis devant leur porte et leur avait dit, regardant ses frères musulmans, droit dans les yeux : « Ici, il n'y a pas de *roumis*[70]. Ce sont des Arabes eux aussi. » Et les autres étaient partis sans insister.

---

70. Européens (dans le glossaire pied-noir).

Peut-être soulagés d'avoir une bonne excuse pour ne pas tuer ou tout bonnement naïfs, incapables de croire que le beau-frère d'un Fellagha puisse leur mentir.

Les deux femmes restèrent un moment dans les bras l'une de l'autre. Puis Fatma se souvint de la raison de sa visite. «Attention, Carmen, ils vont bientôt faire une expédition punitive du côté de chez Carmencita.

— Quand?

—Je ne sais pas. Bientôt.

— Dès que Violeta aura les billets, on partira. Je te le promets.

—Je sais. Je sais...»

Et leurs larmes de couler une fois de plus. Elles savaient qu'elles ne se reverraient plus, que leur amitié était sacrifiée sur l'autel des passions politiques.

Les valises remplies, Carmen et José jetèrent un ultime regard sur cette vie qui était déjà du passé, avant de franchir la porte. Carmen avait oublié, au fond d'un placard, un vieux foulard rempli de terre, mais elle tenait sous son bras le poste de radio qu'elle n'avait pas eu le cœur d'abandonner. Peut-être y aurait-il une place pour lui sur le bateau. Par habitude de ces départs définitifs, ils laissèrent la porte grande ouverte (pour éviter qu'on ne la défonce) et mirent la clé dans la boîte aux lettres de Fatma.

Carmen n'eut pas le courage de lui faire ses adieux. Fatma avait remplacé sa sœur, ici en Algérie. Elle s'était tenue à ses côtés aux moments importants de sa vie. Elle avait trahi son propre frère et la cause en laquelle elle croyait pour les sauver, eux, de pauvres immigrés espagnols. Un passé qu'elles n'avaient jamais partagé les séparait maintenant et avait érigé autour d'elles des barbelés de haine. Étiquetées, Arabe et Européenne, comme de vulgaires quartiers de viande.

Marlène et Ghyslaine voulaient amener Serge dehors et lui faire faire du tricycle. Carmen jeta encore un œil à l'extérieur et les somma de rester devant la porte, à portée de vue. Le départ était prévu d'un jour à l'autre. Elle ignorait encore dans quelle région de France ils allaient habiter. Pour oublier son cœur qui se serrait et meurtrissait sa poitrine, devenue trop étroite pour contenir sa peine, elle se refusait à penser à ceux qu'elle laissait ici. Là-bas, elle se rapprochait des siens. Au moins, ils seraient tous réunis sur le même continent.

56

Juin 1962 : Alger

Tout en veillant sur ses petits-enfants qui jouaient devant la maison, Carmen écoutait religieusement son radioroman, une tasse de tisane à la main. Depuis qu'elle avait pris sa retraite, elle ne ratait pas un seul de ces feuilletons radiophoniques qui la tenaient en haleine jusqu'au lendemain. Un plaisir quotidien soudain interrompu par un autre de ces bulletins « Spécial attentat », de plus en plus fréquents ces dernières semaines. Au mot « attentat », elle ne pouvait réprimer le léger tremblement de sa mâchoire ni l'accélération de son pouls. Il faut dire que les bulletins ne ménageaient aucun détail sordide. Les tueries rapportées – celles perpétrées contre les Européens – étaient décrites avec la minutie d'un chirurgien et les éclaboussures de sang d'un boucher. En divulguant le nom des victimes en direct, les journalistes n'épargnaient ni leur famille ni leurs amis, qui apprenaient ainsi l'assassinat d'un proche. Le bulletin s'acheva et le feuilleton radiodiffusé reprit, au grand soulagement de Carmen, qui ne connaissait personne parmi les malheureux.

« Merci, mon Dieu, pour nous avoir épargnés jusqu'à présent. » Elle n'oubliait pas de remercier Dieu à la fin de chaque bulletin. Elle le remerciait souvent, sentant la mort rôder de plus en plus près de sa famille, qui était parvenue à se dérober à son étreinte à plusieurs reprises déjà : José, par deux fois, au marché et au boulodrome ; la voiture de Carmencita et Pierrot avait sauté sur un plastic ; Mohamed s'était interposé entre les Fellaghas et leur porte ; les

Marocains, qui travaillaient sur la ferme, s'étaient eux aussi précipités un jour au-devant d'un commando FLN et avaient ainsi évité une tuerie en affirmant que les occupants pieds-noirs étaient partis ; et Marlène avait eu la jambe brûlée à cinq ans par un réchaud d'alcool que la femme de ménage avait renversé sur elle. Cet incident fut sans doute le plus pénible pour la famille. Carmen en frémissait encore quand elle regardait les cicatrices sur la jambe de la fillette, brûlée au troisième degré. Elle s'était mise à courir, la jambe en feu. Elle hurlait de douleur quand Aliouette, un des Marocains – qui allait devenir un chef fellagha –, l'avait interceptée et avait éteint le feu. La femme de ménage l'avait-elle fait intentionnellement ? Tout le laissait croire. Sans preuve réelle, Carmencita et Pierrot la renvoyèrent toutefois en prétextant sa négligence. Plusieurs années s'étaient écoulées depuis cet accident et le sentiment de trahison flottait encore dans l'air. Désormais, la suspicion et la méfiance qui avaient germé dans cette maison s'accroissaient chaque fois qu'un crime était perpétré ailleurs au pays.

Carmen ignorait encore que, deux mois plus tard, Carmencita et ses deux gendres échapperaient encore à une tuerie grâce à Fatma. Il ne leur restait alors que quelques jours avant de prendre *in extremis* le dernier bateau pour la France. Ils étaient au milieu de la cour, occupés à couler du béton dans le puits où ils avaient jeté à la hâte toutes les armes pour que le FLN ne s'en empare pas après leur départ, quand ils virent une dizaine de Fellaghas armés s'approcher de la ferme. Leur air déterminé ne laissait aucun doute quant à leurs intentions. Carmencita, Pierrot et Robert se ruèrent à l'intérieur de la maison, s'y barricadèrent et regardèrent entre les interstices des volets. Comme des Sioux, les Fellaghas tournaient autour de la ferme, qu'ils avaient complètement encerclée.

« Ils viennent nous tuer, ces bâtards. » Le mot était lâché.
Ils se regardèrent tous les trois et se serrèrent dans les bras.

57

MORT DE CET HIJO DE PUTA *DE FRANCO*

Le 20 novembre 1975
Jo, mon cher Jo,

Je suis encore tout excitée! Hier, c'était le grand jour. Tu ne devineras jamais. Franco, cet hijo de puta, est MORT*!!!!! Je mettrais des points d'exclamation jusqu'à la fin de la page si je ne me retenais pas. Ça faisait déjà quelques semaines qu'on s'attendait à la bonne nouvelle. Depuis qu'il agonisait. C'est là qu'on a commencé à être heureux, mais pas trop. Il pouvait agoniser plusieurs mois encore, et on ne peut pas être heureux sur une aussi longue distance. Ce serait trop douloureux! Le bonheur est un muscle qui n'a pas l'habitude de travailler longtemps. C'est prouvé. Juste à regarder combien de temps dure un sourire.*

Ma grand-mère, comme elle l'a toujours promis, a payé le champagne à toute la famille, qui s'était réunie chez nous. On a invité les voisins de palier et ceux du dessous (eux, c'est pour éviter qu'ils ne rouspètent. Il semble qu'on est trop bruyants quand on reçoit). Les voisins, je crois qu'ils s'en foutent de cet hijo de puta *de Franco, mais ils sont venus partager notre joie et le champagne. C'est rare de voir autant de monde s'intéresser à Abuela.*

«Alors, mémé! On est contente hein?

— On a eu sa peau enfin, n'est-ce pas, madame Martin? (ça c'est un voisin qui parle et qui n'a pas compris grand-chose à la mort de cet hijo...)

— Il est mort comme tu voulais, mémé. En souffrant.»
Elle souriait de son sourire naturel... édenté. (Elle ne supporte

313

pas de porter un dentier. Ça la dégoûte de voir ses dents tremper dans un verre. C'est vrai que ça doit faire tout bizarre de voir un verre nous sourire avec nos propres dents!) Elle disait: «Sí, sí, ya esta muerto. Ya[71] !» Il est enfin mort! Elle a attendu cet événement toute sa vie depuis que je la connais.

Aujourd'hui, elle n'attend plus rien, sauf le facteur qui lui apporte sa pension quatre fois par an. Avant, elle attendait aussi Raphaël, mais ça fait déjà dix ans qu'elle l'a retrouvé. J'imagine que ça doit faire tout drôle de ne plus rien attendre. On doit avoir l'impression d'un vide dans notre horaire. Je suis sûre que pendant un moment, elle va avoir le réflexe tous les matins de se réveiller, de s'asseoir sur son lit et d'attendre la mort de cet hijo de puta *de Franco.*

Quand on a annoncé sa mort hier matin à la radio, elle a poussé un cri aigu. Comme quand on se coince le doigt dans une porte. Je ne me souviens pas de l'avoir jamais entendue crier son mal. Et ensuite, j'ai vu deux grosses larmes glisser sur ses vieilles joues ridées. On aurait dit qu'elles étaient là, au coin de ses yeux, prêtes à jaillir au bon moment. J'avais l'impression qu'elles lui avaient toujours été réservées à cet hijo de puta *de Franco. Pendant presque quarante ans, elles ont sagement attendu et ont laissé passer les autres larmes sans broncher. Hier, c'était enfin leur tour. Elles avaient dû prendre de l'amertume avec le temps. Elle les a essuyées avec le mouchoir qu'elle garde dans sa manche au cas où... et elle a fermé les yeux en disant: «Ya esta!» Ça y est! Je ne m'étais pas imaginé ce moment ainsi. Je croyais qu'elle allait rire, chanter, crier, applaudir... Faut croire que les grandes joies sont muettes. Elle a gardé les yeux fermés. Par respect pour son bonheur, je ne bougeais plus. Je n'osais plus respirer, ce qui est exagéré puisqu'elle commence à être sourde comme un pot. Et, après un petit moment, elle a rouvert les yeux. Ils brillaient plus que d'habitude. Ils étaient bien propres. Elle est allée prendre des sous dans son armoire et elle les a donnés à ma mère pour qu'elle aille acheter le champagne. Ses mains tremblaient. Elles se sont*

---

71. Oui, oui. Ça y est, il est mort. Ça y est!

serrées dans les bras. Je me suis sentie de trop. J'ai baissé les yeux et je me suis cachée sous la table de la cuisine – je m'y précipite chaque fois que je veux être seule. Il m'arrive d'oublier que ma mère est sa fille et qu'elles ont traversé ensemble la Méditerranée dans les deux sens ! À la première traversée, ma grand-mère a pris soin de ma mère et à la deuxième, c'est ma mère qui s'est occupée de ma grand-mère. On peut dire qu'elles sont quittes. Bon d'accord. Oui, je l'admets, je suis un peu jalouse de ne pas avoir eu mon bateau à moi avec ma grand-mère. Pas grave. Moi, je vais m'occuper d'elle en trouvant le vaccin de l'immortalité.

Revenons à nos moutons. La smala était donc réunie ce soir pour fêter la mort de cet hijo de puta *de Franco et chacun y allait de son avis. Ils avaient tous quelque chose d'intelligent à dire sur la question. Ils en ont parlé une bonne heure au moins. Durant ce temps, ma grand-mère, qui est bien élevée, faisait de gros efforts pour écouter. Aussi, elle se sentait un peu concernée, vu qu'elle avait payé le champagne. Moi, je sais qu'ils parlaient trop vite pour elle, et qu'elle ne comprenait pas tout. Ensuite, il y en a un, je ne sais plus lequel, qui a lancé : « C'est comme chez nous en Algérie quand... »*

Et tout à coup, exit cet hijo de puta *de Franco, et on a traversé la grande bleue, direction Maison-Carrée. Finalement, ce changement de cap a permis à l'Abuela de se retirer tranquillement dans sa tête sans passer pour une ingrate. Elle est restée de ce côté-ci de la Méditerranée, je l'ai vu dans ses beaux yeux gris. Et vu que, moi aussi, j'étais exit parce que Patos, j'en ai profité pour m'installer sur le fauteuil tout contre elle. J'ai mis ma tête sur ses genoux mœlleux et elle a caressé mes longs cheveux bruns et bouclés. Je me suis endormie profondément.*

58

Juin 1962 : Départ d'Algérie

La déchirure s'agrandissait entre le quai et le navire qui s'éloignait. La douleur redoublait d'intensité. Sur le bateau, des centaines de pieds-noirs étaient agglutinés au bastingage pour dire au revoir à ceux qu'ils laissaient et qu'ils craignaient de ne plus revoir. L'exode s'accompagne d'autant de tragédies que d'exilés. Ils portent tous la même croix : celui d'un sol qui se dérobe sous leurs pieds, mais aucun ne la porte de la même manière.

Carmen, comme les autres, se pressait sur le pont. Elle tenait les mains de Ghyslaine et de Marlène si fort que les fillettes en avaient les larmes aux yeux. Elle cherchait, parmi tout ce monde sur le quai, Carmencita qui restait en Algérie avec Pierrot et Robert pour finir de tout liquider. Carmen l'avait suppliée d'accompagner ses deux filles qui avaient besoin d'elle, mais Carmencita n'avait pas cédé. Elle était incapable d'abandonner son mari. Violeta se tenait aux côtés de sa mère, le petit Serge dans ses bras.

« Regarde, maman. Ils sont là. Tu les vois ? Marlène, Ghyslaine, faites coucou à papa et maman. »

Les deux fillettes agitaient leurs mains, sans parvenir à voir leurs parents. Elles n'osaient rien dire. Trop de monde, elles suffoquaient.

« Serge, regarde papa, là-bas. »

Violeta retenait ses pleurs, pour le petit. Lui montrer l'exemple. Elle foudroyait du regard sa mère qui avait le visage inondé de larmes. Mais Carmen ne la voyait pas. Elle essayait de toutes ses forces de repérer sa fille dans la foule. Elle parvint à l'apercevoir par miracle et la fixa aussi longtemps qu'elle put. Jusqu'à ce qu'elle ne discerne que des points noirs sur un fond bleu. Tous les passagers du bateau étaient occupés à ne pas lâcher du regard ces minuscules points si chers à leur cœur et qui finirent pas se souder en une vague grise, avant de disparaître complètement. José était descendu directement dans la cale pour leur trouver des places. Il abhorrait les adieux qui se prolongeaient.

Pour Carmen et José, une désagréable impression de déjà-vu. Même désespoir dans des yeux hagards, même hargne, même haine, mêmes pleurs et cris. Là aussi, des gens qui vomissaient et d'autres qui insultaient. Rien n'avait changé en vingt-trois ans, si ce n'est que la ville qui avait été celle de tous leurs espoirs était devenue à son tour celle de toutes les craintes et de toutes les démesures. Pas de chance ! L'Histoire se répétait et on leur avait donné les mêmes rôles de figurants.

Ils avaient déjà parcouru plusieurs dizaines de milles et, dans la soute, tout le monde somnolait. Carmen se leva doucement et se rendit sur le pont dans l'espoir de chasser un mal de mer latent, contre lequel elle luttait depuis qu'elle avait mis le pied sur le bateau. Le vent chaud de l'Afrique soufflait plus fort que de coutume. Peut-être le sirocco. Sur ses lèvres, le goût salé des embruns et quelques grains de sable qui s'exilaient, transportés par les vents du large. La côte avait disparu. Autour d'elle, une étendue d'eau qui l'hypnotisait malgré elle. Elle y plongea son regard, pour y laver ses larmes, et se sentit happée par les abysses malicieux qui s'étiraient sous ses pieds. Elle se sentait si vieille, si fatiguée.

« Mémé, qu'est-ce que tu fabriques ? On te cherche partout. Viens, on est en train de casser la croûte. » Ghyslaine se tenait derrière elle. La fillette portait péniblement sa petite valise en carton, pleine à craquer, qu'elle n'avait pas lâchée depuis leur embarquement. Carmen sourit et lui prit